国家出版基金项目
NATIONAL PUBLICATION FOUNDATION

《三联经典文库》

第二辑

2012年国家出版基金项目

三联经典文库

191

日常心理漫谈

[美] 约瑟夫 · 查斯特罗 著 曾宝葹 译

生活 · 讀書 · 新知 三联书店

图书在版编目(CIP)数据

日常心理漫谈 / ［美］约瑟夫·查斯特罗著；曾宝葹译.
--北京：生活·读书·新知三联书店，2014.1
（三联经典文库第二辑）
ISBN 978-7-108-04691-8

Ⅰ.①日… Ⅱ.①查… ②曾… Ⅲ.①心理学－通俗读物
Ⅳ.①B84-49

中国版本图书馆CIP数据核字(2013)第246627号

191 日常心理漫谈

责任编辑 曹明明
封扉设计 蔡立国
责任印制 徐 方
出版发行 生活·讀書·新知 三联书店
(北京市东城区美术馆东街22号)
邮 编 100010
经 销 新华书店
印 刷 北京鹏润伟业印刷有限公司
版 次 2014年1月北京第1版 2014年1月北京第1次印刷
开 本 787毫米×1092毫米 1/32 印张 14.5
字 数 205千字
定 价 53.00元

《三联经典文库》出版缘起

适逢生活·读书·新知三联书店八十华诞，为弘扬传统，接续文脉，回报读者，服务社会，我们决定策划出版《三联经典文库》。

1932年7月，生活书店在上海创办，此后，读书出版社和新知书店相继成立。本文库第一辑、第二辑所选图书，来自于这三家出版单位及其分支机构，以及1948年生活·读书·新知三联书店成立后的出版物，始于1932年，截至1951年，两辑各一百种。此为第二辑，涉及政治、经济、社会、军事、思想文化诸领域，涵盖专著、文集、散文、小说、诗歌、传记、报道等体裁，既有直面现实、追求真理、讴歌真善美、抨击假恶丑的原创作品，又有引介世界各国先进文化、传播新知、开启民智的迻译之作，真实记录了那一代知识分子的思考与探索、理想与愿景和对中华民族文化传承与创新所做出的努力与贡献。

本文库所辑入各书，多为名家名作，在版本方面，以初版一印本或经著译编者审定、修订、增订过的版本为首选，因此本文库又具有较为珍贵的版本价值和收藏价值。

本文库还将编选续辑，使之成为恢弘文化工程。诚挚希望读者给予批评和指正，帮助我们完善编选工作，再现三联经典作品之风采。殊为遗憾的是，由于年代久远，一些原著译编者及其后人未能取得联系并奉付稿酬，诚盼版权所有者与我们联系。祈愿三联前辈所创造的精神财富能薪火相传，为中华文化的伟大复兴增光添彩。

《三联经典文库》编辑委员会

2013 年 8 月

凡　例

一、本文库为重排本，由繁体字竖排版改为简体字横排版。

一、以忠实于原作、整旧如旧为编辑原则，对当时使用的专有名词、外文译名，以及民国时期的语言和特色予以保留。

一、原书注释如旧，编者所出的注释，均以“编者注”标明，以示与原书注释的区别。

一、对原书残缺或字迹漫漶之处，以□示代。

一、对繁简文本转换时的“如右”、“见左”一类，对应改为“如上（前）”、“见下（后）”。

一、对原书中各种错讹脱衍之处，直接订正，不再以其他符号标示。

一、对数字、标点符号的用法，在不损害原文语义的情况下，做必要的规范。

一、本文库各书均前插原书书影、原书版权页和文库版“本书出版说明”。

一、本书出版说明的撰写，以客观中立为原则，扼要介绍本书的内容、版本流转、著译编者的情况。

本书出版说明

日常心理问题，涵盖了日常工作、婚姻家庭生活中表现出来的心理状况和反映在行为上的各种现象。本书由日常生活中出现的心理案例出发，分专题进行了论述。通过列举案例和实验等方法，对日常情绪的变化、儿童的心理教育、心智的变化以及怪异的性情等问题进行了研究。对这些心理问题的成因、影响进行了系统的概括，并提出了调试和解决的建议和方法。

本书于 1934 年 7 月由生活书店出版，此次出版即以此为底本。

约瑟夫·查斯特罗（1863-1944），美国心理学家，威斯康星大学教授，曾任美国心理学会会长、《纽约晚报》等报纸的日常心理指导编辑。在实验心理学、心理物理学等方面颇有建树。他所发现和研究的视觉错觉幻象被称为“查斯特罗错觉”（Jastrow illusion）。著有 *Time Relations of Mental Phenomena Fact and Fable in Psychology, The Psychology of Conviction, Story of Human Error, The Mind's eye* 等作品。

曾宝葹（生卒年月不详），曾国藩第四代曾孙女，翻译家，燕京大学肄业，编译有《科学家奋斗史话》、《世界著名科学家传》等。

生活·读书·新知三联书店

2013 年 8 月

生活书店 1934 年 7 月初版书影

日常心理漫談

每冊實價壹圓
外埠酌加寄費

原著者 Joseph Jastrow

譯者 曾寶蓀

發行者 生活書店 上海霞飛路第五九三號

印刷者 生活印刷所

中華民國二十三年七月初版

原书版权页

目次

译者赘言

本书著者查斯特罗博士（Dr. Joseph Jastrow），是现代美国很著名的心理学家，在威斯康星大学（University of Wisconsin）担任心理学教授凡三十余年，曾被选为美国心理学会会长，并任《纽约晚报》及其他报纸之日常心理指导编辑，由此，他在美国心理学界的地位，并受一般人之欢迎，可想而知了。

本书以浅近之文字，轻快的笔墨，漫谈一般人种种日常心理，如“快乐的艺术”，“你怕什么”，“假使你是一个犯人”，“你讨人厌么”等等，趣味浓厚而切实，可为一般人日常生活之指导，非其他玄奥枯燥之心理理论书籍可比。本书原书名为 *Keeping Mentally Fit—A*

Guide to Everyday Psychology，自出版后，在美国风行一时，现选入美国最通行之《星光丛书》（*Star Series*），用特亟为译出，以飨国人。

中华民国二十三年四月二十八日曾宝葹于沪滨

第一篇　如何保持快乐

一　快乐的艺术

恐怕你要问：有所谓快乐的艺术吗？如果你的意思是一种具体确实的艺术，如画二张画，或制造一辆汽车，甚或一种最普通的技术，像写字或制广告一样，那么，便没有。如果你的意思是一种很普通的艺术，如赚钱的技术，或组织的技术，教训人的技能，那么，答案就比较近乎正面了。再如果你的意思是一种广义的艺术，如与人接交的技术，或思考正确的技术，或高尚生活的技能，那么，则答案完全是肯定的了。

我们平常之所谓艺术家，乃是他能够借着一种艺术而生活；其实一个真正的艺术家，是要能够以他的生活为艺术生活的良好模范，这种艺术是任何人都可实行的。而保持快乐的艺术，便是此种艺术的中心。

将来人类的先师，便是要以最有价值的方针，引导一般人达到快乐美满的途径。现在这还是一个很大而未曾完美的问题。

当你的心智或情感作用与你全身各部得到调和时，或你心中感觉到十分自由而无牵挂时，你便觉得快乐。平常每每有些事是与全身之进行冲突的，那么，便会扰乱日常的快乐。譬如疲倦能使你好像机器失了油，很慢而颠踬地走到第二个有油的站上去。譬如发生阻碍，也是能妨碍你的快乐的。此外还有烦闷，更是种种不快之中的一种。

小的烦恼，便是大的烦恼的导线。当大家疲倦的时候，小约翰和大贞安便无谓的喧闹暴躁，母亲也变为苛酷，专门寻人的错处，父亲口出怨言，唧哩咕噜，——全家好像经过一种暴风雨的时期。晚餐之后，大家的心身都恢复清爽，小约翰便紧伏在母亲膝上，听他最喜欢的故事，使母子两人都感觉快乐；贞安看见父亲现在口里正含着一只烟管，便也可以叫他谈论关于夏季出外游玩的事情。

如果快乐的艺术，仅限于短促时期的，便是一种残缺不全的艺术。小约翰正在很快乐的玩耍，替他的一队小兵筑俱乐部，突然一个大孩子走来戏弄他，拿去他的钉子，便使他不快乐了；贞安正在很快乐的预备她的功课，刚刚觉得勉强可以对付考试，忽然一个大学的知己好友跑来闲谈了半天，便使她不快乐了。父亲也很快乐的在他办公室里，但因为等一个未到的电报，悬着不安；在打鱼的时期尚未过之先，不能定夺往北方去，于是他不快乐了。母亲在街上买东西的时候，本来很快乐，但是在铺店里耽搁太久了，过路时走不通了，而且她遇着安太太乘汽车过路时，不叫她坐汽车回家，于是她便不快乐了。

我们如能在小事上懂得快乐的艺术，便可以作为许多大事的指导。我们精神上的烦恼，以及心理上的耗费，并非因为所遇着困难的本身，而是因为我们把情绪消耗于错处。工作时过于急躁是一种习惯；以镇静的态度而工作，又另是一种习惯。你不能用一种拳打脚踢的方法，把烦恼赶走。你必须习于镇静，从容工作，而后烦恼不攻而自退了。

快乐没有一种标准的指南，除非你自己为你自己生活的前途创造一个；此种指南不是指路牌，而是一种习惯的养成，以规范前程。这是一种很不易捉摸的艺术，当你每次觉得要捉住时，而每次都被逃跑了。成功也不能衡量你的快乐，有许多伟大的成功，而在快乐的艺术上完全失败。杂志上面所炫耀的大照片，以及所载的成功故事，很少能代表真实的情形。如果你知道实情，恐怕你也不想和他们掉换地位了。

快乐是一种副产品，你的目的是为别种事，而同时你得到了快乐。如果你唯恐你不快乐，你便一定得不到快乐。快乐是你对于各种工作做得恰当的报酬，如你赚钱的工作，家庭里的工作，交友的工作，以及公民服务的工作等。先天可以使你对于快乐的艺术进行很容易，或是很难。这是你个人的问题，你要使普通快乐的艺术去适合你特别的情形。

二　何谓精神健康

一个人强壮，是因为他有强大有力的肌肉，或是他知道如何去锻炼肌肉上的气力；普通而论，大概是两者都齐备。强大的肌肉是先天的赋予，会运用肌肉是训练的结果，两者便造成强壮的躯干。

一个人可以有聪敏的心智，而很少去运用它，或者有较差的脑力，而能多运用之。他所得到的究竟有多少，便是由他天生的脑力及训练的程度两者的结果。肌肉远不及心智的复杂。但许多奇异的事情，肌肉也能做到，这样，肌肉工作也变为很复杂了。

关于肌肉的工作，有气力，坚忍，正确，技艺，以及各种混合的能力。珠宝商，铁匠，外科医生，以及屠夫等，都是用肌肉而工作的。不过他们因为是由不同的神经系所管束，所以做出不同的工作。一个木匠与一个细木工人，同是用差不多的工具做木工，前者却善做粗重有力的工作，后者却善做细而正确接木制形一类的器皿。一个漆匠与一个画油像的在心理运用上，双方相距不知若干里。

肌肉实远不如心智之复杂。体格训练可以帮助你发达肌肉的技能；心智训练可以指导你发达心灵的技巧，工作效力便是两者共同的目标。心智的训练为心理的健康的一部分，便是现在所谓精神卫生。其实际目的即是使你得到精神的安适。

精神健康是由应用人类心灵去得到一种正当生活的结果。你的心灵之关系重大实远胜于智力，比聪敏或愚笨更重要。你的心灵较比运用脑力，对付情形，解决问题，拟订计划，决定办法，按步实行等，都要重要。精神健康包括对于你工作的兴趣、上进、热忱、爱好，以及工作结果的量质。此外并包括平时工作时的心理态度、脾气、喜爱或厌恶，以及使你自己和他人快乐或忧愁的那种原动力。精神健康告诉你如何利用你的气力，如何防止缺欠，如何保持心理感情的调和，如何去防止疲劳，如何去发达你的特长，以及如何去待人接物。

精神健康是要懂得人类的天性。我们每一种共有的天性，以及你的特别性质，都与你精神健康有关。大概而论，我们的消化作用是一样，然而同样的食物，对于某人是合宜的食物，但在另一人却是一种毒物。精神健康必须注意到人类特性的不同，男性和女性不同，小孩与成人不同。也有种族的不同，同种内又有派别的不同。训练有时发扬这些不同之处，有时或加以遏制，有时使其自由发展，有时却阻塞其能为。不过我们在应用之先，须能充分了解。精神健康先给予了你一种使命。要知道如何创造及改良你的心理，便必须先明了你自己的心灵。

我们既然必须工作，而且要有工作，然后我们在生活上才有一种严肃的目标和固定的职业。那么，我们在心理适应上，最重要的一部分，便是要能适应工作。当工作合宜时，我们便可以做得很好，而能安然前进。能上进即是成功。但是你存往银行的进款，不能单独算为成功的表现。你在快乐上的收获，以及你所服务于别人的，也应当计算在内。你对于别人，对于你的家庭，以及对于社会，有何贡献呢？成功的人是心灵上安适的。

三　常态

哈丁（Harding）总统曾经写过一个字在地图上，或者也从口里说过，在先前是字典上少见的，而现在却不如此了。这便是"Normalcy"一字，已经代替 Normality 了。如果你失了健康，你便失了常态，如果你恢复了健康，你便恢复了常态，不过你生来的身体，必须本身是常态的。

温度表可以告诉你，你的温度是否为常态；但是没有一种简单的心理测验表，可以测验你平时的心理或暂时的心理。你的气力，你的行为，你的对于人生的快乐，你的普通生活的嗜好，可以代表这种测验表。

不过关于心理的常态，是很难断定的，因为有些事情对于我为常态，却未必于你是常态。因为我们差不多在每件事上，都有小的差异，在许多事上有大的差异，所以常态是依差别之比较而定的。你我的呼吸和脉搏，依着你我的行动和感觉，而彼此不同。然而在大多数的事上，大家都与普通的常态相差不远。

我们必须假定彼此是有差异的。不过我们对于各种差异，必须有一种常态来衡量之。你、我、汤姆、隶克和哈利，以及其他的人，在高度、力气、智力、交际才能、脾气、娱乐、兴趣、忍耐、野心、眼光，以及其他事物总算在内，总免不了各有不同。在法庭上（假使我们中间有一个犯法的话），由专家的检验，声明我们都并未失常态。设使我们中间有一个做出一种不法的行为，而是我们其余的人，所不会做或不懂的，那么，我们的常态便成为问题了。一个人在他的一生，总应当不失常态或健全——不一定是完美不缺，而是要有平衡。如果一百之中有九十九人都是完全相同，则可以说大家都是普通不失常态的人，仅带着少许差别。

常态应当顾到两方面，一为先天的体格，一为后天的情形。最好的方法能够不失常态，是要生而为常态，有常态的父母和祖父母等。天生而成之常态，在行为上亦必常态。一个小孩在常态上最好的现象，即是他的发育能依照常态率。

总而言之，假使你能在大体上及群众生活中，可以和其余的人一样，而且假定在先天及后天的情形上，没有多少大的差别，那么，你便是一个常态的人。

心理常态即是心理健全、心灵健康的人。但后天的情形则更进一层。不失常态的行为，必须依据年龄、种族、教育、社会情形、当代风俗等而断定。一个人在儿童时代有一种信仰和兴趣，是两世纪前的人认为常态的，而在现代却认为变态。中国所认为常态的，未必在美国认为常态。

常态是由你心理的一切混合的表示。这便是你研究心理不能像看一张地图一样。没有一个人是一生完全常态的，即使有，像这样的人也就无价值无兴趣了。然而世界上大部分的工作，都必须由常态的人，在常态情形之下，用常态的方法，去应付人生常态的情形，而完成之。

四　你怕什么？

惧怕在人类的行为上占很重要的位置，所以很值得详细研究一下。在复杂的心灵中，这是很可研究的一个对象。惧怕是许多复杂心理状态的一个混合名词。第一，惧怕是一种不安的感觉，含着恐吓的成分，例如失掉了别人扶助的感觉。你对于一个婴孩松了手，或使他跌落时，便会引起他一种所谓原始的惧怕。当你做噩梦时，梦见从高处跌下，惊醒后还觉得心跳，也是同类的情形。我们暂且可以把这种状态，叫做失惊的感觉。你每次由一个安静的状况变为一个惊扰的状况时，便形成了这种心理状态。一种突然巨大的声音，一种未料到的接触或推碰，由梦中突然的惊醒，都能引起这种状态。

我们以为最普通所表示的惧怕行为是躲避，藏匿，逃跑等等。但是上述那些原始的惧怕，并没有什么这种行为的表现。凡是危害你的安全的事情，便会扰乱你的平安，使你发生惊恐的感觉，因而惧怕。在悬崖的边上行走，或从很高的地方往下望，或在薄冰上溜冰，时时刻刻都会使你存着惧怕之心，你说你恐怕跌下去。你看到屋顶上或旗杆上的工人时，你也会同样的心悸，你不愿意想到这些事情。这种惧怕已离开婴孩的原始惧怕很远，然而仍旧是从这条渊源来的。

从心理的本质上而言，惧怕便进一层了。怕黑暗或怕孤独，是一种使人不安的情形。一个小孩在晚上要有灯和他的母亲陪伴着，才可使惧怕消灭。我们害病时或神经衰弱时，我们便更加胆小。有许多人对于这种怕危险的惧怕，尤其易于觉得。他必须要有很大的勇气，才能克服此种惧怕。另有些人走过下面有水或有路的铁桥，也必须鼓着很大的勇气。

再有一种惧怕，便是回避不快的感觉。有许多人假如敢让一个毛虫在他们手腕上走，便可以算为英雄了。

其实并没有人真正惧怕这种无害的动物。有些人看见虱子或油虫爬，便会难过。这种惧怕的来源，一部分是由于嫌恶而来。你不会惧怕一个已经腐坏的苹果，不过你回避苹果，正如你回避毛虫或油虫的心理一样，不过再加上一点怕动的东西的心理。你也同样不愿意亲近冰冷的东西，去抚摸一条蛇也常常使你要突然退缩。憎嫌的退避和抚摸的退避，便是惧怕的导线之一。怕老鼠恐怕是更杂着一种怕害人的心理。

真正的惧怕含有恐怖的成分。此种惧怕是由于实际的情形。一个小孩怕关在动物园铁栅内大而野蛮的狮子，尤其是当狮子发吼的时候。此种恐怖是怕受伤害而痛苦。怕去见牙医是一种真的恐怖，每每你想像着痛苦时，较比实际受痛苦时更惧怕些。

只要想像着惧怕的时候，惧怕便永远无止境了。你怕强盗，你怕传染病，你怕鬼，你怕投资失败，无论什么事你都怕，甚至于坏的天气也怕（虽然没有危险），因为恐怕它有时妨碍你的舒服或计划，所以你不愿意它发生。你的整个的人生，是在惧怕与希望中生活着。

不过你最大的惧怕，尤其应当注意。你为你的名誉而恐惧，为你的考试而恐惧，为你已成功的爱情或战争而恐惧，为交朋友或赚钱而恐惧。从小至老整个的人生，便是冒险。惧怕穿过人的一生，造成我们复杂的心理。

五　惧怕的心理

人类实在是构造得可怕而奇怪。人类全部构造之复杂，足以引起一种畏惧和敬尊之心。但是人类自己也是有惧怕的；说得直截了当一点，便是充满了惧怕。惧怕在人类生性中已种下很深的根，可以保护生命，躲避危险。怕危险的情绪，足以扰乱人生的安静。

过分的或失常态的惧怕，谓之病悸（Phobias）。但是我们不可将此种病悸与强烈的嫌憎相混，如某人看见某种东西或闻着某种气味时，便感觉难受不舒服，不过在看见蛇或某种特性的人看见猫犬时，惧怕和憎恶便同时发生。至于何以像老鼠这样柔顺的动物会使人惊惧（依讽刺画家的意见，只有妇女怕老鼠），以及何以蝙蝠会有这样的坏名声，连神话中都说它是吸人膏血的，这我们都不大明了。怕动物，怕打雷闪电，怕黑暗，以及我们的始祖怕空谷的回声等——这些惧怕，虽则普通，但是还不如关于身体方面的惧怕更为平常，而此种惧怕中最普通的，便是惧怕倾跌。

在木架上行路，或是站在木板上横渡一条溪水，或是立在悬崖的边上，都能立时引起这种惧怕的，这便是常有的失平衡或失重心的惧怕。距离越高则惧怕越大。如果在危险的地位，更特别注意，则惧怕更真切。这时思想便成为一种冲动的，惧怕你的身体会从很高的地方，或铁架上跌下来。

另外很普通的病悸，可分为二种：（一）被禁锢而无逃脱希望的惧怕；（二）飘流迷失，无家可归的惧怕。这种惧怕，或是由于禁锢在地道下，或是由于坐在边厢下面的一个座位，或是由于离出去的地方距离太远。还有一些人，只敢在一块地方沿边弯过去，而不敢斜着对穿走过去。

病悸以及想像而成的惧怕，人类都免不了的。但是土木工人在现代的高桥上或高矗入云的建筑上，处如此危险的地位，却能表示处之泰然的态度，不是天性不怕，便是由训练的结果。

这些受惧怕之害的人，应当晓得不是仅有他们有这种痛苦，旁的人都有的，不过他们的苦楚较重些罢了。有些人有一种要发昏的感觉，或是觉得肚子难过的感觉。大部分还是心理上的关系。要除掉这种感觉，也是要由心理来医治。这是要一种良好的方法，要慢慢增加使心地平静的能力，减去时常在心的觉得不舒适的感觉，然后才能养成坚强的信心，觉得你一定可以胜过这种困难。最厉害的病悸，才比较的严重，因其与别的神经动作相连，而使病人的行为，难像一个平常健全的人。

六　表现与抑制

人生便是表现；但同时也是压制。问题不在“去做或是不去做”，却是“表现呢，还是抑制？”

人生没有一件事比这种冲突还要重要的。生活自由，以及寻求快乐，都集中于此点；最重要的自由，便是要能依照自己的意思去生活的自由。但是没有限制的自由，便流为放纵，并且人的天性如果任其放纵，便会成为野蛮，脱离轨道而去破坏一切事物。

除了在婴儿数月之后，任何人的冲动总不免要受束缚的。一切的训练都是束缚。于是在这两种相反的冲动中，便发生了冲突。儿童是需要充分的睡眠的，但是他却不肯去睡而想玩。惧怕心和好奇心也是矛盾的。小孩喜欢看新的东西，但同时又惧怕奇怪的东西。这样成为一种显然的对垒。一个小孩想要别个孩子的玩物，但是却没有勇气，抢来占为己有。

最大的阻碍便是社会。社会发出许多禁令：“你不可做这，你不可做那！”我们是社会的动物，所以各种社会的束缚，都随我们年龄之长大而增多。我们不喜欢被人所讥笑，也不喜欢为人所责骂；有许多我们很喜欢做的事，而又觉得羞愧不敢做；到处都是束缚。假如我们常常被压制，我们便会不快乐，悲伤，想反抗。但是如果只是依照自己的意志行事，我们便会变成社会的害虫，或是毫不思量的专横者。

当冲突的范围较大，有关系的人较多，情形较为复杂时，我们便会晓得，如果不加以束缚和限制，结果一定是不好的。因此抑制的问题便由此而扩大了。佛洛特（Freud）把此种冲突，解释人生心理结构上的许多问题。

做梦便是表现被抑制的欲望；意结（complex）是由抑制过度而起的，因未解决的冲突可以引起神经的毛病。佛洛特以为人生许多大的变故，是由于抑制人类最强烈的一种冲动——性欲。任何人对于性的生活，或是极力抑制，或是任意放纵，结果都是不好的。

道德和国家思想是有同一影响的。清净教过于主张抑制，恐怕太过分的时候，便会使人跑到别的放纵的途径去。如果车轮不是有铁轨的阻力，便不能前进；但是如果把轮盘阻住，便不能自由行动。假如我们太随从了习俗，便渺小而埋没了自己，失掉了个人的个性；假如我们太反抗，任意而行，便会与其他的人冲突，一事不成。

不过有一点是很显明的：如果我们不放肆，便不能完全自由行动。只有婴儿和心理变态的人便能任意而为，不管别人，他们都是完全受冲动的支配者。至于其余的人，要想在任何情形之下，任意而为，信口乱说，是办不到的。

因此，世上各事，都需一种适当的裁制，而人类大概分为二类，一为放纵过甚的（这类人多半是轻浮、爱口角、粗暴、激烈、愚蠢、夸张、放纵、任感情用事的）；

一为抑制过甚的（这类人是胆小、静默、害羞、服从、惊惧、过于小心、踌躇、太不表扬自己的情绪）。那些惯于随口而谈的兜生意的人，总是能够说服那些过于抑制的主顾，使他们不得不买无论喜不喜欢的东西。口齿流利而放纵的人，能劝引威胁那些过于抑制的人，因为他们对于此种侵略无抵抗的能力。

但是人类的性情，也不是如此直接简单的。你时常想要说一句话，做一件事，然而你并不说出口或做出来，因为你恐怕这事会做得太笨，或是太激烈，或是会酿成误会。动机虽然存在，然而却遇了阻碍；于是这渐渐便变成了一种心理习惯。

在人类中这两种性情的区别，是如此之重要而普遍，因此我们应当采用两个较简短的名词，如“过纵者”与“过抑者”。你是属于那一类呢？过抑者呢，还是过纵者呢？

七　高潮的情绪

推动世界前进的是什么呢？

有些人相信是钱，其实并不是钱，也不是因为爱钱，更不是一切普通的爱。推动世界的却是人类的一切情绪。我们为着我们最关心的而生活，我们所最关注的是什么，我们的生活便是什么。我们有些感情是增进我们生活的快乐的，有些是阻碍快乐之源的。我们两者都需要，以便两者相抵消。

自然，我们对于生命本身最关注；假如生命一旦摇动，我们便着急了。其次为惧怕，为我们所关注的而担忧。我们怕疾病，怕痛苦，因为两者都是可以危害生命和快乐，舒适和安全的。在平常平静，各事如恒的时候，我们的情绪很少起波折，快乐的时候不会特别兴奋，忧愁的时候也不会特别低压。但是如果突然发生特别事故，激烈的情绪，便会激动起来。

战争时的惊惧便是如此。于是我们便时时过着惴惴不安的生活，这种不安或许是因为本身的危险，或许是为那些处于危险中的人担忧。这便是激烈的情绪中最大的一种——惧怕危险的情绪。平日我们所谓战争的震撼，其实便是危险的惊吓。现在我们大概都未忘记当欧战时，我们心灵所受的影响。

在我们这种情绪错乱之中，我们内心便起了冲突——严重而昏乱的冲突。责任和服务国家的心，以及杀人和被杀的惧怕心相冲突。此种内心的冲突比用武的斗争，更为强烈。因为这是内心自己的分裂互相冲突。如果某种重要的情绪，达于最高潮时，我们的心灵便软弱而不知所措了。

如果我们最亲近的人死了的时候，我们也会感到一种深切昏沉的悲痛。这种刺激实是太难忍受了；因为我们一方渴想我们从前所有的，一方感到现在不能补救的虚空，而两者互相激烈的冲突。

热烈的恋爱也是属于高潮情绪的；成功的恋爱，而后又失恋所造成的悲哀，令人莫可奈何。恨悔、羞愧和宗教的情绪，如负罪自咎的感觉，在神经敏锐的人，都是高潮的情绪。在上述种种的情形中，都是一方面悲伤过去的丧失，一方面不知如何应付将来。我们最激烈的情绪要算发怒。这是一种最放纵的情绪，因为它不顾理智，专以发疯似的情绪用事。这是一种人们的极度的情绪，可以造成切齿的愤恨，想谋报复，而不顾一切法律的裁制。但是我们的愤怒，必须是一种公正的愤怒，使那些以残忍卑鄙手段做恶事的人，不能轻松逃脱。

有时有些高潮的情绪是有群众性的。譬如古代的十字军，对于异教者之逼迫审判。这种情绪，脱离了平时的羁绊，而转入了残忍恐怖的漩涡。澎湃的热情也都是差不多的，如一般人所感觉之爱国心、战胜心以及大庆贺等。当一九一八年大战完毕，我们战胜时，我们已往所抑制的高潮情绪，都爆发出来，如癫狂似的；此种爆发，恐怕我们尚未忘却。此外，还有表示同情心及崇拜英雄的高潮情绪，如林白大佐飞过大西洋回转时，我们欢迎林白之热狂。凡此种种，都含有一种惊心动魄的感觉，如危险的惊感，战胜的惊感，恋爱的惊感，崇拜的惊感。

假如没有这种高潮情绪的经验，生活便会太平凡，而所谓浪漫、冒险、英雄等事业都不能加入。虽则我们对于日常生活，是以安稳为主要的宗旨，但有时我们也必须激动自己热烈的情绪，使之达到极高潮，以尝试惊心动魄的生活。

还有一些我们不能直接去尝试的，便取用代替的东西，如阅读小说或观赏舞台及银幕上可惊可泣的故事。

此种激发情绪的渴想，是真实有价值的事；不过我们满足时，不可过度，便合乎心理的卫生了。我们必须使我们的情感时常活动，而同时在约束之下；在日常生活时，随时应用，在特别事故时，能提到高潮，使之如生龙活虎。

八　情绪之约束与放纵

> 有一本心理学书上说，除非我们能抑制自己的冲动，我们便不能得到一种美满的生活。另一本心理学书却说，假使我们抑制自己的情绪，我们的神经系便会发生毛病。究竟是那一本书的话对呢？两本书的话我都不相信。
>
> “气愤的读者”

这位气愤的读者最后的断语，的确表示他的心境是适乎其中的。合乎道理的办法，是要不走极端，无论那方，都要在理智范围之内。

放纵和抑制的冲突，在婴儿时期便开始了。自然的安排是以冲动为先。而冲动的后面安排着一种过于强大的推动力量，以致结果每每是破坏而无益。整个婴儿的组成，可说是一大堆冲动，而成人便是一大堆习惯。

对于儿童特别的需要，便是天性过强的冲动，应当使之压下去。这种抑制开始应早，并且要常常实行。儿童的天性大都是容易惧怕，喜欢发怒，喜欢任性玩耍；爱击破物件，吵斗，惹弄较小的儿童，说话时好反驳等等。这一切都是必须抑制的。

至于抑制的程序必须合乎理智。一个过于被抑制的小孩，总是惧怕刑罚，天真的乐趣都被剥削，必致毫无生气，变为一个可怜的小动物。对于儿童这些动的精神，我们应当为他们准备着充分适当的出路。希望他们在他们能力范围之外实行抑制，不是一种良好的方法；即算最简单的事，譬如叫他们呆坐得太久，都是不应当的。我们还应当给他们相当的时候，让他们去喊叫，去玩粗野的游戏，和其他自己爱做的事，只要在理智范围之内。同时最要紧的，便是对于他们的弱点如惧怕、发怒、自私等，应当加以指导和庇护，减少其试探。

抑制感情对于成人的规律，也与小孩无大差别。不过他们所要抑制的比较复杂些，而他们自制的能力也比较强些。假如你是一个性急的人，容易兴奋，容易发怒，你便应当设法抑制之，养成一种平和稳重的习惯。假如你每每对人粗暴，自傲，爱鄙视人，只为自己方便而不顾别人，或是当一件事感到棘手时，便爱含怒，或抱怨，或沉闷，或逃避，你便应当为自己划出一种抑制的程度而实行之。

许多人心里都想问的问题，便是强烈的性欲冲动，是否应当抑制。关于这一点，以上所说的，也可应用于此。儿童有享受快乐自由玩耍生活的权利，青年人便也有享受爱情生活的权利，不过两者都要在正当规律之内。从儿童时代到老年，一般普通人无不需要情感，需要为人所爱，也要去爱别人——例如儿童的爱，父母的爱，友谊的爱，情人的爱等。缺乏情感的生活是不好的；很少人能够这样做到，并且也不应当这样。因为这种生活可以使人精神痛苦，不舒服，神经错乱，与人的关系不相合，甚至造成一种变态的心境。过于抑制也是不好的，不论这种抑制是因社会习俗所强制的（这常常是有的）；或是因为你自己的规律定得太严厉，不肯苟且；或是因为环境的阻碍剥削了你情感的出路。

喂养猫犬的习惯，不但是为消遣，并且有时便是发泄感情的工具。“抚爱”是人类一种很大的需要，猫犬以及金丝雀、金鱼等，都是解除人类寂寞的。或许我们可以说，一个十分快乐的人，在人群中已经充分找到发泄情感的对象，因此不再需要什么小爱物，不过一个感情非常丰富的人，需要各种的出路，以发泄其各种的情感。儿童便是喜爱小动物的。

青年时期的情感最强烈，所以每每容易有放纵和过度的危险。冲动越强，抑制也越难，越难使冲动就范。尽情的放纵或尽力的抑制，都有危险。快乐的途径便是在人生各时期中，一天到晚，自然的情感应当有适乎其中的出路。不然的话，各种渐集的闭塞情感，因抑制过甚，一旦崩溃，便如沸泉一般，而造成不幸的结局。

我们的情感是需要出路的；至于出路的选择适当与否，便要看我们的智慧如何。各种情感的发泄，不能详细确定，有些是应当减少，而有些是应当扩充的。最大的问题，是对于与人生有密切关系的情绪，以及人生基础的情绪，应当如何裁制。裁制便是抑制和松弛，收束和放松；至于何时应当收束，何时应当放松，却在乎你自己决定了。

九　你有储存的精力吗？

你有储存么？恐怕你对于你的汽车是有储存的汽油的；但是关于你其他生活进行上必需的东西呢？你对于你的精力有储存么？

储存是非常重要的。没有军队打仗时，是不预备后备军的。我们不单是要为平常的需要，如营养良好，睡眠充足，工作优良等，并且还要储存格外的精力，以为将来遇着意外之事的用。

自然的组织对于动物，已经预备了这种储存的气力，这便是常人所谓“重振”。当你做事已经感觉精疲力倦时，但是你咬紧你的牙根，继续干去，不久你便又觉得似乎得到一种新的力气了。这便是你已经动用了你储存的精力。你可以在实验室的测量疲倦器上证明出来这种“重振”。我们的神经系是由自然的安排，预备了一种储存力量。

储存是预备对付偶然发生事件的策略；情绪便是如此的。情绪可以激发储存的力量。一个小心的人，总是谨慎敏捷，注意着自己所走的路；然而我们在升降机和地道里的时候，还是需要“当心”的牌子。假如发生了真的危险，你的惧怕心便使你惊惕。惧怕可以激发你的储存力。房子失火时，人可以从里面逃出来，荷着重负，还要爬墙，这在平常无事的时候，却不是他们能力所能做到的。快乐狂欢也是能激动人类储存力的；看打球的观众和助威队便是鼓动这些选手去激动他们的储存气力。尤其是当胜负不分的时候，更为兴奋。一个赛跑家，如果他平日能很好的管束自己的储存力气，常常最后一刹那间的胜利是归他的。

在平日我们不大用储存力，不过任其存留而已。一个丝袜织造厂的广告上说——“小姐们，多备几双罢！免得破了着慌！”自然的奥妙，为我们准备了一种安妥的余力；这种安妥，正如我们的房屋所需要的一样，我们不会使桥梁所负的重量，刚刚是桥梁所能负的。聪明的人在气力尚未崩溃之前，便会停止，他不会用他最后储存的一点力气。假如你知道你有几多精力，你便不会停止着不做，而会用你的储存力气。在崩溃未来到之前，你对于你的工作能力应当有一种储存。放假便是一种方法使你的精力可以多加一分积蓄。此外如骑马，玩耍，整理，忘掉你的工作等，也有同样的功效。

从大体上说来，我们必须应用得当，保持在相当的速度限制之内，留心我们精力的容量。但是遇着意外之事发生时，我们便可破除平日的习惯，而任情绪奔驰。假如我们平日能养成一种储存精力的习惯，我们便能应付意外的事情。在某一个时期，我们必须能推动我们的精力到极端。譬如对于某事特别的努力，要想出一种新思想，或是要加入某种竞争，交涉某事等。有些时候，你简直不能停止，或考虑，或放松一下。在这种时候，一切都有赖于你已经预备好的储存力气；因为当一件意外之事发生时，你头脑所计划的行动，便是由你储存的力量得来的。假如世上没有这样的人，我们的进步便不会快了。

我们的情绪也是如此。有些重要的关头，如战争的时候，我们必须激动人民的情感。我们平日所隐藏的发怒精力，这个时候便是最得用的时候；这种危机激动了人民正当的愤怒，使一群有用的人民起来，为他们的国家发泄平日所储藏的精力。大地震或失火时，由惧怕和抵抗危险的动机，也足以唤起人类储存的精力来奋斗。一个人或国家能够知道储存精力，并能应用得当，是受别人或别国敬仰的。

一〇　如何填补你心灵的缺憾

我在城里某一段街市中游荡着，看见许多高耸入云的建筑中，夹杂着一些低矮破旧的房屋，其中有一个木店的玻璃窗破了，使用一片长形木板补着，一个锡店的玻璃窗破了，便用一块锡补着，一个鞋店的玻璃窗破了，便用一块皮子补着。

我们修补我们心灵的破绽，也是用同样的方法，也是用手里现成的材料。我们的需要也是一样，大家补窗户都是要阻止风雨的侵袭。但是我们如何去对付这种需要，便是照我们平日的习惯而行。

譬如从前盛行的沿河一带的水轮，这些人都是利用同样的水力，把他们的轮板浸在同一溪里，然而有人利用它磨面粉，有人利用它织布，有人利用它造纸。不但这些水轮因为所接受的原料不同，故而造出不同的出品，并且它们本身的构造也彼此不同。至于我们的心灵机轮比一切机械更为复杂；同时我们都是磨坊，天天都要做磨工的。

假如我们想像六个人看同样的风景，我们对于这层意思，便可以更明白了解些。第一个人看时，便觉得这地合宜建屋，于是便问每亩的价钱，因为他是一个经营地产业的；第二个人便把这地当作一张图画，因为他是一个爱好自然风景的，或是一位艺术家；第三个人便四处寻求结冰时代或岩石时代的证据，因为他是一个地质学家；第四个人便测勘山谷，注意斜度，因为他是一个筑路家，或是一位铁路工程师；第五个人便察看土的性质，看最合宜种什么，因为他是一个农夫；第六个人便考虑这块地是否可以造成一个很好的住宅，因为他是一个劳瘁的商人，想寻一块清静休养的地方，并希望溪里有鱼可钓。

实际上他们都是看同样的风景，都是用同样的肉眼，但是他们心灵的眼睛却都不相同，他们把各人主要的兴趣都牵涉到风景上来了，这便是他们真正所看见的。你由经历所得的是什么，是要看你以前肚子里所装的是什么，你如果未先变换这些人肚子里的经验，你便不能改换他们的见解。

因此，假如你从外表上看去，这六个人都是在地上踏着，停住察看远近的东西，大家的动作大都是一样的。除非你去问他们，你才可以知道当他们腿子移动时，眼睛看时，他们心里所想的究竟是什么。你听他们的报告，才晓得他们对于外面所见的，心里所想的，彼此是如何的不同！城市也是和乡间一样，一切的事物对于一切的人也都是一样。在各种各类的人中，对于各种各类熙熙攘攘的事物，各人必须选择他自己的世界，而忽略其他的一切。在城市里有千万的人，都像乌鸦栖伏在巢中一样，住在高耸入云的大厦里，然而当你与自然界接近，觉得非常融洽美满时，你便会觉得城里只有你一人，而你也觉得很孤寂。

生活便是兴趣的堆集，你应当使你自己的心灵为你的好友。工作完毕时，你如何消遣呢？你所涵蓄的兴趣是什么呢？假如你不能工作，不能寻到娱乐的职业时，假如你必须在床上休息一礼拜时，或是遇着下雨天时，你心里有什么丰富的材料呢？你望着世界的一切时，你如何填补你心灵的窗户呢？因此，这也是精神安适的重要部分；我们应当修养一些普通健全的兴趣，由满足这些兴趣，而使自己得到快乐。

一一 如何制止你的怒气

斯达登教授（Prof. Stratton），把怒气当作一种人类天性的表现，专门加以研究，正如其他心理学家研究天才学或犯罪学一样。他对于发怒的劝戒，我们可以挑选以下几条以为规律：

第一——节省你的怒气。因为怒气是你内部的一种储存力，为意外发生之事而用的。你去求助于怒气，便是因为所发生的事情太大了，你平日的能力不够对付。所以将怒气用在琐细事上，便是浪费了。

第二——当你疲倦，饥饿，遇了不如意，年龄将老的时候，要提防准备去抵抗那种一触即发的怒气，要想到别人也有这种同样的弱点，尤其儿童是如此。这便是家庭不睦的起因。我们应当对此特别留意。我们要防止发怒如同防止触电一样。常保持温和的态度和平静的空气，是有益处的。对于自己或别人发怒的信号，要有保持镇静的习惯。制止这种怒气，最好是在未发怒之前，先默念十下。粗野的言语，如果不稍思索一下，随意冲口而出，便每易养成发怒的习惯。不过咒诅有时可用为一种安全塞。狗吠比狗咬还要厉害。

第三——对于某件事发怒到一种适当的程度时，便应当停止。如果你叫别人走开，你便应当自己先让位。不要用打鹿的大铅丸去射麻雀，不要用剃刀去开罐头。如果事情已经了结，便应当迅速恢复原状。不可让自己不断的回想或刺激。事情过去了，便应当赶快忘记。不要使整天都是发暴风雨。

第四——最适当的愤怒，是一种完全客观的愤怒，是你因为觉得对不起别人，于是感觉得愤怒。但是所谓别人也可包括你自己，你也是和其余的人一起计算在内的。不过这不是普通易受试探的愤怒；这种愤怒是应当保留为有价值的事而发的，它可为公或为私而用，可以使生命增加热忱，奋勉增加热力，因其以理智的动机，为一种有价值的目的，个人的目的也可包括在内。但是你的愤怒必须公平正直，并且是好意的。

第五——切记你的发怒是可以引起别人的发怒的。发怒是一件冒险的事，发怒可以离间，它的悲惨的结果，便是破坏友谊和同情，而友谊和同情可以防止愤怒。发怒与成见是同类的东西，便是不公平的判断。公正和同情的习惯，可以增加平和与理智的态度，是一种控制怒气的力量。

这几条谨戒发怒的规律，都是关于私人发怒的，因为这对于大多数的人是一个很重大很实际的问题。重大的冲突和有组织的冲突，也是同一心理的。你对于公众或商业关系的态度与感觉如何，可以从你应付私人事体的态度与感觉上看出来。发怒是私人的害物，是公众的危险。在相当的范围之内，发怒也还是有它的好处。要保持这种范围，是要我们态度和善，合乎理智，随时警醒，这才可有平静无事的代价。斯达登教授建议，假如我们能用一个簿子，记载发怒的日记，每一次发怒的原因事实都写下来，后来看了一定会觉得自惭或是好笑，因为都是为些小事；这样，以后你发怒的次数一定要少些，而且有价值些。不过这一种克制怒气的规律，总是有很大的用处的。

发怒是一种耗费精力的情绪，与畏惧恰恰相反，因为畏惧来得很慢，在未发泄之先，潜伏得很久；而愤怒来得突然，如迅雷闪电，而平静也很快。不过暂时的情绪，因为反复思维，又可变为情操（sentiments），又存于心中，由此而发生怨恨。怀恨便是发怒冲突后所留的余痕。怨恨可由传统而继承下去，好像封建思想一样。成见是一种变形的愤怒。如果这种感觉一旦爆发，可以引起群众的暴动。人类应当习于容忍不同的意见，不去唤起愤怒的危机。各人如能在私事上有克制怒气的能力，则不会一时神经发狂，去参加群众的暴动。暴动的行为，是由于一般人平时不约束自己。

一二　意结造成的悲剧

"意结"（complex）的意思，是一种很深的心理病态，足以造成悲剧的。意结用来代表这个意思，的确是一个很适合需要的名词。所谓意结，其病状不论轻重如何，总是有一种偏于情感的趋势。即使病状极轻，也能扰乱精神的安适。至于病重的意结，其所影响的关系，如果是日常生活所必需的，则将破坏一生的幸福。

我们都有一种惧怕的心潮。假如我们惧怕某种情形，远胜于其实际的危险，并且这种惧怕扰搅了我们的行动，影响了我们的思想，扰乱了我们的情绪，这种惧怕便成了一种惧怕的意结。非理智的极端恐惧和惧怕的意结，差不多是一样的。假如当我在木架上行走时，心理异常恐惧，但走过之后，心里又完全安定，再不担心，则此种惧怕并无意结的成分在内。假如我们惧怕闭塞的地方或空旷的荒野，一生总是设法避免，则其影响于我们的行为较大；假如我们惧怕远离家乡，则我们的行动失了许多自由，这类的惧怕便很近乎意结了。过于担忧的人那种谨慎心，实在是无须乎的。假如他时刻怕传染病，对于一切食品要过细察看，吃各种药品，稍觉不舒适，便睡在床上，那么，这人的行为，便是失了常态，多少带有一种卫生的意结。

上述种种，都是关于个人的意结。这是一种内心的冲突。便是一方面我喜欢怎样做，或晓得怎样做，而另一方面，我的惧怕或利害关系，使我怎样做，两者彼此冲突；而这种冲突便缚束了我的自由。假如我有一种内心的冲突，而这种冲突又是非常厉害严重，它便可以造成一种悲剧的结果。但是假如这种意结，扩充到社会方面，使我们的行为，可以影响别人，以致与别人冲突，这样，便会造成一种精神的悲剧。

意结影响之重大的，便是此种社会的意结，或更适当些说，反社会的意结。假如我有一种多疑心的意结，以为所有的人都是仇视我，从各人的面部、言语、态度上去寻求他们那种仇视的表现，那么，我便是围困在一个畸形的世界中了。这种仇视的意结，因各人主要的神经特性不同，而有各种不同的表现。假如我的神经特性是疑心而同时退缩的，我便会成一个不喜交际的人；假如这种特性是只专对女性如此，我便会成一个恨女性者。假如我的特性是一种急进的，我便会成一个爱口角，不能与人相合的人，这种我便有一种反抗怀怨的意结。又或者其表现的形式是跋扈固执，把自己看得非常之重要。

反社会的意结，要算最容易产生悲剧了，尤其是那些使我们内心的或外界的密切关系变为畸形时。如父母与子女的关系，丈夫与妻子的关系，个人一生成败的关系，或个人在社会上的位置的关系，都是容易产生悲剧意结的园地，因为这些关系，都需要适当的适应。只要一种畸形的情绪存于心，便可影响于以上种种关系。人与人的冲突便可以造成一种精神上的悲剧。意结便是造成冲突和悲剧的元素，背景便是准备着悲剧的导火线和步骤。

如果没有意结，不论是个人内心的冲突，或与别人的冲突，即算很严重，也还是可以消除的；这样，在我们一切举止行动的种种主要关系中，都可以有平安的心境和适当的应付。关于性情方面的冲突，比外表的冲突要厉害些。这些悲剧，外表看来似乎只是夫妇不和，子女反抗父母，自己事业的失败，苦闷的退缩或孤零等等。但是真正的悲剧，在种种关系上失败的真正原因，还是一种性情与事实的冲突，一种畸形的情绪，影响于各种主要的行动。这便是一种心灵的悲剧。

一三　如何养成坚强的意志

坚强的意志，有三项必需的条件：精力、恒心和动向。专有精力是不够的，譬如激烈的儿童和发怒的成人，都是精力饱满。恒心胜于力量。恒心可以使人坚持，而此种坚持并且仅是固执己见。固持己见是顽固，不是坚强的意志。

坚定有恒的前进是不怕困难的。这并不是顽固，虽则顽固的人也可以表现一部分坚忍。坚持的意思，便是用理智而非盲从的态度，去实行一种有意识的决断。一个人过于固执己见，便成为独裁了。

有恒便是要能回到原来的工作，一步一步的，不怕打击和失望，百折不回的努力干去。这种恒心是用有效的方法，向着目标做去。并且每分精力都用得适当，不随意，不散漫，不浪费。如果要养成这样的意志，必须有一种良好习惯为根基，凡思想、行事、感觉等，都是随时正确而迅速的，犹如一班受了训练的职员，受公司的总经理的指挥一样。

动向便是明确正当的目标。这并不是说目标一定不会坏的，因为这也是可能的事，能力可以去破坏或建设，可以为无价值的或高尚的目标。

意志不能代表整个的人格，人格必须看动机的好坏如何；而动机是由另一出发点而定的。冲动的原动力是情感，看你的感觉是如何，看你所注重之点是什么；至于你所注重的是什么，便是你内心深处的感情和抉择，是否得当两方的结果。

工作要有意志不专指立定意志去工作而言，而同时亦要有一种指挥能力的知识。努力的意思当然表示事情是难做。如果总是挑选容易的事情，便可以使意志薄弱，心灵和人格的组织衰微。

意志是根据抉择而进行的。主动者心中总是存着“做什么”的问题，并在各种途径之中决定一种。你可以决定，但不必固执。踌躇的人是容易失掉机会的；一个人在思想上踌躇得太多，决定后又翻悔，常常改变意志，随便一时的冲动而出新花样，他一生便难有所成就。固然，反复考虑是好的；然而反复考虑以致减低自信心，却是坏的。

一种意志决定后，如果遇着别的相反的意志，便可以看出一个人的精神来。何时应当服从，何时应当归顺，何时应当坚持自己的主张，毫不畏缩；这都是两种意志相遇后要发生的问题。最后便是要有坚忍心，训练着能长期的努力，能做较难的工作；能爬较高的山顶，能完成一种重大的事业，能实现终身的目标。要做到这些，便要有良好训练的意志，认定一种高尚的目标。

意志的程序和情感的程序是一样，用文字表白出来，便没有多大意思，因为文字只适宜于代表思想。意志的要义是在乎能“行”。上述种种精力、恒心和动向等，都必须变为行为，养成固定的习惯。这种意志是要由实行得来，而非空口可以传授的。

一四　睡觉的艺术

假如我们都能像那个苏格兰的耕童一样，他说他不晓得什么叫做享受一晚舒服的睡眠，他所晓得的只是当他把头放在枕上后，便觉得是应当起身的时候了——如果大家都能这样，便不必需要去研究睡眠的艺术了。我们正当睡眠的时候，虽然不晓得睡眠是怎么一回事，但是你醒后便晓得是否睡好了，或是怎样睡的。要测验是否睡得好，最好的象征，是看醒后是否感觉得轻爽；疲倦，头痛是否完全消除。因为在睡眠时，筋肉的疲倦，可以自动的恢复，醒后便能感觉精神复振。

但是假如你是神经衰弱的人，你便不能好好安眠。虽则睡眠是属于全身的，然而它重要的效用，还是使每日工作疲倦的神经系得到休息。一杯多余的咖啡，可以使你不能睡眠；快乐，兴奋，以及悲伤，也有同样的功效；麦克比斯（Macbeth）的惧罪之心消灭了他的睡眠。睡眠的规律是必须依照各人的神经性质、生活的习惯、年龄，以及职业而定的。无论一个人一生所做的是何种事业，他的睡眠起居，必须有一定的调节的。

下列各条，可以作为一般人睡眠的指导：

第一条：睡眠是一件人生很重要的事，不可忽视。不要去弄醒小孩子，他们之所以睡着不醒，是因为他们确实需要这样多的睡眠。假如闹钟是用来闹醒已经得到充分睡眠的人，当然是可以；然而若是用了去减少睡眠，那便是一件害人的东西。

第二条：多休息以预备将来精力疲倦。我们常常听说所谓太倦了，睡不着，太饿了，吃不下。一个人因为创伤或疾病，痛苦太过度了，可以得到极酣美的睡眠，如小孩子哭后之酣眠。如果我们预备去做一种繁重的工作，就必须先得到充分的睡眠。多有睡眠以防备过分的疲倦，比疲倦后用睡眠来恢复更好些。因为这样不致使身体太吃亏。假如你不能安睡，坐着休息也是好的。

第三条：尽你的能力养成一种有规则的睡眠习惯，使之适合于你的工作；不过此种习惯要有伸缩性，像你的工作习惯一样，因为如果发生例外时，免得使你感觉不舒服。对于年幼的儿童，有规则的睡眠尤其不可少。愚蠢的父母强使疲倦的儿童在晚间玩耍，是应当送到法庭里去的。

第四条：你要能养成一种自己可以管束习惯的能力。训练儿童养成自己睡眠的习惯，而非被动的强迫睡眠。断续的睡眠很危险，使人难养成睡眠的习惯，所以要有例外的准备。黑暗，正常的姿态，闭着眼睛，松爽，摒除心中杂念，有睡眠的自信心——如此，睡眠才能欣然降临。睡眠是不能命令强制的，越思想睡眠便越不能睡着。

第五条：上述各种睡眠的规律，是为普通常人而设的。世上没有异常活动的规律，可以适合每个人的需要，睡眠的规律也是如此。但是大多数人既然可以穿已经做好了的衣服，因此睡眠的规律也是能适合大多数人的需要。那些少数例外的人，必须设法来迁就多数。

这种规律可以很容易扩充到各方面去。关于儿童的睡眠，尤其可以确实固定：四龄的儿童大概需要十二到十四小时的睡眠；九龄的，十一到十二小时；九龄以上，则为八至十小时。有些人是需要长久的睡眠时间，有些人是只要睡得很熟。对于那些患不眠症的，我们可以说：不要为不能成眠而烦恼。以安宁清醒的休息来代替睡眠。从静止的休息去恢复睡眠比较借着轻易的工作（如看书）还容易些。但是如果看书等能促成睡眠，便也可以利用之。

有时真正的失眠症非由烦恼而来的。这种失眠症因情形的复杂，各家的意见不同。有些人甚至说，睡眠是一种坏习惯，我们应当越少睡眠则越好。有些人以为睡眠过多，如吃得过饱一样的坏。但是用睡眠调协精力是人生天性中自然的一部分，所以在健康时是自然支配适当的。现代的夜间生活以及其他种种生活将适当的睡眠时间减得过少。最后的实验还是看白日的工作，是否做得有精神，有余剩的力量。

一五 “盛在瓶里的光辉”

詹姆斯（William James）可算是世界著名的心理学家之一了。用时髦的话来说：“他把美国的心理学放到地图上了。”二十五年前，他写过这样一段话：“我记得我读过一本小说，当作者将女主角人格的美好和兴趣描写完后，然后总括起来说，她的可爱的地方，便是在无论何人看见她之后，总会感觉得她好像是‘盛在瓶里的光辉’。盛在瓶里的光辉，实际上也是我们美国人的一种理想，甚至一个年少女郎的性格也是如此！”

他又引证了一个苏格兰的著名精神病专家的一段评论：“你们美国人太喜欢把意思表现在脸上了。你们好像一大队军队，一切后备军也都同时行动。英国人的面貌比较迟钝，但是他们似乎有一种较好的生活计划。他们似乎储存了许多精力，以备不时之需。这种淡然的态度，这种能力积蓄未用的表现，我以为是我们英国人民最稳妥的屏障。另外我对于你们美国人的感想，觉得你们给予我一种不安全的感觉，你们应当设法将你们的彩色调得清淡一点。你们实在是表现得太露骨了，你们对于日常普通的小事，耗费得太过了。”

美国人的这种易于兴奋，有两种不同的批评，在今日比从前更胜。对于这一点，有两方面的看法，而詹姆斯对于这两方的批评都是公允的。“凡美国人在欧洲住得很久的，习于当地通行表现的精神，在我们美国人视为呆滞的精神的，当他们回国的时候，也会有一种相仿的感觉。他们觉得他们同胞的面部，眼睛里射出强烈的光辉，显出一种强烈的热情和渴望，便是一种极端的活泼与和颜悦色。当然我们很难断定，这种情感是男的表现得多些，还是女的多些。但是多数的人对于这种热烈，总是崇仰，而毫不悲观。我们总是说：‘这是何等的智慧！这与我们在英伦三岛所见的呆滞的面颊，鳖鱼似的眼睛，迟钝无生气的举止，是何等的不同！’确实，这种紧张，迅速，灵活的外表便是我们国人共认的一种理想；但是从医学上看，这种易于兴奋刺激的弱点，在我们美国人心中却不易感觉得到。”

在精神卫生上，以及各国理想之差异上，这便是一个很重要的焦点。我们说英国人是我们的堂兄弟，然而在心理组织上说，我们的血统关系，虽说不是隔得很远，但似乎还比堂兄弟要疏一层。如果从心理学根本上说，稳重是一种健全的理想，是无疑义的。至于腾沸爆发的精力，不断的搅扰，纯粹消耗在情感的动作，行动好像一根有高电流的铁丝，确实是将精力无益的消耗了。因为这是一种退化到儿童时代的兴奋行为。无益的消耗，不仅是因为太急促，也是因为过于急进，驱逐，纷扰之故，稳重不是呆钝，而是一种涵蓄的力量；这种力量不是呆钝沉重，难于移动的，而是一种约束的储蓄力量。

从我们最近的心理习惯上，便可以看出这一点。譬如现代的汽车，便是永久准备着到处乱冲的，这正足以表示美国人总是往前冲的特性。美国有句俗语说：“我们不晓得我们要到什么地方去，但是我们总是往前走。”这种瞎走的满足，蒙蔽了一个最要紧的关节，便是在未走之先，我们应当选择正当的途径。那些喜欢自认为急进者、奋斗者、雷厉风行者，便表示这种乱冲，他们把盲目的努力和有方向的努力混合弄不清了。妇女学习吸烟的习惯，作为消遣精力的方法，也可以表现她们这一点来。男人好像印第安人一样，喜欢安闲自在的吸烟管；而妇女却急促急忙的吐烟。

无论何事，太过度便不好。一般人总是易于走极端，约束太过和约束太少是一样的坏。精神的安适原是有一定规律的。伟大的工作是需要稳重和涵养的精力；把好的精力消耗于奋激和扰攘，便是浪费。不过活泼灵敏是可以使生活有生气的。由研究各国的心理习惯，可以大家都得益处，正如通商订约一样。

一六　怎样破除你的抑郁

抑郁是一种病征，是神经系发生了某种毛病。平日我们的生活力上至少储蓄了一些希望，满足和快乐，这种病征便好像借债人支用过度的账目一样。但是这种病态，或许是临时支用过度的现象，不久又可以储蓄一部分新鲜的精力，或许便是一种久年的病症，长是如此。无论其起因如何，这种病症总是因为在精神的情绪上，发生过一种深切的根本变更，才有如此的结果。

这种抑郁，因其可以酿成严重长期的精神错乱，以故那些受抑郁之害的，每每无故过于惊恐。如果惧怕变到更坏的地步——就是变为癫狂状态。一个人吃醉了酒，手足垂萎像一个患瘫病的人，或是颠蹶不定像一个患癫痫病的人；但是他经过舒适的休养后，便又可以复原了。

这种抑郁，即算是非常厉害的，还是与真正忧郁症的背景和病源不同。这种抑郁是来来去去的（来时比去时要显明些），失望的黑暗，渐渐变为希望的光明，好像黑夜渐渐变为曙光一样。抑郁的病源是疲倦。你的心情的气压表——本来在阴暗，沉闷，惨凄的天气便很低——如果又正值你很疲倦或是很饥饿的时候，便完全低落下去了。假使你后来由睡眠和食物的营养，精神因而恢复，心情的气压表便又可以升上去，正如所谓："命运不能伤害我；我已经吃过食物了。"晚餐后的心情是愉快欢乐的。在未吃筵席之先，是无人募捐的。

神经衰弱症——我们要认清这个名词是包括无数普通常态的人，有时还是一般人中最优秀的分子——

在各人所感受的病症各有不同，有些人是睡眠受影响，有些是消化受影响，有些是精力受影响，有些是脾气上受影响。神经衰弱症最普通的几种现象，便是睡眠不适，消化不良，容易疲倦，兴致很低等等。

在一切病的象征中，抑郁的象征是很多最难捉摸的，假如你是属于抑郁队的人，你便知道是怎样的味道。当然这种病征在生理方面也是有的，例如由排泄作用而排除体内的毒物；有一句俗语说：人生是否有意思，是由肝脏而定。

这种抑郁，的确有点好像莫名其妙的，丧心是一种可怖的不幸，除了使人更觉难受以外，别无安慰，心有抑郁的人仍是时刻奋斗的；他那些比较有能力的本能，时时想抵抗障碍，他希望他能脱离失望的漩涡，鼓舞起他已经衰落的勇气，他带着一颗沉重的心和充满了眼泪的眼睛，努力奋斗，想从泥泞中爬上坚土。然后忽然云雾开展，他便稍有安息，此后再有较长的安息，这样，他的生活便渐渐带有欢乐了。

因此，我们对于自己的抑郁，不可过于担心。有一个患抑郁病的人对我说：“我并非真正有什么忧郁，不过总觉得是如此罢了。”后来他脱离了这种习惯思想之后，便觉得好些。有些人提议我们应当每早对镜时，便露着笑容，然后一天之中，凡是感觉不快的时候，便练习这种笑容。另有些人在早餐时玩爵士音乐。所以你也应当养成一种特殊嗜爱的办法去驱除抑郁。

一七　如何排除忧虑

烦躁不是一种疾病，而是一种病征。这种病征可以牵连到许多普通心理上的不适，这些不适可以有许多名词，但是名词并不能解释其内容。这些心理的不适，可以说都是不好的习惯，但这也还是没有解释什么。实在分析起来，这些心理的毛病都是缺欠，无能，较轻的精神薄弱。我们可以举例出来！如惧怕，忧虑，勉强，困困，兴奋，害羞，抑郁，默想，神经过敏，突然的脾气，愠怒，恶行等等，都是因为有一种东西在后面作祟，扰乱个人的精神安适和快乐。

现在的问题是：这种烦躁的心理，究竟是什么精神上的不适呢？这是第一步去追究烦躁。这种象征的内部究竟是如何，其根蒂究竟是什么？要加以分析，我们便不得不从一点考察到另一点，一块凑合另一块，然后才能渐渐的发见一个清楚的图解。

我们最初猜想是疲倦。如果一个人有烦躁的病征，就以为是疲倦了。疲倦的意思，便是你的储存减低，精力消耗超过了你所储蓄的。一个静养的神经组织，可以保持储藏精力的平衡，可以抵抗陷害精神的攻袭，如同生理方面健强的身体去抵抗霉菌一般。你生理上的免疫素是专作某种用的；你心理上的免疫素感觉性，抵抗力，对于精神上的混乱也是如此。你可以受精神的攻击，但是如果你有此种抵抗力，就不怕什么。

疲倦，精神不振，脑力劳瘁；从你心理上选出最弱的一点而进攻，于是你便埋怨那种病征，以为假如你只要除脱那种病征，便可以成为一个完全的好人。在同样情形之下，第一个人是烦恼，另一个是恐惧，第三个是感觉扰乱的痛苦，第四个是睡眠不安、做噩梦，第五个是非常抑郁，第六个是感觉烦乱不能专心；假如一个人得了以上任何一种病征，总以为自己是得的最坏的一种。然而这一切的病征在根源上都是很相近的，大多数是在较轻的毛病上有几种这样病征，但是主要的却只有一种。

这便是所以成为烦恼的人的原故。烦恼的趋势，便是一个人最坏的弱点，因为一个这样受苦的人已经好了之后，还是继续潜伏着，这是他一部分心理上的习惯。矫正的方法应当从早就做起。胆怯的毛病犹为普通，在健康的人或精神不安适的人中都可以找出。烦恼的习惯便是心灵的漏孔，要一个有漏孔的船前进是很吃力的。

多数的病症医治的程序，是要先从生理方面医起——得到充分的休养，不可过度的努力，进食须在平静的状态之下，适当的时候运动，疲倦的时候休息。趁着疲倦尚未成熟时，便应当刈除。短促的休息在得当时，恢复疲倦时常有很大的效果。

“忘却”在任何方面中是一种很好的原质；你不情愿烦恼在你的心灵上正如你不需要食物在心灵上一样。但是一个烦恼者，因为心灵的营养适宜，而破除了烦恼的习惯，他会更觉得快乐。不要去为你的烦恼的习惯而烦恼，要给予它一种机会可以自行消灭。

一八　强硬

心理学中最奇怪的一点便是我们对于情绪的态度。有些态度是非常明显的。我们都有惧怕，但是没有一个人愿意做一个胆小者或是被人认为胆小者；因此我们都尽力抑制惧怕。但是论到关于同情心的情绪，则我们有一种很奇怪的矛盾。男性的思想是要坚强庄严，不要柔软温和，因此除了表现雄壮的情绪之外，总是抑止各种感情的表现。

因为要抑止情感，于是便产生了“强硬”的观念。生意还是生意；你总是要看到最好的；不要战栗不要胡为；所有的人都希望占你的便宜，既不会对你的损失加以少许怜悯，也不会管你的感觉如何；所以你应当披上你的铁钢甲，使你自己变为钉子一样的硬。要留心不要让别人超过于你，什么音乐，艺术及一切无益的事都不要去管。努力干你的事，“要强硬”。

有些“强硬”的人在办公的时候是一种态度，在公余的时候又是一种态度。但是常常这种强硬的坚壳包围了他们全部的性情，使他们行事不能冲出这种范围，于是变为永远强硬的人了。

摩尔根（J. Pierpont Morgan）是一个大财政家，却未被强硬的精神所影响，因为他是一个艺术欣赏者和各种有益事业的提倡者。他替我们造成了一句成语：“炒熟了的夹肉蛋块是不能再变成生的。”所以一个人强硬之后，便不能恢复为软和，因为他已经硬化了。

强硬的人都是受着一种不良的哲学和心理学的害处，但是如果有人去告诉他这种话，他一定会觉得告诉的人是太柔软怯懦了。其实他实在是被强硬的坚壳隔断了世上许多有意义的事情。像这样埋没阻塞他自己的感情，他生在世上只算做了半个人（而且是坏的那一半）。

在各种事业中真正伟大的人物，是要能站那宽大的路线上。他们的兴趣宽广，他们的眼光宏远，他们对于大多数的民众有同情心，他们从不会让事业去阻拦他们过有意义的生活。

每每那些强硬的人因为怕别人知道他们是惧怕自己的情绪，于是更掩饰起来。然而如果他的遮掩未能成功，他的失败也就很厉害。有些这样本来不蠢的强硬者，却去问算命的人关于他们股票交易或赛马的秘密号码；然而假如是一个有常识而情绪平衡的人，绝不会干这种事的。实际上强硬的人实不如自己所想像的那样强硬。

总而言之，这种人对于如何能从生活和自身上得到最大的享受，用了一种错误的指南和暗示。壳生在乌龟身上是可以的，因为它们没有别的办法可以保护身体。但是人类乃是非常复杂的动物；如果你反对你任何部分的天性，你便缺少了那一部分使你成为完全的人。

一九　你不要太神经过敏了！

依据詹姆士（William James）的论调，世上的人大约分为二类——性情粗暴的和性情温和的。粗暴的不一定完全粗暴；而温和的也不一定完全温和。大概而论，大多数的人都是折中的，既不特别的好，也不十分坏。然而他们多半是倾向两者之中的某一方面。

关于我们是属于那一类的，是要看我们应付事情的态度，尤其是我们感情的反应而定；我们对于这种腾覆纷乱风云莫测的世界，所遇着的不如意和伤痕的感觉如何，这不仅是指着那些不能忍受肉体痛苦的嫩脚掌而已；而也是那些头皮嫩稚的人，对于每件事都感觉敏锐，又只看到生活最柔软的地方，故常常容易造成不快的感觉。生活过于养尊处优的，便如在暖房里的花一样；我们大家都觉得这实在是过于人为，不应如此。能与各种各类的人和各种不同的事体相处，大家都能公开、自由、友爱、平等的互助往来，这样的生活，实在要好多了。由经验我们可以得到许多教训，虽则我们必须谨慎的选择和回避。

教养儿童我们尤其应当注意这一点，因为儿童的性情是容易养成娇嫩，所以必须加以刚强的训练。我们讲故事给小孩听的时候，可以讲什么“真公主”，虽则她穿着乞丐的衣服，但是将她睡在铺着十四层厚鹅绒褥子上面，而证明了她是真公主，因为她觉得在最下一层褥子下面有一枚针，使她一夜都睡得不舒服。我们可以讲这种故事使孩童开心。但是在实际生活上，我们必须领儿童走出婴孩时期，不叫他们遇着每一点微伤便哭，为着小小的不幸或不如意便发怒，对于每一种失望都难受；而要从这些婴孩性情中，领导他们走到充满了荆棘彼此一律对待的世界。

同时我们还要使儿童对于人生各种优美的事物和环境，能够感觉敏锐，而后可以增进他们的生活程度。有许多人虽然处于一种颠沛穷困的生活，但是他们还是能够把快乐从不幸中分出来。因此我们必须要教导儿童，有时茅舍里可以得到满足和快乐，而宫殿里也有不幸和忧愁。

刚强的人只为着自己的生活而奋斗，不大去理会别人的感觉的，也更少注意自己的感觉。柔弱的人对于自己的生活多加考虑些。他们的快乐敏锐，他们的愁苦也很深刻。

人类的兴趣也是和人类的感觉一样的重要。刚强的人因为很少受自己的感觉扰搅，便专心一致的去干较粗的事业和竞争；因为自己的生活平淡而无带刺激性的满足，便想到那些能抵抗坚强的人是可蔑的。侥幸世界上有许多工作都是这一类的，而又有许多人的性格合宜于此种工作。但是有几种工作完全需要细腻的心情，有许多工作需要一部分的细心，而后才能达到工作完美的地步。世界上这两类的人都需要。

因为现在的世界大体总是粗野严厉的，所以对于柔弱的人比较困难些，不能使环境适合其需要。这两类的人永远不会完全互相了解。然而他们却必须常在一块。一个较好的解决办法，是他们应当彼此就很早相识，使各人都尝试一下对方所处的世界。

下面有一段很好的议论，是一位精神病专家所说的。他对于各种各类人的性情都有相当的了解：

> 那些由训练养成觉得每一件事都有一定的做法的人，他们对于小事都看得重大，他们的一生便会永远的向这条错误的道路上走。当然我们是需要精细的人，而世上也总是有他们的。他们能够创造优美的东西：他们便是艺术家、诗人和音乐家。这都是很好的。在平静安闲的环境中，并不会有什么坏处。至于一般普通的人，在平常的情形之下，为自己一生而工作，不断的寻求快乐、奋斗和成功，那么，如果他们太过于娇嫩，太易于感受到生活中一切琐细的不适，就会感觉得常常难受。所以十诫中还要添一个第十一诫："你不要过于自扰了。"

假如娇嫩的人，文雅而不自扰，坚强的人，勇壮而有情，世上便可以得到较优良快乐的男女，较好的精神健康。

二〇　静寂的乐园

精神健康的理想园地，是不要太过于孤独，长久离群索居，也不要太过于热闹，弄得乌烟瘴气。折中的办法，不仅是要有节制而已，而是要能够均衡的满足人类两种相反的需要——私静的需要和友伴的需要。

私静是属于文化进步的生活的。原始时代的生活，是以部落而非以家庭为单位的，除了各人所穿的衣饰外，私人财产是没有的。印第安土人便是大家聚居在一个村庄里，无论什么东西都是归大众公用。福莱杰女士（Miss Fletcher）是一位终身研究印第安土人的专家，她觉得和土人在一处生活，最不方便的地方便是太没有私静的时候了。因为在全村里寻不出一块私静的地方。只有一个英国人家里便是她的堡垒，在这里她才可以与人群隔绝。

普通看来，“肃静”二字在办公室的门上比任何要常见些。在心理上这也是很对的。工作的时候我们必须私静；娱乐的时候我们便要寻找伴侣。工作是需要专心的，所以工作的时候，我们必须暂时与家庭邻居及一切人群隔绝。

实在讲起来，钥锁的唯一用途便是在乎其能维持私静。除了清洁之外，市场上最宝贵难买的东西，实在是“私静”。我们住的地方，往往总是吵闹喧嚣的。在现代工业这种嘈杂的环境中，打字机的嘀嗒声以及其他种种喧哗声，可以通过半截的隔板达到各办公室，一般人真不知如何可以工作的。要解决这问题，虽以美国之财富，也难于办到。空间比时间更是宝贵。只有大公司的总经理才有享受私静的福气。

有些人对于私静甚至有一种偏见，以为私静是一种非平民化的自傲心理，或是躲避群众做不道德的事，如从前那种贵族的客厅一般。做有害羞的事也和工作时一样，也是需要私静的。论到这一点，也就和其他一切的行为一样，要看动机如何。

一个人之所以需要私静，不仅是为专心做事，并且也是为求个人的修养。凡人必须私静，庶几有自省的时候。原始的人寻求旷野的地方，以为受幽灵感动之所。处于现代文化进步之世，我们的问题是要如何去收回已经失去恬静的乐园。一个人健全的生活，必须有充分私静的时间，而后可以修身养性。

私静便是准备着与人群交接的。在许多事上你是常常需要别人的。儿童更是特别的依赖别人，不过也还是需要私静的时候，以求独立的发展。社交的年龄，由自然的安排，迁延着直到儿童需要发展的时期。我们从别人学来的很多，也和别人共同学习。一般人的天性都是好群的；人类都是喜欢聚集在一处，大家混在一起。虽然如此，我们同时也需要私静的时候。

太孤单了最大的危险，便是那些神经质的人会变为更害羞更不愿和人在一处。一个为悲哀、疾病、烦恼所困的人，想再恢复他原来的常态生活，最好的方法便是要和常态的人常混在一处。太与世隔绝的人便是失了常态；他过于躲藏在自己的影子里，他需要一群的光辉去照耀。

悲伤的时候，以及集中精力奋斗的时候，我们需要孤独；然而此时我们需要伴侣，也还是同样的重要。过于孤独的人假如随着自己的意志做去，便会成为一个孤僻的人。不常有孤独生活不能离群索居的人，对于自己便太无内心的涵养；这个问题在训练儿童的时期常常发生。

城居的习惯每每养成了一般人一种根深蒂固的好群性。平常我们总以为那些平时作工的人在短促的暑期中，变换一下子那种扰攘的环境，逃避到深林中或高山上去，但是实际上他们却反跑到拥挤的海滨大道上，去混杂在别城市来旅行的人群中。电话和汽车都是现代交通上的一种便利，使人群聚集，打破乡村那种孤寂的隔阂。所以我们也希望有天才的人，发明一种方法来保障幽静。因为从大多数人方面看，一切世俗的扰攘以及邻近的人与我们相处的时候实在是太多了。

二一　恬静的生活

现代实在有不少的文章论到我们生活的转变，如爵士音乐之吵闹，传统思想的瓦解，家庭关系的崩溃，青年的反抗等，因此我们不仅不得不想想它们究竟是何意义和潮流，并且还要知道在解放的变迁中，什么是被摧残和遗失了的。

要得到一种有节制而平衡的生活，现代这种纷扰似乎失掉了一种可贵的元素，似乎其中很有价值的一部分是处在危险的地位。一个健全、完美、自足的人所需要的，是一种恬静的生活。像现今这种时代，件件事物都是积极往前进行，于是家庭的灯火完全灭绝，消灭了恬静生活的中心，至少这种机会是不多的。

“无论怎样气运不好，总还是在家里的好”，这并不是一种软心肠的话，而实在是表现了人类心理一种根本的需要。在现代到处用车轮的世界，实在是太容易游荡移动了，因之人类爱移动的渐成大多数，我们恐怕会要退化成为一个无家的国家，至少是恬静的生活无存留的机会了。

这时公寓便成为人类临时的储存所；租期既短，一地的人物调换便非常迅速。吃饭时便跑到那些假称为家常便饭的饭店里去，晚间消磨在电影院里。这样他们还时常埋怨着没有地方去，只好蹲在家里。

这种现象的危险，不仅是过于要求兴奋，刺激，肉感；而是对于个性适宜的涵养的根基，打击太深，夺削了平静涵养的生命。

“东也好，西也好，家里是最好”，这是一句家庭谚语，从前在火炉旁是可以常看到的；但是如果在现在的暖气管上写着这句成语，却似乎不合配了，因为置火炉的地方早已随着家庭消灭了。假如家庭仍旧可以存留，成为一种朋友聚会之所，或甚至一种以家庭为中心的生活，那么，暖气管也可任其存在无妨。

恬静集中的生活是岌岌可危了——喧闹代替了恬静，分散代替了集中。全家的人各走各的道路。少年人觉得老年人无味，老年人觉得少年人轻浮。但是这种集中的分裂是一个很大的损失。无论外界的事业是怎样重要，社会的集中是不能代替家庭的中心的。长在一个良好的家庭比得一种良好的遗传尤为可贵；因为这便是表示你是在恬静集中的生活影响中生长大的。小孩觉得母亲可贵，便在如此。在一种恬静集中生活之下，烦恼因之消除，兴趣因之养成。这便是幸运的年青人之所以有一种成熟的兴趣，有忠心家庭的感觉的原因。

这一切如果以冷酷的态度观之似乎是太感情化，太陈旧了。不过无论如何。这是做一种精神健康的原则。世上自立成人的很少，而且他们有许多不完全的地方；不过如若他们能自行创造一种恬静集中的生活，那他们的成就就不散。至于大多数正在生长的人，这样的一种心是必须有的。家庭无论怎样组织不完备，但至今还是唯一能供给此种恬静集中生活的。

一个缺欠这种稳定环境的民族，无立足的根蒂，并且感觉不到这种生活的需要，和一个生长于这种环境中的民族，是否一样的精神安适：这个问题那些守旧派的人并不关心；那些进步负责的思想反而觉得很担忧的。

二二 “驯良些，可爱的姑娘，让别人去弄聪明罢！”

“去教一个坏小孩变好比较去教一个蠢小孩变聪明是容易些。”这是英国一个很著名的生物学家和生理学家所说的。“好而愚蠢”是一个很普通的双名词，而使人联想到它们相对的双名词：“聪明而顽劣”。

有一点是很明显的：行为便是这两种双名词的实验。看你所做的如何是最重要的，如何做便是对，如何做便是聪明，在你的行为上都可观察出来。这种动作是仁慈，是好，但是很愚蠢；那种动作是聪明，但是太残酷，太卑劣。

是否天真的意义便是脑筋简单或是心地清洁呢？是否世俗的智慧便是不要让你的良心去阻碍你的利益之途呢？是否作伪便是说你懂得德行和智慧的把戏，没有错误的观念，自己有把握会得胜呢？这类同样的问题，可以有许多不同的方式来问，而始终这类问题总是含糊不清的谜语一样，得不到一个正确的回答的。

因此训练是要引人到两条路上：使你变好，使你变聪明；使你能够心地正大，能够心智和道德健全。我最近问过一个很著名的美国著作家（他对书籍中许多人物的生活和思想都是很清楚的）：什么是他以为现代人类最大的错处。他的回答便是："人类过于注重智慧而忽略了正当的情感。把脑子放在性情之上。"

这一切的意见可总合为一个共同的结论，这结论我也觉得是十分对的。注重一个人的正当情感的态度，健全的嗜好，良好的道德，比注重他的学识、常识、智慧、伶俐、聪明等要重要得多。而我个人对于无论那一类的蠢人所感到的不舒适和不方便，是非常敏锐的。照教训我们应当忍受那些蠢人，特别是那些有政治野心的，但是我总忍受不住。

在道德和智慧的辩论中，道德每次是必赢的。无论在无智识的环境中所过的生活，比较有智识者的生活，是如何的平凡无味，我们还是要承认这一点如果将良善和智慧比较起来，好像美一样，可说是奢侈品了。世界上若是去掉美秀和艺术，一定是很惨淡无味的；然而德行还是应当占先，虽则它照普通说起来是平淡而朴实的。

心理学家在两种结论上得到许多可安慰之点：第一，我们改造一个人的道德比改造他的智慧容易些；第二，大概而论，除少数例外，道德和智慧是并存的。这不是一种可选择之物，像茶里面只可放柠檬或乳一样；这两者是我们都可以全备的。你可以在学识上或道德上做一个自大或谨慎的人。

智慧是你整个心智或心理生活最难变易的。你不能够用思想把你的智慧增加一点，即使你可以增加许多学位的头衔。除了特别的例外，智力测验一个人在学校里经过各年的智力测验，大概总没有什么变改的。六岁时的测验和十六岁的测验当然大不相同，不过这是表示心灵的增长。这种测验所忽略的地方比所注意的地方要多些，尤其是学生兴趣的变换。主要的增进路线，是他感情自制和意志行事的能力增强。这方面就近乎道德生活的根基；并且因为这种行为的基本特性是可教导的，因此使一个儿童变好比使他变智慧来得容易，愚蠢比作恶难于医治些。然而这一切我们不要灰心，而应当努力使人能尽力做个好人。

另外有一点可慰的，便是主使行为的两种因素——良知和德行——是趋向于合作的。邬兹博士（Dr. Woods）研究皇家的遗传学——挑选许多皇族家庭以为实验——因为我们对于皇族的祖先和宗族知道清楚些——结果得出许多可信的证据，凡是智慧高的人道德也高，反之智慧低则道德也低。然而有时智慧和道德是完全分开的；在罪恶、欺骗、阴谋之中，仍如在高尚有价值的生活中一样，可以找到极高的智慧。

除非我们能将道德标准提得和智慧标准一样高，则大学教育恐怕会成为一种专门训练道德低落的学校，而不是一种养成高深学识心理健全的机关了。

第二篇　如何培植儿童的心理

一　未成年以前的心理

儿童的心理和成人的心理的分界是人类行为中很重要的一件事。在人的一生从小到老——就是从幼稚的行为到成熟的行为一种彻底的变迁。

儿童和成人的心理，比他们外表的身体，更是显得不同。我们总是盼望一个人的行动是与年龄相称的。在一个普通常态的人，心灵的发育是和身体的发育同进的。人类进化的七个时期，便显出行为的进步或是兴趣和事业的变迁。假如不是儿童的性格能改变为成人的性格，世界上是绝对没有文化的。因为儿童的心智不能担任世界的工作。

人类的长成是比其他动物都较迟的。这个长而依赖的时期，便是在你行为未固定之前，一个培养学习的时期。一个小鸡自己啄开蛋壳出来便知道走路，而一个小孩却要用几年工夫去学习行走。一个刚生的昆虫比一个小鸡的身体组织更为完备。由于天生的本能少，则后来能学的多。人类心灵的发育实不是一件容易的事。一个人自己当然不记得是如何困难的，但是为父母的在当时便能晓得。

儿童的心理便是成年心理的一种原料。一个人长成的意思不专是说智识的增长。最大的变化便是你的感觉，你如何去对付事情，什么使你发生兴趣，感觉满足，什么使你悲伤或快乐，你是为什么目标而工作，你的希望是怎样。从这些方面便可以决定你是如何的幼稚，或是如何的成熟。

人类也像其他动物一样，生出来便有许多天性倾向于某类的行为。这些本能是根于所刺激的情绪而发泄出来。假如一个成人不过是一大束习惯所造成，则一个小孩便是一束本能由情绪的绳子缚起来的。许多儿童的情绪——如发怒——以成人应用起来，实在是太强，这种情感是应当压制或小心引导的。

儿童的长进也就是要摆脱幼时性格，所以幼年的情感训练比学识训练犹为重要。为儿童将来的处世为人着想，则家庭教育和学校训育去训练他们的情感自制，要比他们在学校课本上所学的重要得多。我们人人都是由两次制造而成的：第一次是先天遗传的天性，第二次是后天所得的训练。你幼年的生活训练，你以后渐渐心理的育成，长大成人，虽则我们认为是一种平常的事，但实在是费了一番功夫。幼年的生活是最难的，也就是我们生长学习最快的时期。假如人类长进的速度，总是像婴孩时一样，那么，到七岁我们便可以大学毕业了。

现在的世界，是成人的世界。我们尚没有准备一个完全的地方为儿童式的生活的。如果我们认清了儿童实在是人类之祖，或许我们对于儿童训练会更加努力。成年的生活能够快乐成功，完全有赖于幼年得到快乐良好训练的结果。一个小孩任凭先天如何优好，仍旧必须后天的良好训练。儿童心理健康便是训练儿童的目标。

我们要心理健康必须要身体健康，而儿童尤其如此。麻疹和百日咳是儿童身体常有的疾病。发脾气，恐怖，自私，强顽，依赖，都是儿童心理方面的毛病。成年人的问题和儿童的问题都是一样：是要依照自己的缺憾而加以改正的。儿童的欲望虽则简单些，但要强烈些，而他的自制力也要懦弱些。小孩子是有双层的困难的，所以必须要特别专门人才去训练儿童。保育心理学是很重要的。为父母者应当为他们儿女的原故而研究心理卫生。不懂儿童天性的人也不会懂人类的天性。心理学家对于儿童的天性，都是有精深的研究的。

二　遗传与训练

你的遗传（从母胎内带出来的天性），你的环境（从经验和训练所得的），那方面对于你将来的造就大些呢？

这两方面的关系太接近，恐怕你要在这两方面都尝试过，然后才敢回答这个问题，即算如此，甚至你仍旧不能确信那就是同一个你自己。并且我们不能依据我们现在的造就，认为遗传与环境的总和，以为不属于这方面的必属于那方。你必须考察你的遗传是怎样的帮助了你的环境去努力——去努力什么呢？这所努力的方向便是最重要的。这样才把问题看清楚了。

譬如你想用环境使你成为一个音乐家。有许多人天生是好音乐的，他们有音乐的天才，因此，他们在音乐界上必能成功。也有许多人是天生不宜于音乐，则无论受多少训练，也不能成为音乐家。还有大多数的人是居中的，有些如果加以训练，则或许成为颇好或颇坏的音乐家，其余的不过大概对于音乐颇有兴趣而已。至于那些赴音乐会去欣赏的，是天性略有好音乐之倾向，而同时略有训练。毫无音乐兴趣的，则音乐会也不会去加入。如果从音乐方面推到做诗方面，也是如此。我们说诗人是天生的，非养成的。同样，虽则不是十分准确，我们对于工程师或其他有专长的，也可以如此推论。他是由他所喜爱的事训练起，而成为一个专家，他是最合宜于做这类的事。

我们对于这个最困难的问题，当然不能以很少的例子而一概论之。不过至少我们可以得到答案的一些线索。

这里有一个很好的例子，是关于一种儿童的性癖，发现于幼年时代的。这种性癖与行为有密切的关系，是属于情感方面的——譬如胆小或发怒。

我心里所想的这个例子，父母两人都是有训练的心理学家。他们的头生小孩吉尔是一个十分神经衰弱的小孩。她三岁的时候便不爱吃食物，常常一下又坐在地板上休息，玩耍不到十五分钟便疲倦了；容易无故的发怒而且矛盾，不断的总是磨折别人，尤其是在吃饭的时候。她的父母有时气极了，便说假如他们再有一个小孩，开始便要禁止这一切的坏脾气：给她什么便吃什么，叫她去睡便须去睡，不让她成一个普通懒惰讨厌的孩子。当吉尔四岁时，便生了贾克，于是父母两人便很留心的察看他有否这些坏毛病，决定不让自己再受像吉尔一样的磨折。

可是他们的察看完全没有用处，他们的担心也是无须的，因为贾克不像他姐姐。他无论什么东西都吃；你把他放在床上他便睡觉，你摇他他就醒来。当贾克四岁时，他常常可以看到他姐姐的坏模样：只吃一点点，又休息。这对于他一点没有影响，他完全不学坏模样，他尽管一人照他自己的性情行事。他的父亲说，他不能在贾克身上寻出一点神经衰弱的象征，他好像蚝蛎一样沉静；除非受了伤，从来不会哭，也从不会对于玩耍表示疲倦。贾克六岁，吉尔十岁时，他们两人的性情仍旧如此的不同。

从他们的父母方面看，贾克和吉尔所受的遗传是同样的；他们的训练也是同的。因此看去似乎他们的不同是天生如此。当然这句话的意思并不是说，吉尔的神经衰弱，虽有良好的处治，还是不能减少；或是说贾克虽是极坏的看管，也还不会学到一点坏脾气。不过天性赋予这两姊弟的，便是前者神经系的根基不优良而后者优良。音乐天才的生性也是同一道理；不过我们不能将分量限定就是了。遗传和环境的关系在我们生活上，仍旧是一个闷葫芦。

三　男孩的心理和女孩的心理

约翰和贞安不同。他们自己知道，也都表现出来；我们也知道，也都注意到了；一切世上的事及生活的安排，都必须按照约翰和贞安的不同而适应之。当约翰下决心时，他便有一种约翰式的方法去行，而蔑视贞安的方式，反过来贞安也是一样。

学校的成绩和特别实验，可以看出约翰以及和约翰同类的人与贞安一类的学生是有何不同之处。哥伦比亚大学师范学院的桑戴克（Thorndike）教授便是研究这个问题的。约翰对于手指和手臂的动作敏捷方面，动作的正确，应付信号以及物理、化学、机械等方面，做得好些。不过男性的约翰对于这些方面并不是完全胜过女性的贞安；实际上，假如你挑选一群在这些特殊才能上有高分数的学生，每五个之中总会有两个贞安，三个约翰的。贞安在辨别颜色，分卡片，校对物单上的物件、拼字、英文，及外国语言上，比约翰成绩好些。在这些特殊才能中，每五个之中便会有三个贞安，两个约翰的。同时在其余的功课，如算术和各门的平均分数、常识、记忆感觉的能力等，只有很少的分别，再其他的也只差别略大一点。这便是约翰在学校里的智力与贞安的比较。

假如你随意挑出一个成绩单来，你会要费许多时候去猜想：这是约翰的记录呢，还是贞安的记录？但是如果你看照片的时候，则一定可以分辨出来，虽则有些男孩子有长头发，而且他们演戏装女孩时是很像的。

假如你转到约翰及贞安的感情方面看，用教师、亲戚、朋友的评判去作为实验，你看出约翰的特性，第一是“独立”，第二是“幽默”，还有“自我的感觉”和“发脾气”；而贞安最显著的特性是她对人的兴趣比对物的兴趣深；更进一步，她的情感、脾气、激励、宗教信仰、同情、忍耐等，便非约翰所及了。狄尔门（Terman）教授说明在天资最高的（智力方面）儿童中（以及天资最低——心智懦弱——的儿童），像约翰的要比像贞安的多些。

我们对于结论应当十分小心，不然恐怕要作成一个无意义或是完全错误的结论；假如我们还用这种结论来指导人，那就结果更坏了。以在学校及出校以后，大体的智力以及普通生活的准备上看来，约翰和贞安的差别是可以比较的，他们的不同并不是很微小的。

在许多人生的道路上，有许多小的差别是有重大影响的。成功的程度和方式其差别尤为显著。即算约翰和贞安一样的成功，他们乃是由不同的特性的长处凑合而成的。约翰和贞安在感情方面比智力方面，更显出根本的差别。世上有许多工作是约翰能做得好些的，有许多是贞安能做得好些的，恐怕还有一些是两人都能做得很好。但是路途不同，世上的工作总是需要约翰与贞安两类人的。

四 儿童应当如何选择朋友

“当一个人需要朋友时”而不能得到一个正当的朋友，他或许会走到错误的路上去。

如果你去问那些为低能儿设立的学校里的儿童——那些被烦恼所困的儿童——问他们如何选择他们的好友，他们的回答多半是近乎一种小孩子的话。因为这些儿童，除非遇着了种种人生的试探，而受了一种打击外，便也同别的儿童一样，总不会停住想想的。

他们所需要的朋友是一个很有趣味、优美、端正、友爱，而能替朋友做事的青年。他们要好玩，也要一种忠心，含有一部分团体精神的，就是所谓好朋友常在一堆，如同同类的鸟集合在一处。这些儿童因为同伴的原故，便常常牵拉的闹出乱子来。

小小的偷窃，是最普通的过犯。如果你问一群孩子：“假如你们的朋友欺骗人或是偷东西，你会偏袒他吗？”

大半他们的答复，三个之中有二个是会的。“你会去告发他吗？”十分之九他们是不会的。其次如果你问：“假如他表现一种示弱的态度，你会忠心于他吗？”如果有这种情形，恐怕他们是各占一半。一般孩子们，甚至于已长大的成人，是否大概如此呢？

对于儿童大概有两种教育：一种是在学校或家庭中由成人管束指导，另一种是在街上及游戏场中由一群玩侣互相指导的。你想那一种影响最大呢？

在这两个世界里，都各有其善恶的标准。问题就是“这些孩子们的行为是由书本及谈话的影响去养成呢，还是由他们的团体及朋友的影响所养成的呢”？所以这是两种规律，而这些孩子们是两方都去适应的。

团体的规律是完全为游戏和自己的兴趣；而其中有些常常喜欢去违犯公众的律法，反对巡警。我们大人也都有同样的冲突！去用不正当的方法得钱呢？还是凭自己的心力去赚正当钱？

然后你去问这些孩子何以如此不法。多数的会说，因为他是他们的朋友，所以他们应当忠心于他。然而在他们中间也很有一部分是品行端正的，这些便会说，他们会去规劝他，使他允许下次不再做欺骗偷窃的事。还有少数的便会很随便的说:“我自己不是一个安琪儿；我喜欢不法的朋友。”有些孩子去和一个做贼的朋友绝交，是因为怕学坏榜样；更有一些是生性便恨贼。

如果你去告发一个朋友——那便是违反团体精神。因为那既非你所应管的事情，而且假如你去告发了，连你自己也会被牵连在内的。胆小当然又是不同。有些他们晓得这是一种试探，而愿意有人有共同的感觉；另外大多数的人，以为他们能够使一个胆小的人变为勇敢，所以事情到他们手上时，便用严厉的方法去处治他们。

无论何人如果他想去处理孩子们，他自己便应当好像一个孩子，能深知儿童的心理。他自己应当做一个较大较好的孩子。他不应当专站在律法的这边着想，他应当同时是一个儿童的朋友和判别者。你不可以去教训孩子们——即算是坏的孩子——好像他们是毫无救药了。在每一个孩子心里总有一种趋向对于律法和秩序方面的心理，你要帮助他自己去抵抗那种不正当的冲动，这种冲动也是我们从前所难管束的，而现在已经胜过它们了。

孩子仍旧是孩子；但是看要做那种孩子？如何可以引导他们做一个正当的人，便是为父母及师长的问题，尤其是当他们在一种变迁的年龄，由小孩走入成人的时候。

这当然是一个很难的问题，父母及师长也不能完全指挥周到，恐怕连一大部分都不能做到。一个孩子的伙伴们是随时随地和他一处的，晓得他的内心，因为只有孩子才能懂得孩子。选择一个正当的朋友或是一个哥哥，在一个孩子的一生上是一件很重要的事。

五　你的小孩子有怪癖么？

大多数的小孩子有特别习惯的，虽然不至像一个父亲计算他的婴孩从一岁到三岁时那样多，因为从一岁至三岁是特别习惯发达到最高点的时期，大概计算有五十七种以上。

约翰在这个时期不吃盛在碗里的饭，一定只吃盛在盘子里的；有时如果你先将调羹从椅子背后去放，他便会拒绝不吃，他必定要自己去拿饼干吃，而不要你递给他；或者他一定要两块同样的饼干；不在一定的椅子上便不肯穿衣；当你拿一顶新帽子给他带上他便哭脸，因为他要那顶旧的；他不肯吃切成小片的橘子，或者必定要大的。

有时一定要母亲替他洗澡，或喂饭，或送他到床上睡觉；有时则一定要父亲为他做这些事。麦片粥和糖一定要在牛奶之前吃。总而言之，每件事一定要如此做，不然，他便会起反抗。另一个小孩，除非牛油是涂在有花纹的那面，他便不吃那块饼干。第三个小孩除非盘子在桌上大家传过一遍之后，他便不吃。第四个小孩一定要一个黑蓝色的盘子，而不要淡蓝色的。像这种例子是举不胜举。

所有这一切习惯，到底是什么原故呢？这些便表示所有的小孩子都是习惯的奴隶，他们不像大人，他们是一件事做了两三次便得了很深的印象，而形成一种习惯。奇特的怪癖便是将来的习惯，不过很幼稚罢了。一个小孩有许多吃食物的特别习惯，是为着想寻找容易吃食物的方法。

更深进一层的用意，便是年幼的小孩学习用他自己的意志；不过他运用意志也是很幼稚的。这种习惯可以学习管束肌肉的伸缩，同时也可以学习如何去运用意志。他是用反抗的方法去达到他的目的，而表现自己的意志出来。由此还可以感觉到自己的力量。要别人依你的方法做事情是很有趣的。

许多特别的习惯都与食物有关，也并非一件偶然的事。假如一个小孩有强烈固定的食欲，便不会发达许多吃食物时特别的习惯。因为好些小孩子吃东西很难进口，食欲是常常不固定有的。如果把小孩子看得太娇，常常替他担忧，便会使他自己觉得很重大的危险。但是若果他的食欲强健，他的怪癖便会减少的。

当然，这种特殊习惯是不应当去鼓励的，不过有时可以容许他们，尤其当小孩子是无知的时候。你不能希望一个小孩在一个时期内，便能养成所有的良好习惯。这些习惯有些是要学习的，有些是要取消的，有些是要培育的，有些是要解脱的。一个人可以纵容一部分的怪癖，然而不可养成怪癖的习惯。

一个小孩有许多坚强的特别习惯，也会有些别的神经质习气的。像这样的一个小孩必须慢慢的，很小心的，使他脱离这些特别习惯。有时引他玩耍使他忘记，有时哄他，有时引他到别的事上，或是不去理会他。再或者用一种别的方法去达到同样的目的。有时我们要用外交手腕，宁肯失去一个便士，来获得一个金镑。

六　如何使儿童保持快乐

这种快乐由学校本身方面所得的比学校课本方面所得的为多，第一要紧的是课室里面的情感空气，这是由教师造成的。这里有十条是从一本很有道理的小书里面抄来的。著者是加利福尼亚大学的斯达登（Prof. Stratton）教授。

（1）这里有两种情绪——一种是关于你的坚定力的，如喜乐、信仰、好的意志；另一种是用了去阻止及引导以上的情绪，使他们走入正轨的，如惧怕、害羞、忧愁。这种情绪虽然在一时内能使你缄默，减少你的力量，在短时期内它们还是有益处的，能摒弃别的情绪。它们能使你的人格平衡。强而有力的情绪是为长期及坚定的用途的。这种情绪一个小孩应当培养，在儿童时代更可自然坚强。

（2）良好的情绪是由好的健康，适宜的营养，活泼的运动，正当的工作，正当的游戏及充分的睡眠而得到的。儿童天然的喜乐也能从内部培养这种情绪而来。

（3）一个快乐的教师教出快乐的学生；一个喜乐无常的教师教出无休止易烦恼的学生。儿童是可以捉住别人的情绪的。他们可以感觉到他们的先生是有良好意志及兴趣的，或是两者都缺乏的。

（4）除打比喻之外，儿童是喜欢崇拜、信仰、亲近的。无论何时在可能之内，你要去称赞他们。一个小孩能得到先生的抬举，是对于两方面都有益处的。尽你的能力去信仰儿童，并且明白的表示你是这样的。

（5）环境也能培养情绪——例如光辉明亮的墙壁，图画花草及可爱的野景。让他们感觉到他们的环境是值得欣赏的。

（6）应多做使儿童纯粹快乐的事，不必计算利益方面——如唱歌，讲故事，做戏剧。正当的愉快及正当的爱好是与正当的学识有同样价值的。

（7）保持想像力活泼。童话中讲到如何一个驼子或叫化子变成一个王子，使他们晓得真实的人格比外貌更重要，除故事外还得了教训。这是关于人生的价值的教训。行为和礼貌在形式之外尚含有意义，也算人生价值上另一种教训。

（8）让每个小孩在艺术、唱歌、绘画、图案、建筑中去参加一部分工作，无论做得怎样坏，只要使他们得一种有贡献的感觉。在演剧上以快乐的角色给害羞的儿童，以庄重的角色给快乐的儿童，使他们在情绪上得一种新的经验。这一切都能引导到欣赏的路上去。

（9）养成一种情绪自由发泄的习惯，因此情绪的生性变为坚强，而能准备去应付一切。如果一个小孩的情绪不是如此训练出来的，就必定会养成自禁、害羞、孤独等习惯。儿童在学校生活中应常常有自由快乐的机会。

（10）处理儿童应当想到他的性情方面。在友谊上让那些有某种短处的去交结有某种长处的儿童。学校功课之外，应当补充以游玩的友谊。

由此可以明白学校不是专为读书的，教师人格的感化教育和课本教育一样的重要。有时家庭教育是很难培养儿童完善的情绪，最好的结果是能学校和家庭合作，无论教育有何其他目的，快乐总是其中重要的一个。

无论做任何事业，没有比快乐心情促进力更大。鼓舞的情绪不是由所读的课程或纸上的报告，可以表现出来的；而是在儿童发育的程序上看出的。快乐的儿童便造成快乐良好的公民。

七 什么叫做 I.Q.

省写的 I.Q. 二字便是智力商（Intelligence Quotient）。这是代表人类智力等级的名词，尤其代表年幼时的智力。这是用实际的年龄和智力的年龄相比较。如果一个八岁儿童的智力能够赶上其他普通八岁儿童的智力，他的智力商便为百分之百，因为他智力的年龄和实际的年龄是相等，并不比实际年龄较高或较低。但是假使他智力年龄只能当一个普通七岁的儿童，他便落后一年；他的智力商只能算八分之七或百分之八十七；因此，他的智力也较低或退后。假如在他八岁的时候，他的智力已如同一个普通九岁的小孩，他的智力商便是八分之九或百分之一百十二，所以他的智力是较高一年。第一个小孩比普通儿童愚蠢些，第二个却比较聪明些；但是两人都还算是在平常智力等级之内。

但是假如一个八岁小孩的智力非常低落，只能知道或是做一个五岁小孩的事，他的智力商便是八分之五或百分之六十二，他的智力商的等级便很低，普通谓之低能儿，虽则还不算是最低的。假使他是非常聪明，八岁时便能实验普通十一岁儿童的智力测验，他的智力商便为八分之十二或百分之一百三十七；这种儿童在二百儿童中只能有一个是如此天资的。

如果这些实验去说给一个法官听，如果他是一个好运动的人必定会说："你是说那个孩子智力上打棒球所得的平均分数么？" 我们也就可以让他这样解说。

但是我们怎么能知道一个八岁小孩的智力只能当得一个七岁儿童或是高到一个九岁儿童呢？当然这是需要许多功夫去决定的。第一心理学家必须先筹划出许多实验方法来，内容须包含各种重要的知识能够测验儿童的智力的，还要划定一种标准去定分数。他们计划出各种心理测验要合乎每一年龄的。然后把这些测验去实验了无数儿童，直到这些儿童能够回答像如此难的问题："苍蝇和蝴蝶，石头和蛋，木头和玻璃，各有什么分别？”这类的问题大多数七岁的小孩便能回答出来的。但是一个六岁聪明的小孩也能回答，而一个八岁愚蠢的儿童或许还答不出。

问题是一年比一年难，必须年长些的儿童才能回答。这些确实都是测验智力发达的实验。内容包括要做的事情，要遵守的规程和要回答的问题。虽然一个八岁的小孩不能完全回答出为八岁而设的问题，但是他的智力年龄仍旧可算八岁；或许他连一个七岁儿童应当回答的问题都答不出，可是他却能回答一个九岁或甚至十岁儿童应当回答的问题。这种实验，如同像试衣服一样，最初是去试穿一套较小的智力衣服，然后穿一套较大一点的，最后再试一套更大的，但不过是太大了。由此便可得到儿童智力的容量，而能决定他的智力年龄较实际年龄是否过高或不及了。

这种智力测验，如果是小心去实验，是很有用的。它不但专计算每年应增长的智识，并且也注意到儿童自然演进的变迁，好像一个小孩有高大的身材却配上一双短小的脚一样。这种测验是需要一个专家去执行，如同要一个专家去配你的眼镜一样。并且这种测验很难应用于成人，因为他们的智力年龄早已长成了。有一次他们去测验了陆军中五百万人，结果这些人的智力年龄，有的只当十三或十四岁的儿童，恐怕许多人听见一定会要惊异。其实这也并不足奇怪，因为智力商仅测验人类智力发达的速度的。一个二十一岁的少年从体格上看似乎比一个十四岁的儿童要大得多，因此我们也感觉以为他们的智力也是不同的；如果在一方面看，或许他们是应当不同。不过智力限制到十四岁的意思，并不是说我们学习的能力只能到十四岁为止；十四岁以后我们仍能发达我们的智识以及学习许多事情的。限到十四岁的意思，是说我们天生的才能去解答这些测验中的简单问题，普通一般成年人是不会比十三四岁的少年人答得更好的。所以成年人只有十三四岁人的智力，这并不是稀奇的事。

八 I.Q. 的价值

智力测验不是一种游戏像“再问我一个问题”一样

的。这是一种科学的方法去测验人类先天的才能，好像用一种适当的尺码去量心理的高度，其最大的价值是能测验儿童智力的发育。智力测验重要的工作便是：从一个儿童学习的快慢和他学习能力的限度去决定他的智力的高低。愚蠢的人大家都知道世上很多，在许多事上他们都显得慢。在智力的道上，他们是走得很慢的。智力测验可以表示出一个七岁愚蠢的儿童只能做一个普通六岁的儿童的事，或许一个极蠢的七岁儿童只能做一个普通五岁小孩的事。这意思便是说：一个愚蠢的儿童在智力上要经过七年的努力才能当得一个普通六岁的儿童，或是一个极聪慧的五岁儿童。

智力测验之另一部分工作更为重要。愚蠢的小孩不仅在智识或技能的道上爬得很慢，并且他学习的能力容易有限。他总是停住在那里而永远成为一个很低智识的人。每一个小孩，如果他的智慧和学习能力能增进到十四岁，他便是有普通智力的人。

世上大部分的工作都是依照一般普通智力的人来做的。一个人如果已达到普通智力的程度，他便能继续学习普通一班实用生活所需要的。

I.Q. 或是智力商的第一个功用，便是选出那些智力低的人。天资较低的谓之低能儿，在他们之下还有极愚蠢的人和痴子，这两种人都很容易认识而是需要特别小心看护的。但是低能儿的智力可以增进到一个像八岁到十岁的普通儿童一样，普通的学校和普通的职业都包含有这类人，他们是有成人的年龄而只有小孩的心思的。至于达到十一岁或十二岁而止的智力的人更多，他们都被称为呆人。何陵威斯教授（Prof.Hollingworth）称这个时期为“呆人的栅栏”；比呆人的智力稍高的人便叫做蠢人。以上这数种人物在学校和社会中都可以找着。

智力测验的功效，不但可以分别愚笨的人，并能实验出天资极高的儿童，这些儿童学习很敏捷，智识进步得很快。学校因为这种原故，而为他们预备特别的班次。他们并非一种天才或奇异的人物，不过有时是稍为和常人不同，并且智力较高的人在体格上也是超群的。世上各种领导工作也都在他们手里。普通智力是一件事，而特别才能是另一件事。在选择一种职业时，两者都须考虑到的。

智力测验从发明以来最得力的一次，是在欧战时美国陆军用了去测验军士，去分别谁是最好的军官，或掘战壕者，谁是最好的书记，或司机人或洗盘盏的人。而后照实验的结果去分派工作。智力测验也能应用在种族上。黑种兵士的智力是不及白种兵士的。I.Q. 对于过失或犯罪学上也极有贡献。在少年法庭许多案件中，有很多犯人由智力测验证明是有心智上缺欠的。公立学校一百儿童之中大概有三个是低能儿，而罪人中却有百分之五的比例。

但是一切的分别都应小心应用。I.Q. 并不能测量各类的智慧，或是即算智力被测量了，也不能决定一个人的终身便是一个工人或知识阶级的人，因为人的性格既难测度，而社会所需要的又时有变迁。如果智力测验用得适当，它在教育和工业的职业上，是一种极有价值的工具。

九　你的小孩得到了一些什么知识

去考察一个已经入学的普通儿童所得的知识，是很有趣的。这种考察为五十年以前康萨斯城（Kansas City）

和波斯顿的各学校所发明。我们可以大胆的说，在那时儿童的无知，现在是不会有了，并且我们可以切实证明。在今日的活泼城市儿童——当然不是说贫苦的儿童——所得的知识是很多的。

但是在一八八〇年，波斯顿城的儿童有一半是从未看见过蜜蜂，或是羊、麻雀、鸲鸟、蜗牛、松鼠、蚂蚁、青鸟或是老鸦的；这意思便是说：他们或许看见过这些东西，但是不知道它们的名子。一半以上的儿童是不认识成熟的葡萄、玫瑰、毛茛、山芋、五谷、桑果、覆盆子、苔、枫树、松树、橡树、杨柳、白杨或榆树的。一半以上的儿童是认不清腰部、脚踝、手腕、心、肺、肋骨的位置的；也从未见过日出、日落、虹、雹、露，或是现在是那一季的；不晓得什么叫做树林、海滨和岛屿的；不懂何谓锄头、铲子、犁，或是锉刀的；不知牛油是如何做的；不知木头是从树林里来的；从未洗过澡的；不知纺织物是从何来的；不知地球是圆的；砖是什么做的；不知棉花是什么；或是不知皮革是从动物身上来的。如果你再继续数下去，更是感觉得他们的无知，差不多每一百儿童之中有八十或九十是如此的。

恐怕像这一类的问题对于城市儿童不很公平。康萨斯城因为与乡村接壤，那里的儿童比较普通一班儿童所得的知识多些。虽说是男童受教育的机会多些，然而男女儿童所得的知识是无大差异的。女童关于家庭常识晓得较多，而男童晓得外界的常识多些。在波斯顿爱尔兰的儿童知识比美国儿童的少，而在康萨斯白种儿童是较有色儿童聪明。

现在波斯顿、康萨斯和其他各处，儿童的知识已较前进步多了。我们已经认清楚儿童需要与自然界接触和与人生实际的生活接触是一样的重要。现在儿童兴趣的培养极为充分，或许过于充分了。现在的影片有许多滑稽副片本来是为娱乐年长者，却都被小孩占有了，这或许是这些副片太幼稚的原故。从影片上可以使儿童得到许多实际知识，不过有时里面杂着许多不通的惊奇材料。

为儿童制造有益的电影本应当多，但现在却还很少。不过因儿童读物的改革，现在儿童知识的增进已经比从前进步多了。城市儿童可以得到郊游的机会，幼稚园已经不是一种奢侈品，而是国立学校之一部分；这两种都是能使儿童得到良好教育的。然而儿童应当与自然界接触，学习自然知识，仍旧是一种最实际最重要的教育。

儿童的天性总是没有变改的。他由他天生的意志和兴趣去行事。譬如男孩子你可以不必去告诉汽车是如何造的，因为他自己天生的观察力已经看出车轮上每一点微细的地方了。从一个玩具店可以看出儿童的嗜好和趋向。但是户外和营幕生活比玩具更好，因为这是实际与自然接触。

我们很容易误认心理学为现代大学所读的课程，专讲理论，而与日常实际生活无关。其实心理学在我们如何生活和我们如何去得到一种有规律的生活中是互相不断有连络的。我们对于儿童，由他们的活动上去领导他们的心智，没有比这再好的办法了。

一〇　疲倦是儿童危险的符号

疲倦是人类仇敌中最大的一种。确是有许多人是天生的疲倦，很难自己克服过来的。人类的疲倦也和伟大的人物一样，可分三种：有些人是先天的疲倦；有些是自己努力造成的疲倦；有些是环境造成的疲倦。第三种人如果论到儿童方面，现在已有童工律法的保护，和儿童心理卫生的提倡。

保护儿童不受疲倦的攻击，和保护儿童不受汽车的伤压是一样的重要。儿童工作的规条，睡眠的习惯，或是情感和生活的习惯，是与关税的规律一样必不可少的。明黎爱波里（Minneapolis）的西衡（Zeham）博士和夫人在他们合著的《疲倦的小孩》（*The Tired Child*）一书上，说自然对于儿童的疲倦应有一种红色符号表示危险，一种黄色符号表示当心，一种绿色符号表示平安。

健全体格对于一个小孩是第一应注重到的。一个健康的儿童或成人，只应当有常态的疲倦，能够夜晚酣眠白日忙碌。尽力的工作或是尽力的玩耍，尽力的运用精力，都可以使脑部和肌肉消耗疲倦的；神经是脑筋和肌肉的传达器官，三者连合便成为一个共同合作的机器。脑筋比肌肉先疲倦。经过长久的行走或是整日划船或骑马之后，你便感觉到肌肉是如何的疲倦和无力了。

至于那些细微的神经，连接你的知觉器官、肌肉、液腺以及其余各部机能，去和脑筋中枢交换接触关系，它们工作的疲倦，实不亚于电报和电话线的磨毁。由神经的疲倦可以说到脑筋的疲倦，如果厉害一点便是酿成脑筋的劳瘁。当雀鸟经过长期的飞翔，停下来的时候便感到精疲力竭，似乎昏眩站立不住，更不能抵抗外患，好像心身都消耗尽了。如果你从显微镜下去看一个已经旅行数百里的传讯鸽的疲倦神经细胞，便可以看出它们精疲力竭的状态来。至于人的脑筋我们应当从他行为变态上，看出他疲倦的象征。

有些人是有超乎常人的精力的；他们抵抗疲倦的能力也比常人强。如长途竞走者，爬高山者，北极探险家，以及能够长时期运用脑力不会疲倦的人，他们坚忍的能力，健强的身心，都是值得惊佩的。缺乏精力是人生很重的缺憾，多半原因是神经衰弱而非肌肉的关系。

这一切关系，在儿童时比较简单，然而更加厉害。每个成人都会疲倦的；工作过度时每人都会感觉疲倦，或过度的疲倦，或是精疲力竭；但是一个天生疲倦的小孩是永远疲倦的，随时疲倦的，好像从未得到完全的休息。如何去辨别天生疲倦的儿童，以及如何去想方法医治他们，是心理卫生一个很大的问题。工作无休息便常易使人对于工作发生厌倦。第一步最重要的工作，便是要知道世界是有许多天生疲倦的儿童和成人。假如我们没有这种思想在心里，便会以为他们是懒惰（世上也有各种不同的懒惰），其实他们是天生的疲倦而不能自己克服的。

假如我们知道如何医治的方法，还是能够帮助天生疲倦的儿童。当然我们不能一生都遏止疲倦的攻击。其实只要有健全的身体，繁重的工作是不会伤人的。但是如果将繁重的工作加到一个疲倦的人身上，却有很大的害处。疲倦是一种很危险的象征，我们必须小心的。

一一　聪明的儿童体弱些吗？

一个年青的人如果有巨大的头，高耸的眉，带着眼镜的近视眼，瘦的脚胫，和轻的体重，可说是天生影戏中的丑角。在实际人生中，他和戏台上的爱尔兰人一样的罕见。在发育上普通的观念，以为脑筋和肌肉只能发育一种的；因此一个大学生只能在读书和足球中任选一门。但是这种观念也和其他普通观念一样，有一两真理而有一磅错误。

哥伦比亚大学师范学院的何陵威斯夫人著了一本《天才的儿童》，里面说到四十五个男女儿童，是经过心理测验而挑选出来的，他们都有超乎常人的智力。她将他们和一群智力普通的儿童及一群智力很低的儿童作体格上的比较。普通的观念以为聪明的儿童都是体弱的，但从这次实验却把这种观念完全推翻。结果是他们要比普通的儿童平均高一点七英寸，而普通的儿童比天资低的儿童高一点六英寸；在重量上这三种儿童的比较也是如此。由此可见天资聪敏的儿童在体格上——高度和重量上——也是比常童占便宜的。

天资聪敏的儿童是肥胖而营养良好的，但是他们并不会像讽刺画里面的人物那种可笑。当然，在许多瘦小的儿童中，仍旧能找出一些特别聪敏的儿童来。不过在十一张十一岁聪敏的儿童照片中，仅有一个是特别矮小，一个是普通高度，而其余的都是很高：在九个特别聪敏的女童中，一个是普通高度，而其余八个都比普通高度的女孩高。

聪明儿童身体的动作也比常童敏捷。他们能够左手用力来推挤，当然也更能以右手用力来推挤。两手都比常童力气大些；他们能双手打倒一个愚笨的儿童。他们能跑得快些，跳得高些；他们跳上公共汽车的动作也很敏捷。他们的健康至少也和常童一样的好。

当然，也有许多健康的儿童是愚笨的，而有些体弱的儿童是聪慧的，很聪明的儿童似乎看起来在体力上不及常童，这是因为他们在一班之中是最小，而我们常易将他们去比较大的儿童，而得此种错误观念。在班次上他们的年龄要算小的，在智力上他们要算大的。因此大家的普通观念觉得聪明的儿童总是小的，在动作上是笨拙而低能的，因为他们实际上所晓得的是比所能做的多。在体格上他们也是比较成熟得早些，在心身方面他们都是早熟。一个极健康的婴儿在十一个月时便能双手捧一个球，两脚也捧一个球，这种婴儿到五岁时便是一个神童。

但是头脑的大小与聪敏有关系没有呢？确实，聪敏儿童的头是比较常童大些，不过他们的头还是与身体的高度和重量相称的。如果一个瘦小的身躯配上一个大头便像滑稽画上的想像人物。为父母的假如有这种儿女一定会感觉他们情愿要健康的儿童，而不愿意要聪敏的。为什么不能两者兼备呢？

详细的考察常常能推翻普通的概念。聪敏的儿童似乎体格显得矮小，实是因为这种儿童在他们一班之中和那些大儿童相形之下的结果。大儿童在智力上虽没有聪慧儿童发达得那样快，在体格上因年龄的关系却发育得早些，不过他们在智力上是从赶不上聪敏儿童的。或者我们从事实的背景看，佛兰西斯·哥敦爵士（Sir Francis Galtan）在他研究英国天才者的体格结果之后，他说只能在他们中选出十一人是能在体育健将之中有被选资格去参加各项运动的。除开例外的情形不说；智力高的人体格是不会弱的，他们不是和普通人一样，便是要比普通人更强壮。

一二 学校当领袖的学生将来也比常人好些吗？

我们常常听说，在学校各班中当领袖的学生，他们后来到社会上总是淹没无闻了。这种观念恐怕是由于有些例子是从前失败而后来成功的，或是后来找到了正当事业而成功的。学校工作和社会工作所需要的才能不同，而各人所好的也不同。

如果你考察一班人在学校时就选定了一条路径的，后来也一直追随这条路径，你便有一种确定的方法去测量他们后来的成功。

我们可以查看西尖军官学校（West Point）学生后来的成绩如何。后来凡是他们的等级做到旅长或旅长以上的，去查看他们在学校受训练时的成绩，结果是如何呢？在每一百个这种军官中，三十三个在班上是甲等的，二十七个是乙等，二十三个是丙等，十七个是丁等。一个学生如果在毕业时他的成绩在全班中是甲等，他便比一个成绩丁等的学生有两倍的机会成为一个大将。凡是在班中得第一名的人，差不多一半以上都已达到“将军”的等级；得第二名的人做将军的大约是百分之四十。如果拿各班成绩最低的人看：二十人中只有一人做到将级，成绩较最低的好些的，八人中有一人做到将级。由此可见，在校成绩好的，后来较易成功。

间常因为道德的关系，军队中不得已要开除一个军官，对于这些失败的人，他们在班上的成绩是如何呢？结果是恰恰与前相反的。在成绩最低的人中有两人被开除，而成绩最高的人中只有一人。如果你从一群已经被挑选为体格很好的人中去选出那些体育成绩得甲等的人出来，与上面的结果却又相反。有多少运动家能成为大将呢？这和非运动家是一样的比例。功课成绩的等级可以去测算学生的将来，对于体育却不能如此计算。

何以军队中的人可以如此的表示清楚，便是因为他们的成绩在校里都好好的保留了，而后来的进步也有衡量的标准。同样我们对于普通人恐怕也可以下同样的结果。由此可见普通观念是不对的。现在我们已经知道天资聪慧的儿童表现他们的才能也较早，由实验的方法已经证明。在智慧上他们是早熟些；他们也比常人进步得快些；他们总是保持领袖的地位。他们的才能从来不落人后，并且也比常人能持久些，因此而能达到最高位置。不过这种差别还不大十分显著，因为还有许多别的特性要计算在内，而且是很重要的特性。

在西尖军官学校的学生已经是一些选定的分子。然而即算在他们之中有一些人是例外情形的——当他们在学校读书时，他们在全班中是平平的，但是后来入社会时渐渐爬向前，而达到最高的等级。也有一些在校时很落后，但后来又做到最高的军官。中学和大学的成绩是可以断定一部分我们将来的前途，然而不能完全准确。最完备的测验，还是要看一个人整个的一生。

一三　怪杰的剖解

世界最著名的棋手加巴布兰卡（Senor Capablance），享受过很长久的威名之后，便将这个荣位让给一位年少的对手了。他们这些有特殊天才的人的心理是如何呢？

加巴布兰卡真是天才，儿童时棋便下得非常之好。九岁的时候便是一位专家，十六岁时便是世界选手中之一位。音乐中特出的人尤其多：莫差特（Mozart）小时便爱弹钢琴，后来成为著名的作曲家；荷福门（Joseph Hoffman）小时是一位极会听音乐者，在现代是我们最好的钢琴家。

会计算的人表现他们的天才也早，虽然在许多会计算的天才中，只有一个成了著名的理数家。不过理数比计算要深奥得多，正如作曲家比奏乐家要难得多。

这些年少聪敏的人，大家有一点是相同的：便是他们天才的成熟比普通人早。一切的儿童都富于知觉的天资；一个有天才的儿童是耳聪目锐的。在儿童时代我们的想像也极丰富鲜活，好像一种心理的照片，传递了实际的景致，映演在面前一般。

最会下棋的能手，可以将眼睛遮闭了下棋，甚至还可以不看棋盘同时下几盘棋。假如两个像这样的专家相遇，他们便可以在散步的时候下棋。每人轮流说出他棋子的行动，虽然有三十二颗子，又常常变动位置，然而他们能很清楚的记得全盘的形势。他们不需要棋盘，也不需要棋子，完全依靠他们心智的想像力。

会计算的天才，可以由想像的黑板答出数目的结果。有些玩四人纸牌的，可以由记忆的想像力，记出每个人的牌。

与这些灵敏的想像力有密切关系的便是记忆力。儿童学语言比年长的人要容易得多，他们可以毫不费力的学到一种外国语言，不露土音，而这是成年人所不能做到的。然而同是儿童，学习语言能力的高低也大有分别；有些三四岁的儿童所晓得的字要比别的玩友多十倍。在男孩子中各种各类的天才比女孩多些；同样低能儿也是男孩多。由此可见男性比女性变态走极端的要多些。

这些特别的才能是如何发生的，我们当然不清楚；不过他们总不是神秘的就是了。这种才能是我们普通人都有，都在年少的时期发达了的，不过这些天才发达的程度，远超于普通记录之上。这些天才也要看他们的用处。下棋似乎是一种纯粹艺术，与普通生活无关的。这当然包括一种极高的智力，不过是特别的一种。我们当然不能以我们下棋的能力去断定我们的智力或进款，然而下棋是一种专门才干，正如我们日常生活中别的专门才干一样。

在年长以后发达的才能，不是知觉和记忆，而是判断力和各种事物的组合。摩尔根（J. Pierpont Morgan）是一位特出的理数家，不过他对于自己的前途，却是踌躇不决，去学理数呢？还是学商业？他将他这种才能应用在财政上，这也是一种特别种类的专才。

普通才能和特别才能的关系是如何，是现代许多心理学家想要解决的问题，将来我们或许可以知道多一点。任何人做一件事，如能比别人做得好些，便可以成名。下棋我们能够预先打赌，便可知谁是赢家，但是在许多别的事上，我们只能赞赏而已。虽然这种技能与人生各种职业没有关系，我们还是一样的赞赏。特出之才都是很有趣的，各种专门伎俩也是一样。各种事业中的英雄总是先受人注意的。我们平日的生活，一部分依靠普通才能，一部分依靠特殊才能，远超常人之上的才能。

一四　城市里的儿童比乡村儿童聪明些吗？

一根尺便可以决定城市的儿童是否比乡村的儿童高些。我们也有一根量智力的尺，不过我们不能断定这根尺是否靠得住。

在美国印第安拉省（Indiana）某两处乡村中，选了几百儿童。一个乡村都是穷苦农民，另一个较好一点。以相等年龄的城市儿童实验过的问题给这些乡村儿童实验，他们大多数的年龄是从十岁到十三岁。结果城市儿童在智力上好几处是优胜些。

一百个聪明的乡村儿童中，只能选出五十个像城市儿童一样聪明的。有很少数的乡村儿童很聪明，从比例上说愚蠢的还是要多些。如果一个乡村的土地好些，聪明的儿童也多些。智慧好像随着有收获的土地跑。一个十岁城市的小孩可以当得一个十一岁半的乡村小孩。

实验中包括脑力的工作，如记忆，算术，说出简单字的反面字，填一句话中的空白，作比较，记述一个故事的事实和重要之点，以及其他凡是乡村儿童在校中像城市儿童一样可以自己学习到的东西。城市儿童在这十个简单的实验中，每个都要比乡村儿童做得好些。

城市生活有多些机会可以学习。眼目都时常不断的有刺激，事情都有人讲论着，有一种热闹进行的空气。因为这些混杂的原故，许多人觉得城市生活对于儿童是不好的。儿童在一种简单幽静的环境中长得好些。或许城市儿童受实验的结果好，恐怕是他们过于受刺激的原故。或者是因为城市生活能吸引聪明的分子，以及有精神有上进心的乡村人民。而这些遗留在乡下的，或者都是一些较差的分子，因为优秀的都跑出来了。

一个国家有才干的人的分配，是有许多力量凑成的。纽约城已有了超过纽约城所能供给的特殊人才，因为许多的乡村优秀分子都被吸引到城里来了。同时一个大的城市也吸引一般无用的人及下等阶级的流氓。

要经过相当的时期，我们才会晓得从聪明才干方面看人口的移动是如何的，而后我们才知道如何能使一个较好的人，可以在城里或乡间能得到一个好的发展机会。有一种观念以为出头的人，多半是从乡下来的，并没有事实的证明。这恐怕是乡间聪明的儿童到城里后便不愿回乡下去，而在城里谋出路的原故。我们不能根据于几个特殊的例子而下断语。

无论健康或道德上如何，但在智力上城市总可说是领导乡村的，虽则有些地方我们还不十分清楚，因为一切的事实还不完全。

一五　指导儿童心智的规律

以下七条规律，是由一个著名研究儿童心理学家所举出的。这些规律可以作为儿童训练的指导，是应当每日都实行的。

第一条——每个小孩应当能尽情自由，发展他的愿望，在玩耍和工作上应当活泼，能表现自己的情感，能卫护自己，能冒险，能处理事情，能寻求，能满足自己所需要的欲望等。这一切只要有充分的休息，十足的睡眠，便可以得到。

第二条——每个小孩也应当由训练而约束自己的冲动，与别人合作，能服侍人像自己被人服侍一样。训练儿童约束自身应当用开导的方法，不可无理的压制，不要阻塞他们的精力，而是要使他们的精力有组织有系统的用于正途上。

第三条——每个小孩应当对于他应做的事情专心去做。要能在短时间内用心学习，不可耗费时光。时时应当警醒活泼，不应心怀怨恨。每日都是心思纯洁。不可为过去或未来的事情忧虑。

第四条——每个小孩应当有一种固定简单的工作；决断应当清楚敏捷，以全副心力去对付，不可自相矛盾或烦恼。要使工作成为有秩序的日常程序。

第五条——每个小孩应当由训练去应付小的困难问题。意外的不幸，困难，失望，在人生的道路上总是免不了的。我们的天性已有许多方法去应付这些困难，问题也是由这些天性的帮助去应付它们。当一个人需要朋友的时候以及想由烦恼中拔出时，他便会要感受到痛苦，惧怕，忧愁，愤怒种种情感。由训练去应付困难是必不可少的。

第六条——每个小孩应当和别的小孩一起。各种活动，如工作、玩耍、吃食，甚至争斗，以及成群结队、交朋友、打假仗等，都是与小孩有益处的，因为这些都是社会的背景。小孩由家庭、学校和玩耍的场中，而得到吸收和发展的社会训练的机会。

第七条——每个小孩应当知道他是依靠别人的；应当有人去爱他并被他所爱，有人去看管他，保护他，使他对宗教有信仰，能敬畏天地的主宰，这些不专是在礼拜日便教训他，而是整个星期中时常引导的。

以上便是伯亨教授（Prof. Burnham）所举的儿童心理健康的规律，他也说去计划这些规律是比实行容易些。使一个小孩的生活去实行这些规律，便是使他走上一条健康、快乐、正当的途径。这些规律还可以提倡一种办事的精神，能有正当的心理和态度去对付工作，以及能得到一种由引导小孩到人生正道而得快乐。

这些规律不仅提醒我们一种好的目标，而且要有好的方法。第一用榜样去训练。一个小孩是爱模仿别人所做的事的。如果别人都安静，他也安静，别人满意，他也满意，别人吵闹，他也吵闹。第二用同情的训练法，不用申斥法。用开导的方法，不用责备的方法。在适当时间内去尽力鼓励赞扬，最后，用动作作为训练，不用空话。教授由动作，学习由动作，因为动作便是儿童的世界。

至于说到儿童时代的思想方面，他们所想像的世界和所认为的公理，比他们外部的动作和行为更是难于了解。这两方面是一齐发达生长的。如果你要了解他们内心的思想，必须回忆或回复到你的儿童时代。这便是许多人与儿童共同生活感觉兴趣的原故。以上所说便是每个父母都应当知道的，每个儿童都应当实行的。

一六　应当责打呢，还是不应当责打？

应当责打或是不应当责打——这是一个值得研究

的问题；并且很难下断语说“应当”或“不应当”，因为判断这种事体不是简单的。许多儿童由常常责打中长大的，后来成为优良守法的公民，和不曾责打长成的儿童一样。从前这是为教师的问题。在古时木板或柳鞭是常常不离教师的手的。他是用一根戒尺去管治学生。我们现在仍说“爱惜你的木板，害了你的孩子”，不过我们不是人人都相信如此。有些为父母的听见子女在学校里被责打，就大发脾气（虽则在家里他们自己仍旧责打子女）。这不是矛盾的主张吗？

无疑的现在世上责打是太过分了；并且有许多责打是不论季候时节的。这实在是不应当。走到一个公园或动物园或其他凡是有大群母亲和小孩子的地方，你总会听到不断的打掌声、喊叫声、斥骂声和吵闹的口角声，直到你感觉得园里的动物比人还要平静些。这一切的管束都是由一时之怒蛮行的，当然不能算一种正当的教训法。这不过是选用最简单的方法，用痛苦和恐吓去压制小孩的扰乱，发泄自己的怒气。

不断的笞鞭，更是一种坏的方法，因为这样会使一个坏的小孩想要回家的时候，不敢回家。如果你读《汤姆沙尔》（*Tom Sawyer*）这本小说给年青儿童听时，他们似乎对于故事里面的事实，感觉得十分有味，但是他们对于汤姆所受的鞭打却不去管，不论他们是否得过这种经验。然而汤姆却是被打惯了，似乎毫不要紧。他能忍受这种虐待，仍旧照他自己的心意去做。他以为被笞打便是去游泳或打哈喀球的一种代价。

如果为父母想责打子女的试探很强，尤其是当他们吵扰长者的时候，就应当想方法极力忍住，另寻找一种别的罚责方法，不是用发怒和恐吓，而是一种自然不服从和疏忽而受到的责罚。责打是一种不合教育的方法，对于父母对于儿童都是不好的。

然而如果你用责打的方法去责罚一种特别很坏的行为，还是可以的。但是假如你为得每件小事就去打人，你便失去你的威信，而给予儿童一种坏的模样。孩子看惯了大人发怒，如果大人时常不能自制，一定是不好的模样。假如他们被威吓过一次，下次有机会的话，他们便会去照样威吓别的儿童。最好的是要能在父母与儿童之间，彼此有一种正当的态度，但是责打却不是能达到此种目的的。

如果不用责打，有何方法可以代替呢？取消儿童应得的糖果或是某种好处是一种方法。在小孩面前表示我不喜欢他，引导他回想过来，然后平心静气的对他解说，直到他允诺不再做第二次，这也是一种方法。以上两种方法是需要时间、耐心、精力去干的。但是这是为父母者必须应尽的责任。

好责打的父母和常被打的坏孩子，是一样值得来研究的问题。如果教师是这样做，为父母的也就可以这样做。戒尺和柳条已经是取消了，用手掌打也可以取消了罢？

一七　变野

假如有人问我人类天性中那一种是最重要的，我的回答便是人类不能任照自然的天性去长成，假如他是如此，他便会变为野蛮。我们看小猫能依照它的天性长成而为大猫。猫有些事是要学的，有些是不用学的，但是母猫总是同时保护和训导它的儿女。可是原始是野蛮的猫——狮子和老虎——在幼小的时候还是柔顺可爱的，然而当他们长成后便变为野蛮了。小猫也要比大猫可爱些。但是人类的生长恰是相反。儿童有许多粗野的动机，在人类的文明上是绝对不能容许的，因此，我们不能让他们依照他们原有的天性去长大。这便是教育、训练和训育所以必需的原故。

儿童可以说是一个自私、残酷的暴君，在他们比较和平一些的行动上充满了顽皮，激烈一些的行动上充满了残恶。儿童是一个被发怒、叫喊、扰搅、咬嚼、冲撞、趺踢等情感的利用者——这一切扰乱的冲动，在人类和平的生活中是必须设法管束的。所有这一切的儿童式的冲动在长成后，因疏忽的原故仍能存在，以致蔓延各处，甚至在有礼貌的社会中也可发现，而要律法来维持人类的治安。我们称原始的人为野蛮，并说野蛮的时期是在文化的时期之前的。可是我们现在这一切的礼貌都是外表，撕破俄国人，你便看到达达人。原始穴居的人在我们现在社会中仍旧存在。人类一生真正的故事，便是管束我们每人内心野性的故事。

少年人生性便是一个反抗者。他反抗社会；反抗那些已经被习惯所管束而现在被少年野性所烦恼的年长者。上帝最先撒下少年放肆的种子；少年气盛算是第二次的撒种，直等到原始的天性都受压制，另一种欲望情欲发生，这才算成熟。文化之能存在，是靠人类不让自己变为野蛮。每个人应当管束同胞，也当管束自己。

以上一切都很显明，但是也和其他显明的事一样，常常是被忽略了。当然，这事另外还有一面的。儿童在另一方面去看，他是很可爱而温柔的，天真的时期也并不是完全没有的事。儿童似乎一时为天使，一时为恶魔。管人之难正如管自己一样难，而在儿童时期尤其难管自己。其所以如此之难，便是因为儿童的冲动强烈，而自制的能力薄弱。年长一辈的人比较容易，便是冲动薄弱而自制力强。一切的训练必须要达到这种地步。

人生便是争斗；然而最重要的奋斗却是人的内心。在另一方面，这种争斗便是介乎原始的冲动和理智的管束的中间。发怒的人是不会想得清楚的。战争唤起的情绪是可以使人再成为野人；和平却帮助其余人类的天性约束自己，或者这种争斗是介乎个人和社会的，任你的天性行事，你便会违反社会的禁令和法律。你须一部分妥协，一部分反抗。假使你违反了很严重的律法，你便会成为一个犯人。

由此我们可以知道什么是人生最重要的事情，最重大的责任和最先的必要条件：这便是管束你自己不要变为野蛮。管束，管束，管束，直到管束能成为一种固定的习惯。不过我们并非压迫或是反对人类的天性；因为这样也是有危险的。或许间常能有少数圣人产生，不用教养而成为正人君子；其余一班人如果不去教训他们管束自己，一定会变为野人的。

一八　学识和常识是互通的么?

这是一个很重要的问题。在学校里能够学习的人，对于普通日常生活的一切事务也有好的判断能力么？书本知识和普通常识互通么？普通有一种观念以为实际知识和书本知识是两不相关的。不过这很难如此的断定。大概学识和常识或许是互相独立的，书本知识既不增长判断的力能，也不摧残判断的能力。

然而一切都要据你所知道的而定。一个会做生意的人在他商业情形上，是极熟悉而有正确判断力的。但是在他商业范围之外，他或许会以为做金砖是一个发财的机会。他或许有些观念从学者看来是完全不通的。一句西班牙的俗语说：一个最聪明的人在一个新房子里，是施展不出他的才能的。

对于这个问题，现在有一个小小的实验。一百个高等小学的男孩和女孩，大约都是十七岁，提出四十句断语，叫他们用自己的意见去判断对或不对。这些断语如：小孩刚生便有善恶的辨别力；掌纹能断定人一生的幸福；女人的智力是不及男人的；用功过度可以成为低能儿；礼拜五是一个非幸运之日；有些动物是和普通人一样聪明的。问他们这些断语都是对的呢？还是有些是错的呢？或许别人换一些另外不同的问题，而实验你的判断力——不是肚里装的事实。

这些题目中有些是极可笑的；有些是不甚对的，有些是说对也可以，说不对也可以的。假如你相信第一类的观念，你的常识分数便很吃亏；相信第二类的观念，便要扣相当的分数；相信第三类的问题，或许扣一点分数或许完全不扣。但是在平均结果上看，除了三个儿童得到较完全的分数外，其余都是很不完全的。男孩和女孩对于这些断语的意见没有大的分别。

如果拿这种同样的题目，去实验成人的男女，结果似乎十七岁的少年比年纪大些的要错得多些。出校的经验有不少补助。女性错的似乎比男性少些。大概的总结是如此：假如你照这些男女儿童智力测验的结果去定他们的分数，你便可以看出他们的常识和学识的程度是相差不多，没有很显著的分别。这种结果并不能解决我们的问题。这不过是一种大略的预测，以为一个聪明的人两方面必定都好的。

所谓对于某件事一种正确的判断力，是要看你整个的人和你的环境，这是由经验得来的，而非书本上可以学到的。好像你对于政治的观念一样，有些是采取别人的意见。即算对于别人的意见，你还是有选择，在这里你就要判别力了。我们所要考察的，便是在你尚未判断错误之先，你自己是如何思考的。聪明的人是利用别人的错处而长进。

最后的结论，我们对于教育可以说比较抱悲观。在教育方面我们应当使日常的知识和课本的知识同时并进。充实学识，对于心智的训练还只做到一步工作。

第三篇　几个不易答复的问题

一　假使你是一个犯人

假使你是一个犯人，你情愿是在一个刑罚轻而监察很严密的省份呢？还是情愿在一个刑罚很严，但是很少人是被捉而定罪的省份呢？

如果你已经被捉了，审判你的法官，你情愿是一个每次判罪而判得很轻的呢？还是情愿一个不常判罪，而一判罪是很重的呢？

以上这些问题，并非问着好玩的，因为法律不专是为着刑罚罪人而设，而其要点实在是要禁止人民犯罪。我们是否应当制定很轻松的刑罚，而以全副精神去使任何罪人都不能漏脱呢？还是要制定很严的刑罚，而使其发生很大的影响呢？严厉的，或每犯即不能逃脱的刑罚——是那一种能够禁止你那种急于想犯罪的诱惑力呢?

假如这里有二十五个男子和二十五个女子，都是犯了某种罪，在美国某十省内对于这种罪的处罚各各不同，由死刑以至于十六年、八年、四年、二年、一年、半年、四月、一月，而最低至于十天的监禁；然而定十天是人人不能逃脱的，而定死刑的省份则一百人之中，仅有一个；在这两者之中的，则刑罚愈轻，逃脱的机会愈少。

这种实验的结果——男女都是一样——第一表现出来的，是看各人的冒险性而定。假如你是一个赌博性很大情愿去碰机会的人，你就会挑选一个刑罚重而逃脱的机会多的省份；假如你的冒险性不大，你便会挑选一个刑罚轻而施行准确的省份。至少，在这种想像情形之下，你会如此决定的。叫一班真正的犯人来投票很难，不过如能得到他们的投票是很好的。大概死刑和无期徒刑大都怕的；其次是那些短期而不能逃的刑罚；最无效力的便是那些不轻不重的刑罚，而同时很有逃脱的机会。

关于审判官也是如此。大概而论，最严厉的审判官是人人都怕的；但是那些很少使人逃脱，虽则定罪轻松的判官，也都是这些想像的犯人，所不愿被审的。

在此我们可再说一遍，一切都要看你的冒险性如何。这里可分为两大队，冒险者和不冒险者，我们大多数的人，不是属于这一队，便是属于那一队。你是那一队的呢?

所以问题仍未解决，这种投票还是不能确定的。如果这种实验应用于实际的犯人，恐怕那些凶恶冒险的犯人爱在刑罚严重的省份内犯很重大的案件；而胆小的犯人却愿在刑罚轻松而判罪准确的省份内犯轻罪。这种事实我们都不能加以实验，因为各地的律法并无顶大差异，而同时还有别的情形掺杂在内。

然而我们可以大胆的断论：在大多数的普通犯人中，胆小踌躇的多，胆大冒险的少。对于轻罪的犯人和儿童，轻松而准确的刑罚是要适宜些。除此之外，更重要的一点，是我们日常训导的目的和方法，是应当以仁慈为出发点，政府的刑罚也应当是如此。刑罚适合于犯人，比刑罚适合于所犯的罪，还是重要得多。

我们对待犯人的制度，实未臻完善。直到最近我们才详细研究犯人的心理以施刑罚。有许多事愈科学化，便愈合乎人道，这也就是其中之一。

二　根据于成见的思想

你认识“Thob”这个字吗？不认识不要紧的，因为这个字的意思都是你平日常经验的。汉寿华德（Henshaw Ward）觉得这需要一个专门名词，于是便著了一本书叫做 *Thobbing*。我们都爱思虑我们所喜悦的意见而相信之。从 think（思想）取出 th，从 opinion（意见）取出 o 字，从 believe（相信）取出 b 字，于是三字的缩写，合而成 Thob。你相信你所觉得可乐或是有趣的事，或者你是自然而然的去相信，或是愿意去相信；你相信以为是因为这件事是如此，而你能够去证明之。其实说起来，你是先相信——然后才寻找理由去证明你的信仰。

但是 Thobbing 却不是如此简单，错误或不健全的思想不全是 Thobbing。在你许多的思想中，多少总含有一点情绪的成分。你为重视其结果，于是影响于见解了。

你预先把意见来拥护你的信仰，而觉得你的意见会与信仰平衡起来。

我们对于各种事物先有信仰，而后有意见的实验很多，所以我们按理思想的时候实在很少。恐怕这样的人绝无仅有。

第一个障碍便是成见，这是一种妨碍判断很有力量的感情。对于你所喜爱的人或意见，你只看见一切好处，对于你所厌恶的人，却只看见他们的坏处。有些种族的成见尤其普通，常常阻碍种族互相融洽的感情。我们总想宽容。然而当感情高涨时，如审判沙哥与凡柴地（Sacco and Vanzetti）案件，我们才知道实行一种公平的判断是如何的难了。一件案件在我们尚未找出确实的证据之前，常常便有一种成见在心里，觉得某人是有罪的，某人是无罪的。在这种很严重的案件上，Thobbing 的行为，实在是一种很危险的试探。

迷信是含有许多 Thobs 的成分的。人类相信预兆和符咒是很平常的事。像有些迷信如在一张梯子下面走或礼拜五出外旅行，便会触霉头。马蹄铁，四皮叶的金花菜，或是捡起一根针便会有好运气，手生肉痣是由拿虾蟆而起的，放一块吸铁石或槠子在衣袋里可以诊好风湿症，对一条活鱼的嘴里咳嗽可以将百日咳移传到鱼身上，彗星发现便是天降灾殃，怒骂神明可以送走瘟疫，梦见结婚的糕饼便是默示将来的丈夫，掌纹的长短可以看出人的寿命，以及算命的人对于这些神秘的事情要比普通人知道得多些等等。像这类的迷信，是没有一个人有什么证明的。这一切都是 Thobbing，而且是最深入人心的 Thobbing。

我们因为要使平淡的生活变为有趣，于是便去相信独角兽和美人鱼。我们很难断定什么界线是迷信的终止和知识的起源。在有一个时期，有些人跑到很远的地方去寻求长生不老的乐园；并且他们愿意将他们的心灵贡献魔鬼，因此可以得一种神秘的力量，去刑罚他们的仇敌，或是得一点爱情甜酒去吸引他们的情人。人类不专牺牲信仰；并且对于信仰投资。从古埃及至亚利桑那（Arizonia）时代，那些行法术求雨的人在干旱的国家哄骗金钱。发财捷径使一般人专去梦想发财，而忘掉了平日的常识。不过大部分我们 Thob，是因为信仰的兴趣或舒适所以致之，或是因为某种信仰是一种很优美的思想或美梦。Thobbing 依我们的欲望而改造世界。

世上不专是未受教育的人便 Thob，科学家也是常常 Thob 的。他们常用自己恰意的见解，或已定的意见去研究一件事物。古时的思想以为行星的轨道是圆形，因为他们以为圆形是完美的形状；后世的新发明证明地球是行星之一，环绕太阳而行，与以前的信仰以为地球是世界的中心，太阳围绕我们而转，大相冲突，经过许多奋斗而后成立。个人的信仰，好像那些人失去运用理智能力的，完全任自己的 Thob 而行事。这种信仰能够给予他们一种满足，或是用一种私人的感觉去解释世事。

我们的思想不能按理而行，因为我们完全脱离个人的感觉。无论何事，我们总是属于那一方，那一团体，那一种成见。我们对于任何题目的意见，并非我们明了一切事实，不过是因为我们爱挑选我们感觉相符的信仰。所以我们以为思想的时候，其实不过是一种 Thob 而已。

三　为什么你要做作？

有时你可以遇见一种人，对于自己非常自鸣得意，好像他们带着一种活动的座子，闲常便坐在座子上去，扮作自己的塑像。把自己夸耀为某种人，或以为自己是某种人，是一般人一种很普通的试探。

年轻的儿童都是天真的，他们天生成怎样，便是怎样，因此他们是很令人可爱的。渐渐他们便开始有点做作，不过他们的做作还是很天真并无用意的。做作纯粹是人为，是去应付那些由社会制度所发达的形式上的关系。有时候我们需要一种有礼的态度，而这种态度是带着一点做作的。要如何做作可说是社会教育的一部分；而精神的安适也包括社会的安适。

我们每人都有几个自我，这是不能避免的。一个人有他办公的或职业的或官员的自我，游戏时的自我，在家庭的自我，公众或私自的自我，结交朋友时的自我，款待妇女时的慷慨的自我。因为一个人有这许多自我，有时自己便弄昏了，不知在某时应当表扬那个自我，抑制那个自我。一个女人对于这些自我，尤其是难得周全顾到。一个人所消耗的精力（以及金钱），以维持他在某种社会阶级中的面子，比他预算表中任何一项的开支都大。

这并非做作开始时的消耗太大，而是要维持这种做作的消费太大。许多人叫世界为戏台，便是因为我们人类多少都带点演戏的色彩；有少数的人是很会演戏的角色，大多数的人都是无名小卒。处世的聪明便是能看透别人的虚假，分析他们有多少是做作的，多少是自然的。所谓“定你的意”，可说就是准备你的做作。

因为我们每人都带一点演戏的性质，一点自夸，一点假扮，一些隐瞒，感觉得自己非常幸运，不像那些不幸而我们不大提起的人。因此我们可以保留这个“做作”的名词去奉送那些过于假扮的人——那些所谓“护胸甲”的或是拿着别的防身盔甲去遮藏自己内部真正人格的人。

做作是一种宣示，表示你所愿意做的是那类人，而直言你所不愿做的是那类人。佛洛特揭举人类的内心，显示他们本来的面目。他研究出来当人类不提防时，在梦中便表示出他们的欲望来。用错误的语言和失检的行为，便好像让猫跑出小袋外，肆行平日做作时所不为的事，显示做作所隐蔽的。

你遇见过一种胸怀直率的人，请你很坦白的告诉他，你对于他的感想如何吗？告诉了他吗？假如你告诉了，你后来一定要后悔的。佛洛特的心理分析便是去揭穿人心的假面具，不过这是一种科学的研究，而不是一种对待人的方法。

做作无非是要做到我们想达到的地步，或是要别人怎样看待我们，这种做作很难说是一种吹牛或欺伪。做作者也不能叫欺骗者，更不能叫做冒牌者。他不过是想做到自己的塑像而已。相同的要点已经是做出来了，不过自然与艺术还没有十分吻合。然而有些人做作得太久，太多，以至忘记了本来面目，因此，别的人说来摸不清他的真面目。

至于那些打定主意来故意做作者，把护胸甲代替了自己的心，这类的人则是我们绝对所不赞成的。他们实际上是有了一个畸形的自我，他对于世界对于本身已经是不能适当的相接合。有时如果他能显露真正的面目，而不有何虚伪，恐怕还要引人注意，令人看得起些。

有许多做作是愚蠢而不是过犯，最可怜的便是做作者自己哄骗自己，以为没有人能够看穿他的做作。假如一个人只要能相当的以达到自己的目的，便不要有什么做作。因此，你应当晓得你吐露自己的本来面目，比扮作自己的塑像实在要结果好些。

四 为什么你要诅骂？

这个问题是一般人以为不成问题，但是科学家应当负责去答解的。一个苹果从树上掉下来时，牛顿便问："什么力量会使这苹果掉下来呢？"因此他便发明了地心吸力的定律。佛兰克林问："为什么会闪电呢？"因此便发明了电力。心理学家问："为什么我们要哭？为什么我们要诅骂呢？"这也是有原故的。

当一个人情感被压迫时，便发生一种力量，想将这种情感发泄出来，然后才觉得舒服。你不能坐着不动而让它闷在心里。这便是为什么你要哭，你要笑，你要诅骂的原故。因为哭、笑、诅骂能使你减轻痛苦，能使你感觉平安，能使你感觉舒适。

当一个女人感觉难受时，或是事情不如意时，便爱放声大哭。眼泪和嘘唏便能减轻痛苦。如果牙科医生使你痛时，你便要喊叫，尽力挣扎。如果你十分欢乐时，你便会捧着肚子摇动椅子笑得肚子痛，只要你情感冲动时，你便会表现出来。你从肌肉发泄你的情感。

最凶猛的情绪是发怒。这种情感冲动时，在可能范围内你便想打人、抓人或咬人。如果这种野蛮的行动不能做到时，你便用舌头代替发泄，你用话来表示。尤其在现代文明社会，许多感情都不能直率的发泄，必须尽力寻找各种代替方法。因为这种强烈的情感，是需要一种我们现在生活中尚没有的出路。

我们追求大的刺激，如果不能得到满足时，便用一种代替的方法。有时这种方法是很好的。我们不会每一个人都遇到大的悲剧或大的喜剧。我们也不能每人都是英雄。我们的情史大半都是很平凡的。因此我们便爱往戏院和影戏场去，用代替的方法而有这一切情感，使我们自己的英雄心理和同情心发泄出来。我们到戏院去是想得到一种欢笑，或是一种悲哭，或是一种震惊，然后癫狂似的拍手，以减松我们紧张的情绪。

诅骂与发怒是直接有关的，如果一个人发怒时，不能去打别人或是无人可打时，便用变态一点的柔和方法——诅骂——去发泄他的怒气。最直接的骂人便是：

“你这该死的东西，滚出去！”还有间接的诅骂，例如门开不开时，或领扣掉了，或赶落一班车，你便喜欢说：“真倒霉！”如果连你这种想诅骂的情感都被禁止不能发泄，你便会由你急促的呼吸，或内心的思想，或愠怒的状态上表现出来。诅骂还有一部分原因，便是想使某件事看得严重。你从这件事上表示你是热心或是不热心。这便是诅骂次要的用处——专为表示严重的，然而这也可以说这种着重，不过是表示发怒的严重。骂人为“可恶的流氓”比骂普通的无赖厉害些。“真不顾羞耻”这里面已含带有怜悯的意思。如果说“真不怕丑”便是很普通的说法了。至于说女人“真好看”时，则是一种客气话了。对于这问题还有一部分可研究的，便是为什么我们要用这种语言。本来诅骂是一件很严重的责罚。人类都是愿意被人祝福的，如果被诅骂了，便会觉得被诅骂的事情会成为事实，所以人人都喜欢别人祝福。还是要避免那些被禁止的事，你便特意说：“如果我有这种事，我便有福了。”因此去诅骂别人是想使别人惧怕或是至少警戒。去骂人也是想别人怕的；如果一个小孩诅骂你，你却漠不相关，他便会感觉失望的。

牵涉到神方面去诅骂人，是最令别人惧怕的。人都喜欢当着神面前起誓，直到现在，法庭上的证人还是用圣经起誓的；假如事情不大，或是专为发泄怒气时，用神名诅骂是不会使人惊惧的。

我们现在用的诅骂语，都是看是否社会通用的。大概我们是在困苦时才去向神呼求，德国人遇着小小的惊异也涉及神。这完全好像是一种女性用的句语。当人类真正有烦恼时，便不会发誓而是祈祷的。因此美国上议院某议员用了一种不合乎议院法则的语言时，自己辩驳说：发誓是一种不必有的亵渎的语言。他这种心理，实在是不十分错的。诅骂如其他表情一样，有特殊的心理学，也有其特殊的习俗。

五 为什么我不能做得好?

我是一个速记者，受过良好教育，速记很好，也会打字，又能使一个办公室有秩序，条理清晰；做过四年事，做过几种工作，没有一件是失败的，也无一件是成功的。如果我说想较高一点的位置或已得到另外一个工作时，他们似乎很轻松的便让我走。我从未被辞退过；从没有人寻到我多少错处，也从没有人赞扬过我的工作。我已往得的薪金有时比现在多些有时少些。我似乎没有达到一定的目标。我知道我现在的上手是一个很随便而从不开罪于人的人（我想他有点怕女人），一定很希望我能辞职。在我未找到其他工作之前，我很想知道我究竟是什么毛病。为什么我不能做得好？然而我也并不是一个失败者。我相信也有无数像我这样的人。我愿意答复你对于我的任何疑问，我实在是想要晓得。

F. S.

像这种情形的，这不过是许多人中之一。自有成万的女子工作之后，便发生一种新的问题：要矫正女性的性情成为一个商业化的男子像男子一样。有一部分的毛病，便是由这种原因发生的。

即使男子和女子同做一样的工作，他们做的方式也有不同。使自己的工作适合别人的工作方法，需要一种特别适应的才能。尤其一个是女子而对方是男子则更难。

如果一个人并非完全不好，然而也不是顶好时，便应当知道自己是否有体格上的妨碍。假如是有的话，便先要设法补救。你是否完全健全呢？还是常常感觉到疲倦呢？你是否不能多出力，你每件分外的努力是否使你精疲力竭呢？你能否在忙迫之下工作呢？缺乏精力每每是不能得到较大的工作而且能胜任的原因。

这里便有一件如此的情形；但这是一个男速记者而非女速记者。

> 我是一个西班牙人。二十年以前我到美国来的。我是一个很好的速记者；我的英文和我的西班牙文一样好。我能赚三十五元一礼拜，这便是我赚得最多的。我一生总是疲倦的。我的消化力不好。假如我吃得少些，我便感觉好过些。若是我喝咖啡，我的手便战栗。我每天只能做七个钟头的工作。中午时我时常要跑到

家里去睡一小觉，然后才能工作。在工作完毕之后，晚上出来之先，我也要睡一下的。我总是想睡。我曾努力想战胜疲倦，但是不能成功。如果我精神饱满些，我便快活了。

S.P.

这个人最大的仇敌便是疲倦。他是那些生出来便疲倦的人之一。那个能诊治疲倦便是大医生！身体的缺欠总是难免的。

一般人常易忽略的，便是有些工作包括人与人的关系。兜生意的店伙必须能适应环境，因为他要常常与许多人接近，不过对每一个人不必接交很久。至于工厂里的工人只要机械式的生产出品的一部分，所以只要他的工作使工头满意，而他个人并无关系。

当一个工作必须矫变一个人的性格以适合另一个人时，这便是一个较于难做的工作。许多雇主告诉我，像这样有个人关系的工作，其难处是助手不能以雇主的眼光去工作，要用自己的方法去做，以此便使雇者不能满意，而感觉得阻碍滋扰。一个有个人关系的助手，其可贵的地方，便是因为他能节省雇主的时间和精力。这助手的工作不是一种独立的工作，而是别人工作的一部分。我相信许多人能够很好的维持他们固有的工作，但是不能去另做一种较大较好的工作，便是因为他们不容易去适合别人的习惯。一个女性的性情、兴趣、习惯必须去适合一个男性的，当然不相合的机会更多。那个女速记者之不适合于工作，并非关于她速记的才干，而是因为女性的性格。

然而速记却是很普通的妇女工作。其所以如此者也有许多理由。此种工作所需的特性，是要对于细微之事能够专心注意。这像一种高等的家庭管理工作。这是要负责的，而且每天都是不同，而每一部分是整个工作的一部分；许多的信件，便好像车轮中许多齿轮。但是这样的办公室是一种活动的组织，是以雇主的计划而进行的。一个速记者或书记能够随从雇主的计划，并能为雇主作想，他便能够推进他的工作。

如果这种适应未能十分圆满时，则助手不但不能帮助雇主，而雇主反而要照料助手。他心中总是牵挂着他的女速记者，至少有一部分。她便变成雇主重担的一部分，而不是推进的力量之一部分。假如 F.S. 以及其他若干像她的，能够把她们的工作不看为一种单独的工作，而是去减轻别人负担的工作，那么，她们的工作便能抬高价值。像这样的速记者，已经成功不少了，只要她能再晓得一点秘诀，便可得到更大的成功。

六　你讨人厌么？

何谓讨厌的人，何以有讨厌的人呢？据说：能够忍受呆子的，是一种德性，也是一种训练。我们第一要表同情的，是那些忍受讨厌者的人，而不是那些讨人厌的。

譬如甲乙二人，生就并不是来讨人厌的，但是甲对乙总是谈一些乙觉得无味的东西，于是乙觉得非常之讨厌。有人说，最普通使人讨厌的，是那些总是谈自己的家庭、自己的经验、自己的思想，以及自己的感觉、痛苦、解救方法、家中设备、游历、梦想等等。——而你则想告诉他关于你自己的一切东西。

这有一部分是对的，但有一大部分是不对的，因为大概而论，甲（讨厌者）和乙（被讨厌者）各人的心智不但兴趣不同，而且组织也不同。

讨人厌者是心境窄狭的，这就是他所以讨人厌的原故。他在一条很窄狭的道上，作漫长的讲述。他不晓得别人的心智有许多别的兴趣。这不仅是心的宽度，而是一种大的背景，包括许多方面，这是你的心智大体的组织和分配。人的心智要适当而均衡。

这种均衡的关键是极重要的。在你所储存的思想、计划、目标、兴趣等，有些是很重要的，有些是不大重要的。无论你是讲一个故事，下一个结论，举一个例子，辩驳一个理由，讨论一个计划，如果你有一种适当的轻重规划，则结果很清楚而有趣，如果无大小轻重之分，是一些琐碎的细节，则结果令人觉得模糊平淡讨厌。前者是有计划的，后者是零零碎碎堆砌的。

讨人厌者是单调的，都是一个颜色，一种声音，一样的重要。他把到处都堆塞着不相称的琐碎。他不知如何删减，好像装满箱子出去野宴一样。他生就一个讨厌的心智。他或者是自己无法，好像无水之鱼，我们也只好让他去，好像奏乐的乐器让街头买乐的人不停的奏着。但是如果买乐的人以为这是很好听的音乐，那他便是一个“到了功”的讨厌者了——在他那范围以内是以他为度了。

有些人花许多精力来躲避那些讨厌者，这些精力本可用来做别的事的。我看见某次某会社一班合宜的人谈得正高兴的时候，看见某人走进门来了，于是人人都说另有重要的事各自走了。这个人是以讨厌闻名的，他是一个长期不停的讨厌者。

不过讨厌的问题，讨厌者和被讨厌者两方都有关系。如果我们能培养很宽广的兴趣，则我们不会常常觉得人家讨厌。一个心无材料的人自己也会觉得无聊。时间很笨重的压着他。他不觉得各种事物有趣，因为他的兴趣很少，而且很浅薄。

那些常常追求娱乐的人，到影戏院去，开汽车，买东西，闲谈，恶作剧等，都是想逃避无聊之故。“我们现在干什么呢？”这总是那些闲散少兴趣者的问题，而不是兴趣很丰的人的问题。

再则还有一种在另一极端的人，就是那些疲乏了的。他的一切兴趣都满足了，他把人生的甜汁都吸收完了。法国人对于这种人制造了一个很好的字，名之为 Blase；法国对于讨厌也有一个很好的字眼，就是 Ennui。

打呵欠好像是一种天生的讨厌的表示。这在社交中觉得讨厌时是一种很方便的表示；而我们是怎样竭力忍着不打呵欠！这也是一种耗费的精力。

我们只能对于有些事物有兴趣，不能对于一切事务都有兴趣，以致我们常常讨人厌，或者觉得人家讨厌，这实在是难免的。令人发生兴趣是一种很大的艺术，如果你的谈话能使别人有趣而不讨厌，是很可自傲的。我们大家都应当晓得讨厌是怎样的一回事，而后才晓得广泛的兴趣是怎样令人可爱的。

七　你是一个守财奴么？

为什么要做守财奴？这不是一个“再问我一个问题”的游戏，而是一个关于某类人的天性的实际问题。悭吝看去似乎是一种聚积狂，然而实际上还要深进一层。悭吝也不是一种过分的节俭，虽则有些事的德行便是能介乎两极端之中。

一个挥金如土的人，他的装钱袋便好像烧了一个洞；一个守财奴，他的钱袋如果没有钳子挠，是开不开的。这两种人可说是属于两种完全相反的天性。前者是行为很公开，态度很自由，很容易结交人，爱谈、爱玩、爱笑、爱浪漫、爱娱乐，他是完全自动的，想怎样做便要怎样做的人。他是属于表现一类的人。后者是害羞、退避、踌躇，常常是沉默、远避、难于表现，一种自闭的性格。他算属于抑制一类的人。

你是属于表现的人，还是抑制的人呢？抑是像有些人一样——两者的性格都稍许含带一点呢？

守财奴多半是一个遁世、沉默、孤独的隐士之类的。这便是他真正的毛病，他的悭吝不过是一种病征而已。守财奴不能算一个常态的人，比一个异常害羞，连看见自己的影子都害怕的人还要变态些。我们很可怜这种人，因为他心里还是想做一个别样的人。这种人大半是独身者，因为他不能自然的表现他的爱情，或许他便找一个与他同样性情的终身伴侣。

我们喜欢别人慷慨，而不喜欢悭吝。有些守财奴，像害羞的人一样，也有一种慷慨的冲动；不过当他们想要表现出来时，他们心内似乎又有一种东西将这种冲动阻住了。有时一个人被称为“一毛不拔”的，然而最后把他的遗产捐为公共事业。他内心里本来是一个慈善家，但他是一个天性抑制的人，不能将他内心的冲动表现出来。

假如一个人不能容易结交朋友时，他便以聚钱为乐，因为他也和其余的人一样，想要寻求一种满足，而照他天性所爱的去追求。更有一件我们喜欢的东西，便是权能和尊贵。金钱万能恐怕是说得太过了。金钱可以令人尊敬自己，因为金钱便是表示一种人生奋斗的成功。然而能够结交朋友，显扬名声，也是一种成功的表示。一个守财奴的天性，对于普通所以为快乐满足的事，却并不喜欢，于是追求一种合乎自己天性的满足。而他还可以得到一种别人诟嫉他的满足，这种满足正如天天计算自己的金钱一样可乐。

守财奴也可由一种窄狭的习惯养成的。储蓄固然是一种好习惯，然而守财奴却变成了储蓄的奴隶。浪费之所以使他心痛，是因为这会破坏他那种已经成为热情的习惯。守财奴是把目的和手段混乱了。这便是一般人常常所以失败的地方。一个常态的人总是发展他那种向外和慷慨方面的天性。相当的抑制对于一个人也是需要的；储蓄便是抑制。但是储蓄我们好的方面的天性，比储蓄金钱还要重要得多。

慷慨算是美国人的一种特有的特性。这是一种过快乐生活的好德性。这便是繁荣的国家所不可少的。不过美国北部的人，俭约的名声和乖巧实际的名声一样著名。只有明了金钱真正价值的人，才能使节俭和慷慨的天性平均发展。

这种毛病最大的根源，便是太过于爱金钱。会用钱的人便表示他的天性是坦白，正当，良好的。守财奴不是一种天性平衡的人。

八　为什么你要喝咖啡？

世界各国食品中一种最普通的东西，不是食物，而是一种刺激品。法文咖啡叫做“cafe”，意思是聚食的处所，即美国之所谓“cafeteria”。平均每日每一百万美国人所喝的咖啡，有五十万杯之多。但是有那个人在白天想到或默想着“求上帝赐给我们这天日常需要的提神药”呢？在一六五〇年之前，欧洲西部还不晓得咖啡为何物，茶也大概是同时才知道的。直到波斯顿因茶商事革命，美洲殖民地成立美国时，茶的用途才比较普遍。

虽然最初喝咖啡的是土耳其人，最初饮茶的是中国人，然而咖啡和茶是西方文化不可少的刺激品。从这方面看，东方并非自闭于东方，西方也非自闭于西方，大家都是同一嗜好的人类。咖啡是合乎人类心理需要的一种东西。

因此，我们值得研究咖啡对于人类心智的影响究竟怎样。哥伦比亚大学教授何陵威斯曾请了十六位嗜好咖啡的，做了四十天的实验。咖啡中最重要的化学成分是咖啡精，普通一杯咖啡含有两克半，而一杯热而浓的茶则含有一克半。不过想像有时也同药品一样，许多人喝了咖啡便精神兴奋，只晓得这是咖啡，而不知实是咖啡精。所以何陵威斯教授实验时，将咖啡另外制造一下，使这些受实验者辨别不出是否有咖啡精在里面，抑或有多少成分在里面。他在每杯咖啡中放有二克至六克的咖啡精，则其差别等于一杯至三杯。一小时之内便可发生影响，看药力分量的多少，可以维持一至四小时。

虽则我们不能确实晓得激刺的药品影响于脑力的究竟如何，然而在许多药品的影响，最初是兴奋，心思的运用加快，药力渐减后，精神便随着渐渐衰微下去，最后甚至陷入颓丧或昏迷状态。一个狂饮者最初也是由酒精的功用使之活泼兴奋，以后便酩酊大醉以至不知人事，第二天早晨还头脑昏眩陷入颓丧状态。

然而咖啡的影响，却没有以上的情形，虽则咖啡的药力成分稍弱时便使人兴奋，稍强时便使人昏迷。但是在许多人一杯咖啡对于他们是无害而有补助的，两杯是或者有益或者有害的，如果喝三杯当然是要妨害他的脑力工作了。空肚喝咖啡时则影响较高。这便是何以有些人清早第一件事便是喝咖啡，以及有些人晚饭后要喝咖啡的原故。

咖啡精对于肌肉的影响，也加以实验：如轻击时是否能够快而正确，能使手照着某花纹，行动时能够稳定等；再则咖啡对于脑力的影响，如认颜色，默算，答复简单的问题；此外还有复杂一点的工作，如对于某物或某事一种快的抉择，用打字机写文章等等；最后还有对睡眠上的影响。咖啡虽然能减少疲乏的感觉，但是不能使手坚定。珠宝商人及外科医生吃咖啡是不能做工的，而一个做夜工的新闻记者感觉得要睡时，可以喝咖啡使他继续工作。

但是喝咖啡还是要看人和药量的成分而定。高大肥壮的人比瘦小的人可以多喝些。在相当限制之内喝咖啡并无多大的妨害，烟也是一样。在知觉上有一种同样的变化，有许多男人（以及女人），因为感觉能力的差别，只能吸纸烟，而不能吸雪茄。

总而言之，咖啡大体上还不是一件顶害人的东西；不过有许多成年人及所有的小孩子最好不喝，对于一部分的人，如果所喝的是在相当的限度之内，则可有补助。其实这是一种心理习惯，而非食物习惯。从社会风俗及政治的关系看来，一般人之渴求刺激品，在人类舞台上实占很大的势力。

九　你是上进的吗？

虽然我们有时在事体上要发生去继续做呢，还是不做了呢这类的问题，然而去做什么人或不做什么人并不是时常会发生的问题。比较普通的便是去打呢，还是跑开？向前直冲呢，还是退缩？我们去寻求，去冒险——或者我们便避免和退缩。

至于我们注意的是那一方面，我们便应当为这两种不同性格的人各取一名词。奋往直前，热忱爱干的人是一类；畏惧，踌躇，退缩的人另是一类。前者是上进的，后者是保守的。这两类人又可称之为有扩张性者和有收缩性者。有扩张性的人能够发展自己的个性和他的一生；带收缩性的人却只蜷伏在自己的壳里面。

当然在这两大类的人群中又有小的分支，因为世上大多数的人不完全纯粹是属于某一类，而是大概的偏向某一种而已。所以比较适当些的问题便是：你上进的程度如何呢？

上进这两个字，用在本题上，比较是过火一点。上进便是精力和野心的并合，一种想做事的强烈的欲望，和敢作敢为的精神。上进的人便是进取者。

最近有九十个学生，由他们的同学和教师所选出，公认属于上进一类的。从这九十人中，又选出了十三个顶上进的和十三个顶不上进的。然后使他们受一些实验，看上进的人的反应是否的确与不上进的人不同。

普通有一种观念，以为凡是不能受人注视的人，便是意志薄弱的人；这些青年便受这样一个实验。实验者坚视受试者的眼睛，受试者同时作加法的算学。这种情景便好像平常挨近监视人，疑心别人不诚实一样。结果的差别非常显著，因为不上进的人瞬眼的次数，比上进的人差不多要多十倍。上进的十三人中，八个没有瞬的，四个只瞬了一次，一个瞬了两次。不上进的人平均瞬的次数是五又二分之一次。

其次便是看注视时对于受试者作加法有如何的影响。不上进的人那种不安、惊扰、胆小和心乱的情状，比上进的人要多三倍。

最后还举行了一种比较猛烈的实验——便是触电。每个人先尝受一次不强的触电；然后告诉他，当他作加法算术时，随时会受一种强烈的电流。其实他并不会受到，不过他时刻担心以为会受，而感觉害怕退缩。上进的人害怕的心比那些神经过敏退缩不上进的人要少些，能镇静些。不过结果的差别，不及注视实验的显明。

像这类顶简单的实验，都将这两类人明显的分开了。十三个不上进的人中，只有两个的分数赶得上上进的人中最低分数者。除去上进组中三个最不上进的和不上进组中三个最上进的，则每组中所留下的十个人，代表这两类人显明的分别。

不过我们要记得这是关于两极端的一种实验；因为我们是从每百人中选出十三个最上进者和十三个最不上进者。至于这一百人中剩下七十人（这是代表我们大部分人的），恐怕你很难确定他们实验的结果是如何。更有一些实验表示有些退缩的人和那些上进的人一样可信靠。

总而言之，我们在应用时必须小心去做。这种所谓上进的性格是一种最好的特质，是任何事业成功的要素。每个人都知道有许多青年人，聪明，能干，受过良好的训练，诚实，热心，然而却毫不能有所成就。他们并非“不好”；而是“不顶好”。你也很难寻出他们的缺点，到底是在什么地方。

实实在在说，他们的缺点便是缺乏一种上进心。我们还有一个同样适合的名称，便是缺乏起动力。他们没有自动的能力；需要别人鼓动，而又容易灰心。无论你名之为上进心、野心、起动力，或其他名称都可以，它总是给予人力量，握住成功之门的锁钥。

一〇　你的记忆力差吗？

大多数记忆力弱的人，以及许多医治记忆力的方法，有一种共同的弊病，便是将脑筋看为一个百货商店，以记忆为店中之一部，如发货部，而记忆力弱便以为是该部失了工作的效力。

实在说起来，人的脑筋并不是像百货商店那样组织的，如鞋子是一部，帽子是一部，锅盘是一部等等——虽则有些人的心，好像记货部，内容是很复杂的。记忆不是一部，也不是一种工作，而不过是一种帮助思想的机能的名词。

如果一时骤然记不起一个人的名，你便会说“让我想一想”，虽则你当时所谓“想一想”，便是一种追忆。大概因为你的追忆时常失败，于是你便以为你的记忆力弱。其实你这种失败，或许是因为心理习惯上有别的毛病，特别是注意力不集中的原故；因为追忆和注意是关系最近的。假如你开始没有一种清楚明白的印象，你当然不能希望长久记忆下去。有些人天生便有聪锐的耳目和精明的脑筋，凡是进入脑筋的东西，他们都能保存着。从这一点上而论，则一般的意见，大概都以为一个人的记忆力不能改进，正如身体的高度不能增长一样。但是你可以将你所希望于工作所必需的记忆力好好组织一下。想达到这种目的，帮助记忆力的许多练习可以有助于你。关于这个题目的书，皮尔氏（Pear）的《记忆和健忘》（*Remembering and Forgetting*）一书，要算最好。

记忆既然是你心智组织或工作习惯的一方面，所以你视为一种需要，一种珍品。因其能帮助你的思想；而一切思想，如一切见识一样，是有选择的。假如你不忽视街上或商店窗里所看见的一切东西，你便不能好好的做你的事情，假如你没法记忆凡是你所看见的东西，你的脑筋便会成一个破船或是杂货拍卖摊子。我们要记忆我们所需要的，便不能不忽略其他的一切。你最宝贵的是要你的脑筋对于工作有良好的组织。

我们对于记忆的组织，常常忽略了这一点。我当然应当记得一切相熟的人的姓名，但是却不必去记忆我所坐过的所有泼而门火车的名字。那种记忆对于我是一种累赘。我也不喜欢去记忆历史上我所觉得不重要的年代，虽则记人和记日期是一种很有味的记忆游戏。脑筋训练是一个最重要的问题，而记忆训练不过是附带的一部分。

当然，做一件事最要紧的，是要对于这事一切的步骤，一步一步的留心。例如焙烘一个馒头，你便须先学习和面粉、揉生面、添火等等，才可以做一个好馒头。因为如果这一切的步骤不能一步一步的做得恰当，馒头便会做不好。不过思想和焙烘的步骤却是完全组织不同的。

因此，你应当过细检查一下你整个的心理习惯。你是观察精明呢，还是心不在焉呢？你平日注意的习惯是粗心马虎呢，或还是好像一盏牛眼灯一样呢？大概而论，你是专心的呢，还是爱打野的呢，还是心不在焉的呢？对于这方面，恐怕你只能随从你脑筋运用的习惯，而使之适应你的工作。然而组织和方法也是重要的。组织的记忆在相当的范围内有许多益处，然而这许多益处，很少的人应用于实际的工作上。

如果你对于这个问题，限制到单独的一种工作上，你便会看得清楚些。譬如“读书的方法”便是这类的一种很好的问题，讨论这题目的，有许多很好的书。由读书的方法，你可以得到一种训练脑筋的方法，其中还包括记忆的训练。其他一切的工作，也是同样的。

一一　你容易受欺骗吗？

“不要信任你的知觉！”是一个很愚蠢的忠告，因为在许多事情上，必须要依靠知觉的。“同时用别的实验，并要依靠一个专家”是一个很聪明的忠告，因为由实验和专家的帮助，你可以更详细知道些。如果你的感觉器官生来是好，再加以训练，必可变为精明，而一切的人都可以受相当的训练。

一个专家能够辨别很精微的分别，是普通未受训练的人辨别不出的，一部分是因为他知道如何看法，一部分是因为他能实际去观看、感觉、察听一种异点。这种异点在平常人的眼睛、手尖、耳朵上是忽略了的。当你第一次用显微镜或望远镜时，你所看得出的很少，你必须慢慢的学习看细微的部分。

此外，还有一种重要的分别，你对于事物，有概括的印象，同时也有详细的观察。像一个银行职员虽然很匆忙的手中经过许多票子，一眼便可以注意到稍带疑惑的票子上去，他虽然不知道是什么地方可疑，然而总觉得看起来是不同的；如果是一个金属钱币的话，他便可以看得出这钱的光泽或成分是不对的，由敲打的方法也可听得出不是正当的声音。一张票子的颜色或感触便使他知道是不对的，他对于一张伪造的钞票起先是有一种大概的印象，然后去察看几种特别的记号，如钞票的线纹太粗、太规矩，从印刻、打记、号码上，他也有许多的方法去看出来。他见过无数的十元钞票，所以心上便有一种标准，知道那是对的，那是伪造的。

但是如果论到一张支票上个人的签字，他当然不能完全记得所有存款者的笔迹。有时他甚至被欺蒙而接受一张伪签字的支票。当然，一个人所签的字总是大同小异的，如果你有好几个签字要辨别时，最简单容易的方法，便是这些签字的笔意形式总是没有很大的差异的。

用手写的东西比机器印的东西，差异的地方当然多些，但是在有些波纹上，机器可以弄松，使这些波纹像人手写的字。凡是用机器打的东西，误认是手写的因而受骗，这实在是咎有应得的。

如果说到辨别桦木和桃花心木，是不能用尺量或打记号的。只要对于这两种木质有一种普通的印象，便容易学会去辨别它们的分别。一个修理旧木器的专家，不但只要在房子走过便可以从桦木中认出桃花心木来，并且还能知道那种是墨西哥的桃花心木，或是非洲的，以及这种木板是从那部分木干上斫下来的。

上述种种，可以显明我们由知觉得到的印象，这种印象像一张整幅的图画，同时还有许多细节。有些是可以衡量的，有些只可以得着一种正确的概念的。如果是辨别麻和棉，实金或镀金，便另外有些实验的方法。像麻和棉便可以拿到放大镜下去看它们的线是如何的；实金和镀金便看它们被烧的结果，以及酸液对于实金和镀金所起的化学变化。总之，差不多没有一种职业是不需要辨别真伪的才能。即算是一个医生，查看一个受了伤要求赔偿的人，也要细察他是真的受伤，还是假装的。

我们现代的生活，每日接触的事物很多，所以需要很好的观察能力。许多有价值珍贵的宝石和已故画家的名画，都有模仿赝造，以极便宜的代价，去骗取别人一笔巨款。“认清商标”，“谨防假冒”，在许多广告上都可以看得到的。但是如果你受过一次欺骗，出过一次冤枉钱，便可以使你辨别假冒，不再受第二次欺骗。

我们现在文明进步的世界，充满了假冒的货品，至少每一个人在他日常所见所要买的货品中，应当训练有辨别真伪的才干。他应当做到一个会用钱的专家，正如对于心身的舒服有专门训练。当然他不能在每件事上都成专家的，恐怕要在好几件事上成为专家，也难做到，因此他应当知道什么时候去信赖一个专家。现在这种纷乱的世界是需要各种专家去使世界前进的。但是从另一方面看，假如世上没有这许多人做出许多欺骗的事情来，我们的知觉便不必训练到如此敏锐。

一二　你有一种要“自大”的感觉吗？

假如突然有人问你一个问题，而你自己是一个心理学家，必须马上给别人一个答复，你就只能冒险暂时先给他一个答复，以后再加以考虑。我所忽然被问的一个问题便是："什么是人类最爱奋斗的？"我的猜想是："去受别人的重视。"你的答复是什么呢？

像其他一切重要的事情一样，将自己看为不凡的心思是发达很早的；可是当目的已经达到时，又似乎觉得并不顶受别人尊敬。婴孩在家庭中可算最容易受人重视了，在他的小天地中，他是最高贵的。但是不久当儿童已经懂得要人重视时，他便觉得自己似乎太被人忽略了。于是他便要做点事情去吸引别人的注意，他希望在那件事中做一个中心人物。"看我做这件事！""现在你看我呀！"人类的心理都是希望有人看见。许多人相信儿童之所以不肯吃东西，是因为顽皮想使别人注意，以为快乐。在其他各种行为上，他们也表示这种态度。当男孩子们学做兵玩耍时，大家都是大将、首领，而没有小卒。

在各种事上我们都想自大的，然而若是没有别人的帮助，我们自大的心理也不能得到完全满足。自大的表现方法有各种各类。例如甲是一个规距、有成见、严肃、不爱亲近人、爱装饰的人，他用这种行为和态度表示他的尊严；乙为人总是表示一种匆忙的态度，因为他要使你知道，他的时间是如何可宝贵的；丙却常常望着他的许多信件，口里抱怨说这些信件真是害人的东西，其实他是想要你知道，他是何等重大的人物，有许多人写信给他；丁便喜欢时常谈论他的好友如汤姆、理加德、亨利等，于是反映出他的地位是很高的。

至于官衔、职业，尤其足以表示自己的重大。参将、会长、经理，是颇能惊人的；再没有比指挥发令等事可以显扬自己的尊高能干了。徽章、制服、演操等，对于属你指挥的人，可以表示你的高贵。权力越小的人，越爱表示自己的尊高。许多人羡慕一个查关卡的人，因为他有放你过关或阻止你的权柄，他才是真正的重大。旅馆的账房或是招待客人的茶房，也给予你一种尊高的印象，差不多使你觉得这旅馆完全是属于他们的。还有管理升降机的人，虽然只故意把机手稍迟留一下，也使你立时感觉他们的重要；因为所有一切的，无论是如何伟大的人物，在这些管机的人未同意之先，大家都不能上到自己高贵的办公室去。

报纸是一种显扬重要的机关；世上许多人都尽力想在社会栏、商业栏、体育栏等任何栏里扬扬他们的名声。然而真正伟大的人物，却又尽力的使人不能与他接近，由此而显出他的重要。你要经过许多一层一层的官员，才能达到最上一级重要的长官。其外如前代装银的高车驷马，现代的银行支票，辉煌的汽车，都是表示高贵的工具。这是人类最喜欢的一种游戏。有些固然是有价值，然而大多数的实是无价值之可言。由这种天性可以表现，我们因为要得生活上实际的满足，我们是如何的需要旁人来陪衬，而显扬自己的威风了。然而人之一生最重要的，还是要忘尽一切虚荣，努力向前干去，不顾所为的是否伟大或不伟大。

想要高贵最大的困难，便是没有这许多高贵位置可以分配得均匀。假如我们大家都是高贵的，我们仍旧是站在不满足的线上，因此之故，于是有些人便想比其余的人更为高贵些，因之世上必须要有一些平凡的人去陪衬那些伟大的人。如此，生活才能恢复一种平衡的状态。因为每一个人在他范围之内，总有表示他重要的地方，于是每一个人总可以得到一点自大的满足，即算是很小的。

一个人在世做人真正的实验，是看他所认为轻重的标准是什么。假如我们能认识清楚，那是重要的和那是不重要的；我们便是走上精神安适之途了。对于人，对于事，能有一种正确的眼光，才是真正的重要。

一三　堂表亲可以结婚吗?

这个问题似乎像一个生物学家研究遗传学的问题。这话当然是对的。不过有一点不同的，就是在现今社会里，遗传问题之应用于人类和兽类，一般人都要非常之注目。当堂表亲结婚的时候，他们自己晓得是堂表，又晓得有些人看这种婚姻是不合理的。假如他们是住在名为合众国的某几省，嫡亲的堂表是不能结婚的，除非他们离开本省，跑到外省去。这问题现在社会既加以注目，于是便成为心理的问题了。干涉近亲结婚的律法，或是根于成见，或是根于迷信——这都是心理上的关系——再或是根于经验或猜想。

无论理论是否对不对，实际的结果是非常重要的。假如这种结合是违背了自然或上帝的定律，当然是应当禁止和反对的。但是在《旧约》上，对于这种结合没有一定的意见。撒拉是亚伯拉罕异母的妹妹，也是他的妻子。埃及国的君王家族，也和他们的神类一样，实行姊妹兄弟近亲结婚制，已经遗传了好几十代，他们的子孙并没有表现一点衰落的象征；并且打破了近亲结婚生殖不繁的旧说。不过我们晓得这种旧说的来源，也有其他的背景，正如英国的风俗不可娶一个死了的妻子的妹妹。

现在的优生学家，以纯种繁殖是唯一保留佳种的方法。因此，生物学家告诉我们：假如原来的纯种是优良的，同种结合的后代可以得到加倍良好的遗传，如此则堂表结婚从这方面是有保障的；假如原来的纯种是下劣的，则后代便加倍的恶劣。不过这是父母有亲戚的关系，子孙才是如此。还有一点：假如家族遗传性中，有一点劣根性，这种特性若与外人结婚，可以消灭，与近亲结婚，便又会出现。然而以上所说的一切，不一定完全都对；不过堂表是否应当结婚的问题，还是有了确实的答复：假如他们是优良的遗传，便可以结婚。假如他们是恶劣的遗传，他们便不能结婚。

因为社会和心理方面的理由，对于这种婚姻产生了许多意见。犹太人的律法，不许与异邦人结婚，一部分固然是生理方面的理由，一部分也是恐怕混杂的结婚，将要引起思想的冲突。天主教规定儿女都应当相信本教，他们之所以不大相信堂表结婚的，是因为亲戚关系和婚姻恋爱是两不相关的事，所以应当把这两件事分开。原始的人不但不与相异的部落结婚，即使在一部落之内，也有许多婚姻是禁止的。有阶级的社会对于各阶级的结婚有严格的限制，民治国家则主张混合结婚。

不同的遗传结合当然也有许多好处，因为他们是带有两种家庭的背景和兴趣，混合而产生。当然新郎新妇对于兴趣上，外貌上，思想上，有相同之点，同时也各有其特点。最后的结论大概是：有优良遗传的堂表，是可以结婚的，至于其他堂表，假如坚决想结婚的，也可以如此做。

一四　你有一种自卑的感觉吗？

你的思想能影响于事实到何程度呢？信心何时可以

移山岳，何时甚至可为小土堆所阻呢？

当然，我们可以因思想过虑而将烦恼加深，犹如将小土堆化为山岳一样；同样，假如我们用一种宽怀的态度，也就能减少阻碍，将山岳虽不至化为小土堆那样小，也可化为可以跳过的煤堆罢！思想的能力是贵乎去做和不做，然而同时还有相当一定的界限。对于不可能的事，而抱一种麻醉的快乐、希望和决心来哄自己，那就实在太愚蠢了。

不要把眼光看得太小，以为世上的事情不过如此。假如你是如此，你便会受乐天安命主义的害处，而不讲奋斗主义；佛洛特说这便是神经和心理不安适的起源。

你不能因为穿了高皮靴，便可以将你身心两方面都提高起来，你也不能用一种公式便可以做到。暗示是一种用得极广的好治疗法和健康补助法。用你全身的自信力去跳过每个沟渠，不过在你未跳之先，应当用一点眼光去选择沟渠。假如你是十分有把握能胜利，你便不会顶努力的去干；假如你十分清楚知道自己一定会失败，你便觉得这是不值得去尝试，去得一种不好的结果。从人类心理上言，你是踌躇于过胜与过怯之间，这也就是实用心理学之所以为一种很精细的科学之故。

人类最普通的一种错误，便是易于走极端，你以为有些事物可以因着乐观和自信力而促进不少，于是你便以为这是至上的好策，作为你的人生哲学唯一的向导。你以为一切的成功，都是因着热烈的信仰、坚决、努力，这实在是一种走极端的错误。现在的世界，不需要人在播音台上催促人往前奋斗，而实在是需要适当的友谊的引导，教人如何去尝试。

高尚的理想，正直的意志，要成功的决心，都可有帮助。但是夸大的自欺，不顾一切阻碍，受一定公式的欺骗，却是成功的阻碍。所谓“新思想家”，无非就是根据于旧道德，而趋于极端。聪明的思想是比新思想好，因为新思想中有许多是错误的。

因此，我们得到一种不堪忍受的失败的感觉，以及一种以前未料想到的失望。“在生气蓬勃的少年人的字典中，似乎没有失败这个字”；然而在中年人的灰色字典中，似乎满字典都是失败的名词。一切真能批评自己的人，似乎觉得他一生的大失败，淹没了他许多的小成功。

自觉卑下对于伟大的成功，实在是一种真正的阻碍。维也纳的爱德勒博士（Dr.Alfred Adler）的心理学，便完全根据在这种理论上。他相信一个人肉体上有什么缺欠，便可以作为一种起点，然后真正的阻碍便是自卑的感觉。这种自卑的感觉无论是真的——如种族上或宗教信仰上的成见——或完全是想像的。

一五　我们是由内分泌腺所支配吗？

我现在正在研究内分泌腺，很怀疑究竟是否对的。有些人很确定的说，我们的性情是由我们的内分泌腺所规定的。这话是否便以为我们对于自己的行为，没有管束的能力呢？请你解释一下。

一个学心理的学生

完全不是的。这意思就是说，你身体的某部，你的血液循环，你的肺部能力，你的消化，尤其是你的神经系，你的腺液系，对于你的性情和才能的形成，每部都各有一种重要的特殊的影响。最近学者研究的结果，以为那些内分泌腺所发生的影响，都是以特别情形而定的。

一个健康的人，内分泌腺的能力不是有确定的影响。使我们像木头人一样，以内分泌腺当线一样来牵引的。作一个比喻，你的腺下腭有一部分权柄决定你的高矮；然而同时还有许多别的因素也有一些影响决定生长。你当然不能改变你所遗传的体格，但是你可以使之发达到最好的限度或是忽略之。

你的身体有一个心，如同你的心有一个身体一样，你是心身合成的。或许你还不止此，不过科学还不能说明。你思想用你的脑筋，脑筋受了很重的创伤时，思想便停止了；创伤不顶重时，思想便可错乱。然而你的脑筋仍是你身体的一部分，由血的流动而进行的。犹如胃部要血一样。如果你流血，便会发昏；如果血凝了，你的思想便会昏乱。但是你的脑筋是自然界中最复杂的一个东西，其作用制裁是极复杂的。一部分脑筋是由腺液制裁，这些腺液之中，有一个很小的，位置在颈项前面，叫做颚下腺，是一个作用很神奇的器官。

一个患痴呆症的人便是一个低能儿，一个矮子高不过四岁的小孩，心思也和四岁小孩一样，然而缺乏一切一个四岁小孩应有的可爱的地方。痴呆症的人便是一个愚弱、可怜，像四岁小孩的动物。但是如果他吃了从羊体内取出的颚下腺，他便可以再长高，形貌也能更变为生气活泼，他的舌头不会再垂出口外；他的头发和手也不会像以前粗糙；他会开始表示一些知觉和兴趣。他可以变得好，不过不能完全像常态的人一样，因为他或许还有别的毛病；但是从无论那方面说，他是一个变改了的人——他先天所缺欠的已由人工补充了。因此我们知道颚下腺的内分泌，对于常态的发育是必需的了。

间常在妇女中，发生改变性质的病态。一个本来聪明，有精力，热心和同情的女子，渐渐这一切特性都消灭，而变成愚笨，不关心，不努力，无快乐，无忧愁，无惧怕，无发怒等知觉。还有头发脱落，皮肤浮肿，而变更其原来的组织。吃颚下腺液可以使这种病态复原。“从来没有一个仙人挥动他的魔杆，而行出这样大的奇迹，因为进第一副药时，病人便有起色，而在相当的短时期内，便能复原，再成一个有健康皮肤，头发，心思，性情等的人！”迈尔森医博士（Dr. Myerson）说，这就是医生相信为一个以物体为主的心理病。颚下腺真是一种神奇的腺液。

这种腺液的变化，不仅是痴呆症，和缺少此种内分泌的病症而已。也有许多人的颚下腺过于活动，所出的腺液过多。他们便成为一种好动，消瘦，心跳得非常快，战栗，食物起化学变化，不眠，性情易反复无常，不能坚定和自制。如果这些现象时常发现，颚下腺便特别涨大，而变为鹅喉。若是外科医生能移去一部分腺液，使之恢复平衡，病人便可以霍然痊愈。然而假如腺液移去太多，太少的腺液病征又会发生，而又需多吃分外的腺液了。

还有一些人是不爱动的，不能努力的，愚笨，无精神，做事怠忽等——便是缺乏颚下腺液的象征。这便是因为缺乏颚下腺液，尤其是年青的姑娘。补充腺液可以得到医治。更有一些人，他们的颚下腺并未过于活动，但是他们容易兴奋，喜乐无常，常是过于运用情感。这种行为便是歇思的里亚，或许这种病与腺液的活动有关系，也未可知。

颚下腺不过是这些神奇的腺液中的一个；它们在人生舞台上，能形成或主使我们这些角色。别的腺液，包括性腺液在内，行使不同的功用，而都与其他生长的变动，有密切关系，在不同的年龄而活动的。

常态是要依靠内分泌的平衡，内分泌的平衡如果被搅动，便产生身心方面各种毛病。因为我们是随着内分泌的缺乏而衰老，因此而发生一种希望，想变换我们的腺液而返老还童；这种思想一般人早就想用奇特的方法来成就的。腺液的研究在心理学中也是很重要的，关于这问题的其他许多方面，还有待研究的。

一六　你被梦所烦恼吗？

我并不是迷信者，但是有一件使我不能忘怀的，便是爱注意到我所做的梦。我以梦为一种预兆，当我梦见有可怕的事情由家里对我发生时，第二天我非要出去走走不可。我常有这种感觉，假如我这样做或是到何处，便会有什么事情发生，我不能禁止我自己不想。总之我相信我是容易恐怖。我如何可以克服这种烦恼呢？

忧虑者

我没有多少像这类的问题，我接到的多半是概括的问题，例如：你相信梦么？梦可以成为事实么？但是我相信像这类的问题，都表示同样的心情——一种不安心的恐怖，在梦中以为是将来的预兆。在心理健康上，这当然不是一种好的现象。在各种病状之中，最好的消毒品，便是对梦有种理论方面的见解，因为梦是一种很有趣味的心理学，我可以用许多事实证明。

如果一个人做了一个可怕的梦，梦见生盲肠炎而被送去开刀。一两天之后，背上果然发生疼痛。这便是因为这种痛苦最初发生时，已在梦中感觉到了，故会做开刀的梦。

一个在加拿大野外的工程师，做了一个不好的梦，梦中似乎觉得他全家的人都死了。这梦使他第二天难过了一天，恐怕是因为难过的原故，他每晚都做这同样的梦。他不能心神安定的过日子。他虽然不是一个相信梦的，然而他不能禁止自己不烦恼。因此之故，他便决定老远的跑回家中去看看，而全家的人都是健康平安的。如果每一个人做了这种情形的梦，或其他情形的梦之后，有完全的记录，这种记录每次都是与事实完全不确时，便可以使无数的人，不致为他们的梦所烦恼。

若是你跑去问一个心理学家，他可以过细分析你的梦，而告诉你所以做这种梦的原故。这个工程师是不满意家里对他的态度的。他晓得家里的人对于他，觉得他可以在事业上做得更好，不应当跑到很远的内地去工作。因此家里来的信便使他感觉痛苦，他恨不得他全家的人都离开他才好；这种思想因为不会实行，稍许变态的便由梦中表现出来。他之所以为这个梦而烦恼，是因为感觉一种自疚和不安的原故。

还有一件事是讲到一个女学生参加一个大学的辩论会，凡是和她同一边的，各人袖上挂一个小红盾牌。那天晚上她便梦见她的母亲死在床上，有一块红色大盾牌钉在墙上。这个梦当然不算稀奇，因为她母亲本来病得很重。因此之故，她回家去不由自主的将她的红盾牌钉在墙上。后来母亲死了，她感觉得母亲死的原因一部分是她促成的，以后她终身不能忍受看红的东西。这样她把梦和现实相混在一起，使梦成为生活的一部分，而影响了她的行为。

梦有时很清晰，如果梦中的事实与心中所想的相符，便使人感觉得这是已经发生的事实的一部分。一个育养院的监督，因为有一个病人逃回家去，杀了他的妻子，然后自杀了。便责备自己，在审判时他承认说有人警告他不可给这病人的特权，应许他出去。但是这不过是他做的梦。这个病人的悲剧使他感受极深的痛苦，以致不能工作。由事实而成梦，便是因为他忧思过度，感觉这是他的罪过所致。

一般健康的人是不会将梦看得很重要的。我们会说："这不过是一个梦而已。"如果提到一件可怕的事，你恐怕会说："我不会梦见去做的。"意思便是说，即使在梦中你绝对不会做这样的事情的。然而在事实上，还是你日间的行为不会去做，恐怕你晚上在梦中却会去做。

佛洛特以为凡是一种思想与欲望是我们下意识想做，而实际行为不会去做的，以为这些思想或欲望做了是妨碍道德，有时便冲破这种阻碍在梦中实行出来。所以有许多佛洛特派的利用一班神经错乱者的梦去测验他们惧怕的心理；这种心理正如鬼怪一样，日间不敢出现。

以上这种解说也有一部分真理，能够解释何以梦有时会成为事实，本来这梦是无意识的。大多数的梦是不会成为事实的，它们不过是给予日间一般忧思过度的人一种机会，使他们在梦中可以自由表现。如果你能以这种理智的方法去解释梦，你便可以不会再惧怕梦，以为梦是不好的预兆。为什么不去梦些可喜的梦，实现时便可使你快乐呢？

一七　依赖性有医治的方法吗？

依赖性有什么医治的方法么？我现在所说的并不是指那些旧式的妻子对于事务的可否，银钱的出入，都要依赖丈夫的决定那种依赖性。她们似乎已经得了医治的方法了。以我自己而论，我也是要管理我自己的家政，并且我管得很好。自从我死了丈夫之后，便入商界做事。我现在在某百货商店管理一班女店员。我一生对于买物品的经验很充足，常常感觉得凡是一个店里，只有一个对于情形熟悉经验充足的店员，其他的店员遇着任何困难的问题，便要去依赖他。现在我遇着这种同样的问题，有些女店员实在是不大行，但是假如我辞退她们，我又觉得请不到较好些的。这便是依赖别人的一种坏习惯。凡是有人想问什么事，这些店员总是推移与别人。我应当用什么方法使她们自己运用脑力呢？

百货商店某部经理

这是一个很急切的问题。并且这个问题不专限于百货商店和店员。如何去铲除这种依赖的劣根性，教育是非常重要的。在儿童时代，这种性格是天然的，母亲的围裙带时刻是被小孩子们拖住的。有些人之所以有依赖的习惯，是因为没有人教他们，要他们自己去奋斗。在古时候，女人依赖算是一种好德行，别人都希望她们能依赖，而她们也就顺从这种习俗。

但是普通的依赖性，实是一种特别养成的习惯。或许这些女店员在她们支配自己的时间和娱乐上，非常能自立。许多人是特别懒得去运用自己的脑力的。因为去问一个懂得的人，当然比由自己去研究出来容易多了。

这种习惯对于教师，尤其是感觉苦恼的。假如一班之中，有一个聪明的小孩，他便会被一班富于依赖性的同学，不断的问问句。这种事体所以看得严重的原故，是因为流行太普遍了。这种习惯开始得很早；犹如树上的柔枝弯曲时，连树也扭弯了。这些女店员的依赖性，在未妨碍她们的工作之先，一定在好几年以前就养成了。

至于说到医治一层，我还不晓得有什么特别好的方法，因为这种习惯尚不为一般人公认为一种不良的毛病。但是在训练青年健全心理习惯中，有几点可以帮助改除的。自立便是保持精神安适的一部分。常用的教授法多半是问答法。实际上说起来，自动的研究法还要好些。养成这种自动研究法的一个方法，便是让自己问自己的问句，又由自己去寻出答案来。“再问我一个问题”现在应当改成“再问你自己一个问题，并且由自己找出答案”。至于为学校的儿童，我们不应当将所有的答案都答在书后面；因为在人生的路程上，是没有这样的书的。所以现代的“新教授法”只出问题，学生必须自己去寻出答案，并且还鼓励他们可以自己发出疑问来，要能自设疑阵而自去破除。每个应当养成自动的心智。

不过同时我们也应当记得，我们的脑海好像百货商店一样，每部的行事方法是各不相同的。一个人在某件事上能独立，某件事上是依赖别人的。这里有一个例子便是如此：有一个女人，在工作上她非常独立，她所做的是一种社会事业。她能自己计划，自己实行。因为在她工作中，别人都要依赖她。然而回到家里，她却是属于那些专门对母亲喊的：“那件衣服如何的了？我的妹妹看见我的伞没有？某人请你打个电话好么？他是什么电话号码呢？”她的工作习惯和她的家庭习惯在脑海里是不同在一部的。假如她能够将她的工作习惯也应用到家庭习惯上，她便可说是一个完全自立的人了。

还有一个医治依赖性的方法，不过恐怕对于雇主和分部经理会产生错误的，便是依赖骄傲。应当常常自己觉得，凡是去问别人你自己可以解答的问题，是一件可耻的事。问无知的问题便是表示你的愚笨。你应当养成一种不问自知，和靠自己去研究的自满。当然遇着特别重大的事情，还是应当去请教经验充足的人。你当然不可过于闭塞，完全不敢去问别人，专由自己薄弱的知识去将事体弄错。

一切良好的习惯便是不走极端，而能适乎中。去学习你所不知的是教育上第一步；但是却不是最末了的一步。某人写了一本《有头脑是一种道德上的义务》，这题目很有道理。尽力发展你的智力，正如尽力约束你自己的行为，同是你的义务。假如你能使这些女店员感觉她们的智慧，和她们的面貌一样自满，这个问题便可以解决了。

这个问题实际还是态度的关系：我们对于事情的态度是如何。一旦独立之后，那些有依赖性的人，便会去自己运用脑力了。至于其他的恐怕就无药可救了。工作的一种价值，是能够训练人有负责和独立的心志。在安狄阿克大学（Antioch College），学生都是半工半读的，做五个礼拜的工，读五个礼拜的书，这种训练便是要使学生在工作上能独立，而同时又能完毕他的学程。在现在这种事务纷忙和要负责的世界上，很少的地方是能让依赖性存在的。

一八 “差不多”的人究竟是什么毛病？

在一切伟大荣耀的感觉中，最使自己感觉满意的，便是能够帮助人于危困之中。人类最大的呐喊便是“帮助呀！帮助呀！”这种呼声扰动了所有无论挂红十字架或不挂而爱帮助别人的人。但是世上有许多事情，虽然你是极力想尽力，可是爱莫能助，同样还有一些去帮助而失败的事，你便自谦的说：“我实在做不到。”这类爱莫能助的事体，我们只好委之命运所使然了。世上的人是不能完全完美无缺的，我们必须能学习知足的生活。

无论何人对另一人最后不得已说的一句话便是：“我实在对于你是没有办法了。”因为我们不能帮助。有一班人在精神病专家眼中看来，没有办法就是那些“差不多”的人，他们是在精神安适的墙外边。

“差不多的人”是一本书的书名，内容谈论一般只能做到差不多，而不能做到顶好的人。这类人特别是指智力在中平以下的，一部分是智力不全的；不过这个名词还可以扩大，去包括生存竞争失败的阶级，例如贫民。世上没有拯救贫困的方法，同样精神的贫乏也是无法拯救。

那些精神病专家或医治精神的牧师，如能带着满装的药方口袋，去散布给那些有精神贫乏病的人，那便快乐了。我们所能的希望，就是只能想出一点救济的方法，让他们自己帮助自己。

把许多“差不多”的人比较起来，无论他们彼此如何不同，但有几点总是共同的。大家有一种感觉，总以为自己可以做一种较好的事业，大概是一种多用心智的职业。他们也常常提出某一点或某一种不对的地方，是阻碍他们成功之途的。这种阻碍便是“差不多”——这是唯一需要铲除的阻碍，而后各事能直行无阻。每每所差的一点，或者就是不能专心；因为我们多少都感受一点不能专心的痛苦；因此专心便变成一种可羡慕的东西。不能专心自然使我们想到这是一种阻碍，应当改除，然后才能得到一种医治。

从现代的心理学说，专心便是精神安适最主要的成分。假如一个跛者告诉你，如果他能够走路时，他便是一个完全的好人，你当然也十分和他同意；而愿意尽你的力量去帮助他，使他像一个普通人。世上有无数的跛者，同样也有无数各类精神残废的人。更有无数的医生，愿意尽他们毕生精力去帮助他们；不过有些病人，医生将“差不多”三字放在他们脚上了。但是神迹是办不到的。因此，跛者还是只能继续撑着拐杖而行。

关于“差不多”病状的困难，便是他们错在什么地方很难辨认清楚。他们不能认识什么阻止了他们心智的前进，像普通一班成功的人前进一样。这种阻止他们之处是响影他们整个身心的。他们做事不能层次清晰，又不能大胆冒险，无论他们所说的阻碍是如何，他们的弱点便是一个“差不多”。

“差不多”有许多种类，但是不能分得很清楚。有些是患着轻的精神缺欠，大多数的病根非常之深。解救的方法，最好是为他们计划一种整个的生活，这种生活只包括简单的工作；不让心智的弱点有应用的机会。只做我们所能做的，是一种很有效的方法。如果这种计划能应用得当，“差不多”的人便能成为一种比较有用的人了。因为他们是只“差不多”或是近乎“差不多”，由训练可以将他们从一班平凡的人中救出来。

一九　你需要监视者去抵抗试探么？

一个五金店可说是一个人类施用伎俩的陈列所，然而这种商店实不是人类可视为荣幸的东西，因为一切的铁锁、系钉和其他器具，都是阻防梁上君子的。确实，这是一种花费很贵的防贼设备。

假如没有人有偷窃的冲动，一切防贼的设备则都等于废物；如果我们不感觉这些器具的需要，我们便不会去制造它们。每次当你发见了一种人类的需要时，你便摸着了一种人类的天性。我们所以需要这种五金器具的原因，是因为有些偷懒的人想用一种容易的方法，去逃避工作而得到安乐。最讨厌的是为得一个贼人，其他的人便都要发明一大堆防贼器具。一个单独无人看守的汽车停在路旁，需要汽车外面的一切机器防守着它。

现在诚实人之少，正如现在门上的锁匙之多。我们对于诚实必须有很响亮的警戒，因为在我们生活之中，我们所遇见的试探太多了。“不教我们遇见试探”，仍旧是现在日常很需要的祷告。一个美国北部的五金店主卖了一把很上等的铁锁给一位顾主，以为锁船之用，然而这位顾主心里还觉得这锁还是不顶结实。“锁钥不过是预防诚实的人。至于贼，虽然把你的船用锚索锁了，他还是可以偷去。上锁的意思，不过是表示这船是属私有的。”我们许多的关闭和锁键，不过是减少试探而已。

诚实也如清洁一样，是有等级和标准的。“清洁近乎神圣”的意思便是说，注意衬领清洁的人，他们的生活也多半是圣洁的。许多人连做梦都没有想到要做扒手，然而他们有时却撒谎，或是欺骗，或是去占不正当的便宜。毛病便在我们未能发明一种器具，防止他们做这一类的事情。一个由习惯养成诚实的人，比一个承认诚实为最好的政策的人，是要平安得多。我们都是依同样普通的习惯和同样的规律而生活。甚至在盗贼之中，也是有诚实的。盗贼团体也和商业股东一样，大家都以至诚相待的。

银行的写字整天的交易银钱，而很少的受试探。因为他们虽则也和其他的人一样，想赚几个钱，不过这种钱一定要由诚实得来。虽则这些写字都是诚实的，银行还是免不掉要做一些锢禁的器具，使之成为一种捉贼的防备。我们最贵重的东西，都是放在保险箱里，这种箱子比五金的锁键，更是花费些。

物品的意义，就是表示我们人类的行为和信仰。五金店或银行的意义，便是一种诚实或不诚实的教训；并且也是一种表示试探非正式的展览会。然而我们也有许多门并不上锁，所以长大的小孩子，有许多诱惑的东西并不能诱惑他们了。报纸能用信托的方法放在大道上，任人自取自买，是很可喜的现象；然而水果摊子却不能照这种政策而行，又使我们有点扫兴。一个中学或大学能在考试时用“信任制度”是很可幸的。每次当你经过一个试探时，你便是经过一种诚实的考试，久而久之，你便能行之于不觉了。不过当试探很强，而心智软弱的人难于抵抗时，我们不得不在五金上面花钱了。如果铁锁、系钉、门闩，成为废物时，世界便成理想的世界了。

二〇　如何可以改除偷窃的行为？

偷窃是一种很普通的习惯，除了那些是一种特别心理组织之外，我们认为这是一种很平常的堕落行为，在各种阶级，各种情形，各种人类，男女老幼之中，都是有的。这是一种最容易引人的试探。

世上恐怕只有很少的人，无论如何能够不拿非自己所有的东西。我们觉得这种小窃是一种偶然之事，是自己疏忽。除开撒谎是一件很易犯的欺诈行为之外，要算偷窃是一种最普通不诚实的行为了。

偷窃唯一彻底的拯救方法，是要养成偷窃不是一种试探的态度。一个管银钱的人，每点钟有整千的银钱在他手中出入，假如他时时觉得在抵抗一种试探，他便不能长久保持他的饭碗。他交易银钱应当像一个五金店内的店伙交易五金一样。但是有时拿东西是因为机会既有，而东西的诱惑力又很强，自己抵抗力很弱，有一种难克制的冲动。这便是所谓被围困，这是极阻碍人的上进，使人发生无穷的烦恼的。

赫列博士（Dr. Healy）著了一本书，叫做《诚实》。他研究出来大多数的偷窃，都是因冲动而做的。在成人中，年青的女子做这种行为比年青的男子更普通。有一个犯罪者说："你不晓得我为什么要做这样的事，实在我是不愿意做的。”另有一个说：“我不晓得我遇见了什么，好像觉得这种事情是我不能自制的。事后我很自愧。我刚看见一点东西不是属于我的，而我拿了。”如果这种习惯不能除掉，而时常有这种冲动时，这便叫做窃物癖，意思便是偷窃不是为利益，而是满足强的冲动。

正当的诊治便是矫正。这是要用同情和了解的心去导引而不是去刑罚。一个被围困者除非将这些冲动，能渐渐降服，当冲动来时有能力能管束，便能被救而胜过他的困难。这当然不能过急，而是渐渐解除的。

在有些少年人中，将偷窃作为一种兴奋的代替者，有时便是性欲兴奋的代替者，因此每易混淆事实。当一个青年人说：“我偷窃是因为偷窃使我得到快感，但是事后我却极端的难受。”这便表示一种变态的满足。这种情形的偷窃便是一种变态心理组织的病状。坏的环境很容易使这类人以偷窃为专业。

年青的男女对于偷窃有些方面是不同的。男孩子偷窃多半当作一种冒险的行为；他们计划、实行，掩盖他们的痕迹，然后得到逃走的兴奋。他们撒谎以掩饰他们偷窃的事实。女孩子扯谎是使别人觉得自己有趣；男孩子扯谎是使别人把自己看得重要。团体的偷窃不专是一种冲动，并且还需要一种不同的组织。这一切都是表示一种求兴奋的欲望。

偷窃之所以有味，像那些被禁止的果子一样，是因其有危险性。常常由被发觉的打击及被众人视为贼，可以令一个小孩知道他的罪的严重。我们处理偷窃应当坚强严厉，我们不能随便或轻易饶恕人类的弱点；但是我们也必须能够用同情和了解的方法去处理他们。

二一　何以有骗子？

有一本书叫做《一个骗子的忏悔录》，是一个机械工程师写的，他本身便是一个由境遇造成的骗子。自然，他许多经营的伎俩，都是关于发明的。他表演一个自动的打字机：你只要对打字机说你所要写的话，而打字机便自动的都将你所说的话打了出来，在一张清楚的打字机纸上。但是你却没有看见同时有一个收音机，将你的声音收到隔壁房里，一位打字员将你的话直接在打字机上记下来，而这个打字机却与外面的打字机，用电相连接的。

于是银行家都信以为真的，大家非常赞叹和惊奇。便由他们将发明权买了，现钱交与发明人的寡妇。可是一当现钱过手，西洋镜便拆穿了。这位装扮寡妇的速记者便是他的同谋。

或者呢，开设一个流动的代卖制冰机或火柴机的公司，这种机器都是破旧的修理成的，以高十倍的价卖与地方发明人，当价钱付清之后，不久机器便都坏了。或者呢，一个年老富翁，发明了一种关闭窗户的器具。由第一位骗子用公平的价钱将在纽约的发明权买了，然后第二位骗子愿意出一笔特别高的价钱买他的发明权，势逼着这位富翁又从第一位骗子处，用比卖出时加高些的价钱收买回来，于是两位骗子便分红他们所骗的钱，而第二位却现在不买了。

这本书中，一章一章的都是说这类很高巧的骗术，他们的策略是要让受骗者堕入他们的圈套中，相信他们，然后便受骗了。这一切都还是很费手足的骗术。除此以外，世上还有许多比较简单的骗术，只要稍许用一点诡计或一种大胆和能诱说人的本事就够了。

现在举出两个简单小骗术的例子。在纽约的地道街上的路旁，有一个寻常的骗子，手里兜着一只手表出卖，用一种很诚实的态度说，只卖一块九角八分钱，但立时可以还到二角五分钱买了他的。不过他所卖的手表是时常掉换的。你真正所买的表，并不能走，只能卖给别人做十分钱一类的玩具。

在地道的银洋兑换摊上，兑换银洋的人也用一种简单的骗术，这种骗术是经过许多年的。假如你去和他兑散一张五元的钞票，他给你一块钱现洋，其余数出来的，是三张一元的钞票，他折得非常巧妙，如像四张一般。

由复杂的，简单的，花言巧语，百出无穷，各类骗术的结果，不得不使我们发出一种心理上的疑问："为什么要行骗呢？"

我们恐怕会回答，因为每一分钟都有寄生者生出来，所以生育的速度便不减低；当然，每点钟都有一位骗子生出来，去愚哄他同时代的五十九个人。我们当然承认普通一班人的容易受骗，并且引诱骗子动心的，在许多案件中，都是同一样东西——钱来得容易。但是行骗的心理学却是另外一件事。并且在有些图谋中，行骗者在未钩上别人之先，大半要先拿出一点钱来以逗引别人上钩。许多人受骗，多半是由于贪财心，而不是由于忽略；不过有些高等骗子对于人类心理之了解，比普通做诚实工作的人要深入些。

现在根本的问题便是：骗术之所以吸引人之处何在？何以不正当的钱比正当的钱还要吸引力大些？这个问题问了许多骗术专家，得了许多不同的答案，一部分是同意于我的，一部分是不同意的。最主要的回答是：骗术成功过后的快乐，是行骗时一种危险的震惊所使然。在行骗时，目的物越难得到，布置越要苦心费神，越要钩心斗角，则兴趣越大。行骗要比正经行商有趣得多；那些想赌博投机压制别人的人，也是与骗子同一性格的。行骗术是一种“胜利者”的游戏。夺来的钱比赚来的钱要觉得自傲些；抢夺窃取是心惊胆战的，赚钱营利是平淡驯服的。

这一切的回答，都不算答得完全。或许还有人对于这个有味的问题“为什么要行骗？”是否为一种正常的心理或变态的心理，发挥他们一点意见。

二二　你能绝对不受欺骗吗？

假如视觉是可靠的，则感觉更可靠。如果你已经感觉得拔牙是痛的，那么，虽则牙科医生说不会痛，你也不会相信的。他可以用“拔牙不痛”的广告引诱你到他诊所去；但是感觉和行为是一种比言语更实在的东西。

假如你是一个对于最小刺激或痛苦便怕痛的人，你便会感觉更痛。有时任何手术尚未施行时，你便感觉得痛。又有时恰恰是相反的，有些人只要走到牙科医生门口，便觉得他们的牙痛都已好了。

如果感觉是很轻微时，就很难辨别出是真正的感觉，还是仅仅想像的。各种知觉都是如此。你的鼻子可以闻见，但是也能够想像。当你希望听见声音时，你便可以由寂静中听出声音。事情并未发生时，你便可以由想像看见。大概而论，假如你想欺哄你的感觉，你的手段必须高明。

以下所说的便是一个心理学家做的实验。他用一瓶火酒，一瓶薄荷油，一瓶鹿蹄草，招集一群人来，要他们每瓶闻一下，辨别各瓶中的气味。然后他告诉他们，他要实验各人感觉的灵敏程度如何。因此每人轮流再闻十个瓶子。从这十个瓶子中，去辨别刚才所闻的三种气味。

其实这十个瓶子都是装的蒸馏水，毫无气味的，然而在一百个女人中，有四十八个，一百个男人中，有三十七个，说得出各种想像的气味来。有一部分人在有些瓶子里闻不出气味的，便解释说他们是因为伤了风；然而他们仍旧能从十个无气味的瓶中，闻出四种气味。他们所闻见的气味，是自己所想像的，而定其为火酒、薄荷油、鹿蹄草等气味，各种平均的次数大概差不多。

有些人完全不受这个实验的欺骗。这种人我们可说他们是不易诱惑的人，因为我们大多数的人是能感觉的。这个实验中，女人受骗的比男人多三倍，所有的人中只有百分之六未受欺骗。在头一两瓶，受骗的很少，但是他们继续闻下去时，愈往后便愈不能抵制诱惑，直到第八瓶可说是达到最高点。

欺骗触觉的方法，是叫每个人用手从一副帐子的破缝中穿过去，这样，受试的人不能看见那边。然后将一个木塞轻轻的放在他的一个手指上，最先是真正的放着，以后便完全不放上去。而结果却是一样，这一次的实验，也是在不放木塞时，而女人觉得到有重量在她们的手指上的比男人多些。

想像的温度也是如此。先叫受试者将手指插进一个箱子里去，说这里面有一个电盘能够发出热度，其实这里面并无电盘。但是十人之中有六个人感觉到热气。这样觉得热气的，也是女人比男人多。

然后再叫他们把手放进一盆水中，水里通过电流，其能力足以使手感到一种震动。后来将电流停止，然而电机的响声却仍存在；而这些人仍旧会说，他们觉得一种很微小的震动。有五分之四的女人和四分之三的男子感到这种想像的震动。

当然，一般普通人是不常受这种实验的，而且大家对于一个做实验的人，都是相信的，加之没有人愿意被发现出来他的感觉是迟钝的。但是我们常常在不当心时，或注意力集中于最后的结果时，别人的催眠，便很容易代替自己的感觉。有一个很著名的化学教授，给每个学生两种质体，叫他们放在一个实验管内混合起来，然后叫他们说明这两种质体的沉淀是如何的。实际上他给他们两种另外的质体，混合后不会有沉淀的；但是结果，许多学生把沉淀说明出来。

由此观之，人类多少是有点容易受人催眠的。我们的心智，并非绝对不会受欺骗的。我们只有对于人生重要的事件，在感觉及普通常识上，能够大体不受欺骗，便不错了。

二三　你是一个精确的见证人吗？

这件事情便是当一群科学家正在开会时发生的。突然一个村夫冲进会场中来，后面追着一个黑人，手中舞着手枪。两人便在会场中相打起来。忽然一声枪响，两个都跑到外面去了。当然这是使人印象很深很紧张的一幕。于是主席便提议每个人应当为这件事作一个报告，因为或许他们会被传去作见证人。

实际上这件事完全是假扮的，不过是一些心理学家的实验，要看这些科学家的报告正确到如何程度。因为科学家的观察向来比较精确，他们必会直接记下所发生的事件，不会旁添枝叶的。因此，大概他们做证明人一定比平常人好些。但是结果每四个报告之中，有一个是离真正事实相差很远，可说是完全错误。四十个报告之中仅有一个还很正确，可说是完全对的。由此可见在人类供证之中，没有一个可以完全信托的；不过这次事件发生得很仓猝，大约只经过二十秒钟，而且剧中人动作也极忙迫。

因为这些报告没有一个完全对的，也没有一个完全错的，所以我们应当研究到细节上去。表面的事体是不会错的：打架，枪声，黑人，村夫，和他们的形状。但是还有你眼目脑筋所未见的事，因而使你不能做一个很好的证明人的，也有三种。第一是你所未曾注意或忘记记录的事。最好是你先将一些细节逐条记录下来，譬如那个先打，那个跌倒，那个放枪，是在什么时候；两人所穿的是什么大衣、裤子、帽子、领带，事件发生经过多久；两人的高度、举止、颜色、头发，和一切与这件事有关的地方都先记录。然后在每个人的报告中，看他对于这一切注意了多少，由此你便可以得到他们的分数。四十个证人中有十四人是忘记百分之二十至四十的细节；十二人遗忘了百分之四十至五十；十三人遗忘了百分之五十以上。只有那个最正确的报告是在百分之二十以下。由此可见虽则发生的事件，是立时由最善观察的人作报告，而记忆所遗忘的或是未曾察看得到的地方仍旧如此之多。

第二种错误是在报告之中，有的事件事实上并未发生的，这些都是由想像而掺入的；从这方面，我们便应当附带说。第三种错误是牵强附会，将事实看错了。每个人都注意到了两人之中，一人是黑人，然而四十人中只有四人记下黑人是光头。其余的有些说，他带了一顶便帽，有些甚至替他带上高帽子。关于他的衣服，差不多所有的人都说对了，他穿一件短衣。不过有人说这衣是咖啡色的短衫，有人说是全红的，有人说是有条纹的，实在他是穿一条白裤、一件黑短衫，和一条大而红的领带。

从各人的报告上，可以看到他们每人所遗忘的，每人所加入的，和每人所牵强附会的，你便感觉得应当对一个审判员说，证明人是靠不住的。在真正的法庭上，许多的案件都要比这个实验复杂得多，案件中的每点细节都是重要的关节。加之时间的错误，记忆的牵强附会，在在都可使证明人有权柄令自己的口供，有利或不利于被告。还有从电影上映过的事实，和普通人看后的报告，你便知相差是如何的远了。

因此，当作观察和报告工具的人类心智，从作见证方面看，是靠不住的。然而在许多案件上，我们依旧只能依靠它；但是更糟的，我们很难证明一个证明人的观察力是好是坏。我们应当在每一个证明人未登庭之先，给予他一种实验，考查他的观察和报告能力是否正确，能否够资格做一个证明人。依上面所说的种种，你也可以自度是否能为一个很好的证明人。还有一点：凡是有人自信以为是最对的，或许便是最不对的；可信靠的人并不能证明他说的是真实。

二四　你是患着歇思的里亚吗？

什么是“歇思的里亚”（Hysteria）？我知道我也患着此病，因为在我们全家四姊妹中都有的。不过我们各人所患的不同。我平时做事都与常人一样，假如我的朋友知道我写信给你，说我患有这病，他们一定会觉得好笑。然而假如我放任下去，我恐怕将来我的病会变为更厉害。以下所说便是我的病状……你有什么要指导和劝告我的么？

四姊妹中之一

就是一本小书也不够回答这个问题；从这个病状的一部分之中（另一部分代为保守秘密），我现在挑出一些最普通而流传最广的说说。

我对于这封信所喜欢的地方，便是她能很坦白的承认她的病状，不稍遮掩或曲辩。因为近来有许多患歇思的里亚的，不愿自己承认；还有妇女已经冲进了医生的诊病室，又突然很发怒的冲出来，这便证明她是不愿意承认她自己的病状的。

歇思的里亚的最普通的一种，便是爱突然发怒而且不能自己制止。这是一种儿童的歇思的里亚，婴孩患这种病的，普通谓之发脾气。歇思的里亚是一种不能固定的感情，缺乏情感的自制。但是假如另外一种新的感情发生，并且很强烈时，自然而然的，歇思的里亚发泄的形态，便又变改了。

一种是成年女学生患的歇思的里亚——便是哭笑无常。一种是冲动的歇思的里亚，便是情感容易发动，常常盼望一种兴奋。一种是年少妻子的歇思的里亚，比较是危险的一类。一种是老处女的歇思的里亚，常常是忧愤、自怜，自己压制自己。还有情感过于发泄，如溪水漫溢一样，也容易发生歇思的里亚。还有一种是惧怕的歇思的里亚，如股票交易跌落的恐慌，和当一个大戏院失火时为自己生命的慌惶等。

最普通的一种歇思的里亚，便是过于个人化了；情欲过度也是这种病状之一。凡事都是以个人为中心。患病者对于一件很小的事都看得极重，每每用极端的发怒、忌妒、复仇，或是极深的恨恶去对付事情。他的喜爱的情感也是同样发达，不仅在恋爱事上，并且对于家庭友谊也很浓重。他这种同样的热忱也能消耗到别种事业上，有宗教狂的人，大概也是有很强的歇思的里亚元素在内。

以上所说的各种歇思的里亚病征，在四姊妹的事情中都有的。最大的姊姊没有结过婚，是某种专以感情用事的运动中的一位领袖，在十六岁时曾习过“圣维特斯”

舞，在四十岁曾经有一段假情的爱情史——然而在她无数的朋友中，没有一个人感觉得她的一生是患着歇思的里亚的，也无人觉得她的这种非常的精力，一种外强中干的力气，不是真正的力量。

第二个姊姊是有一个快乐的结婚生活，她有许多很好的性格，所以与家中人比较起来，她是要好一点。但是遗传还是一样，她是有许多歇思的里亚特性的。

第三个姊姊也结过婚了，她能在困难情形之下，肩起一个有小孩的家庭，她常是快乐而且很少失常态；但是她有一种不同的病状，常常是心神不定，这种病征在一个心病医生看来，以为是很重要的。我们常听说梦中行走者也是一种歇思的里亚。这种梦中行走便是睡梦中的默想。像她第三个姊姊这样人如达于极点时，便类于梦中行走者。不过心神不定，心思狭窄，以及类似的特性，是一种极微小的歇思的里亚的趋势——是一种醒着做梦的习惯，许多小孩子也有的。

问这个问题以及告诉我这些事实的，便是第四个妹妹。她是一个个性很强，要随自己的意志做事的女孩，已经结婚，但是不算美满的姻缘，没有儿女，她很能干，极能克服自己的困难，她自己所感觉的病状，觉得是在中年发生的。她似乎听到关于她的闲话，她总是感觉得这种空气。她讲话常常发出怪声，有时竟致完全失掉声音，只能细语。她还有一种比较有趣的歇思的里亚特征：是她比她本来的年龄还要看得年青些。她脾气很急躁，常常和她的姊姊们不和，似乎永远也不再会和她们要好的，然而每次结果，大家依然很好。有些人一生受着歇思的里亚的影响，可以解释他们许多性格。

现在我对于这四位患歇思的里亚的姊妹，和其余一切患这种病的人的答解便是：第一，我可以担保的说，歇思的里亚是随年代而衰微的。它并非能完全诊好，不过它的特征可以渐渐减低。患这种病的人前途并无危险，除开有些人是另外发生了其他精神错乱的病；他们往前行走时，路还是看得清楚的。但是如果这种病症能够很早就认识了，就能规划一种比较有效力而适当的生活。这不过是一种假设，也是关于本问题可发挥的一部分。（在此要附带声明一句，本文所谓歇思的里亚，是指那些常态或近乎常态的，而不是那些神经完全错乱，要医生来诊治的。）

第四篇　心智的巧妙

一　夸大狂

你觉得大时，世界便伟大了；而你之所以觉得大，是把你的优点特别夸张。你是用自己所感觉的用放大镜去观看世界。简而言之，你是在夸张自己。

如果在你情绪低压和事情不如意时，你便感觉“渺小”。你是用你的感觉在放大镜的另一端观看的。

夸张的心理是很有趣的。一切的儿童，在他们热忱充满时，便要夸张。每一件事都要比原来的大些好些。儿童所喜欢的童话，是黄金建筑的宫殿，宝石堆满了的山洞。长人是巨大的，森林是深广的，奇遇是伟大的。

但是成人的夸大心理是表现在行为上。当一个打鱼的人打了一尾很大的鱼，他自己也感觉得伟大些，因为捉了一个这样大的鱼。儿童或别的成人传说的时候，把鱼说得更大些，便觉得更好听。有些说大话的，以能吹虚为荣幸，似乎这样增加他身价不少。

夸张的习惯尤如吃麻醉剂一般。假如它不使你讨厌（多半的结果是如此），你便走入了一种荣耀的世界。有一个年青的医生，吃了一点兴奋的药，药性发作后，感觉到自己非常之伟大，回家时在公共汽车上，他叫开车的摸他的筋肉，并且对他说，他很奇怪为什么开车的会让一些卑微的过路人和像他这样的一位希腊英雄，同搭一车。他觉得他的小屋似乎是一座宫殿，他的妻子是一位公主。直到他洗了一个冷水淋浴，休息了一晚之后，才恢复原状。

受夸张的情绪为害最可怜的，是精神错乱的人。他们心灵的崩溃，在未破碎成细片之前，成了一个极大炫耀的幻泡。有一个五十六岁的癫狂老头子，能说他是七十九岁，他的妻子曾经生了四对双生子，他有五百六十五位本家，其中七十五位是他的兄弟，三百七十五位是他的姊妹，他有三百个祖父，七百个祖母，应许给他随从每人一千五百万万的金洋，他相信他拥有数千万股票，广大地产，他的一切行动都觉得是在一个极大极好的世界里——这都是因为他感觉得自大。他这种夸张，可算是完全失了限制和意义。这些凡是以为自己是君王、皇帝、救世主、大将、大富翁的神经错乱人，都是他们的夸张情绪所使然。

世上的人总是尽力想觉得自己很好——甚至求助于夸张的方法，来达到这种的目的。不过他还能有一种限制，对于所希望的能够有自信心。儿童便比较造次些，因为他们对于自己所说的，还有点半信半疑。爱自大的人，对于自己总有一种夸张的情绪，看得自己非常伟大。心理学家称之为涨大的自我；普通人叫他做膨胀的头颅。

夸张如果有相当的制度，是无大害的，并且还能增加人生的快乐，造成一种很有兴趣的故事。在报纸上，看到关于火灾、水灾、瘟疫，以及马戏广告、商业贸易等等，这一切都是一贯的夸张。可怪的地方不在报纸上这种记载，而在人人都相信。平凡的事总容易使人枯燥，所以每一件事必须用夸张的方法，大字表现出来。

然而实际上说来，最好还是能将事实看得庄严，尊重其本质。世界无须夸张已足够快乐了，并且假如夸张得甚，便失去了大小轻重的平衡。恐怕马克·土温（Mark Twain）的话很对：如果你是疑惑的话，还是说真话的好。

二　你的好奇心胜于惧怕心么？

达尔文因好奇心的驱使，将一些不伤人的蛇放在一个纸袋里，然后抛到动物园猴子槛的角上，看这些猴子怎样。立时一个一个的猴子挨次跑到纸袋那边，向袋里瞧；看后吓得赶快跑到铁槛的另一角；然后又慢慢的过来瞧一下，又吓得跑过去。它们的好奇心胜于惧怕心。

人类也有同样的心理，不过较为复杂。有些人是惧怕心比好奇心强，有些人是好奇心比惧怕心强。并且有时我们对于各种奇异的事情，同时起一种好奇心与惧怕心的。

对于一件事，好奇心推你向前，惧怕心使你退后。这是自然的构造使我们如此的人类最初一种惧怕和好奇的行为，是完全由很强的一种天性驱使，惧怕的行为便是畏缩、哭泣、躲藏、逃走、禁避等。好奇心却使你注意，使你向前，使你观察，或许还使你对于人或物，表示一种亲近或抚爱的态度。

一个婴儿的好奇心比他的惧怕心更是容易引起；不过要引起惧怕也是容易的。瓦特生博士（Dr. Watson）的活动电影中，现出有许多婴儿和一些动物玩耍，如白鼠、黑猫、兔子、小猫、小狗、白鸽，甚至虾蟆和蛇；因为这些动物的形状、感觉、行动，吸引起婴儿的注意。但是如果这些动物，有些突然粗野的举动，如虾蟆之跳跃，或是一只狗或猫很粗蛮的扰搅，或是一个很大的或爱吠的狗等等，都能消灭婴孩的好奇心而引起惧怕心；而且假使婴孩被吓过之后，便不容易脱离惧怕而恢复他们爱玩的本能。保姆很容易使小孩胆怯的。假使你能利用这种儿童天性的好奇心，去引导他们怜爱动物，便能防阻许多无谓的惧怕。然而好奇心也是必须正当引导的，不可引无谓的搬弄或破坏，而应引起有目的的实验。

达尔文所实验的这些猴子，也和许多儿童一样，表示一种畏缩的好奇心。成年人是同时为惧怕心所镇服，为好奇心所推动的。因此我们便用许多苦心作成许多技巧，以满足这种心理。这便是游戏场中的乘火车的游戏、升降环绕机和急射机等，使人得到一种平安的震惊。你便由好奇心的驱使去尝试在这些羊角道上滑车的推撞、急旋等味道是如何。在平坦的道上慢慢推动，是不会使人兴奋的，推撞得很凶，速度很快，以致使人吓得喊叫，呼吸迫促，心脏跳动，都是能吸引人的。这样他们便情愿花钱；而且不久他们又再去惊吓一次，或者直到吓惯了为止。

何以自然要造成如此的人类，也是有道理的。新奇的事是可吸引人；而好奇心可以引人得到智慧。你对于新奇的事物何以要小心，或畏惧退缩，也是有道理的，便是因为恐怕有危险。凡是熟悉的便是平安的。然而新奇和生疏却很难有固定的界限。一个婴孩和他的母亲或保姆在一块很安适时，如果一个生疏的人跑来抱他，便会使他哭泣。然而有些儿童并不认生。年龄较长的儿童，对于室内新设的东西，更是喜欢搬弄。新奇的东西吸引小孩是因为熟悉的已失掉玩耍和惊惧的趣兴的原故。所以新的玩具总是受儿童欢迎的。

无论那件事只要你已熟悉会用时，兴奋的兴趣便会减低。假使你从来没有坐过飞机，你的好奇心便使你想去尝试这种滋味，然而同时你还是有点惧怕。但是对于林白大佐，坐飞机便如你坐火车一样的感觉得普通。你可以问问自己，还是你的好奇心大，指使你去坐飞机呢？还是你为惧怕心所克服而打消坐飞机的心思呢？

在这种好奇和惧怕的起伏中，有些好奇的人对于外国的食物是想选择新奇的；然而另有些人旅行到外国时，却说他们不能吃这些异地的饮食。中国酒店要想发达生意，就必须设法引动那些好奇的人。探险的人好奇心比惧怕心强，爱老守家园的人却正是与之相反。但是多半的人都同时含有这两种心理，一方面你愿意在家，一方面你也愿意有个机会可以改换环境。大概说起来，主张自由的人和保守的人，其所以不同，也是因为此种心理的差异。

三　行为的研究

这件事是由一位和蔼而精明的精神病专家所察看出来的，事情是关于一位女性。她说她和她的丈夫是如何的彼此相爱，从表面上看他们也确是如此。然而当她说完之后，这位精神病专家注意了四点破绽。第一：当她丈夫离开家中后一礼拜回来时，她忘记去迎接她的丈夫。第二：她梦见她丈夫受了伤害。第三：她有一种习惯，喜欢将结婚戒指取出取进。第四：如莎士比亚某戏剧里有一句很威严的批评："这位夫人太反抗了。"

如果你的行为表白出来，你便用不着言语来说了。第一点表示她对于丈夫是漠不关心的；第二点可以认为是她心中潜伏着这种思想的欲望；第三点是一种行为的表示，表示她想自由；第四点是表示她好像那些害怕的人吹着叫子，想极力鼓起勇气来一样，想用言语来掩饰她心中的不快之感。确实，她是与另外一个男子发生了恋爱。

这种分析或行为的研究，是佛洛特发明的。他相信人类常常是以这种露马脚的行为，露出了自己的真实情绪。这种感觉潜伏在我们上意识的下面活动着；而我们尽力的将这种感觉压下去，因为觉得这是一种使人不快的心理，是应当要抑制的。假使我们不当心防范时，便随时爆发在行为上了。忘记到火车站去，是含着一种动机在内的，她实际上是不愿意去，至少是无热忱想去。

做梦照佛洛特说，是一种被压制的愿望而形成的幻景。这种愿望也可以表之于行为上，玩弄手指上的结婚戒指，便不是一种完全无意识的行为。过于反抗是很可疑的，正如过于请人原谅，实际便是谴责自己。

凡此种种，都是我们下意识或不知不觉的表现，使我们的思想发泄出来，好像一个被牢禁的猫儿跑出来一样。像这样的行为很多；假如我们是精明的，我们便可以识破出来。如果某人这种行为太露骨了，我们对于他的话，无论是称赞或是自谦，总使我们难于相信；或是他的行为不自然，似乎有所隐藏的地方；或是其他地方使我们疑心等等。假如他的行为更显明更是有意的，我们便说这是一种虚伪的行为。

我们能够照着佛洛特的理论，以人类在清醒时及睡梦中的一切行为作线索，去考察他们真正的心理，到一种什么程度，尚不能十分确定。这种解释的方法确是有几分真理的，能从平常琐屑的行为看出重要来。佛洛特是很乐于将这种原则应用于自己和他那种事业上。他说他有两把钥匙，一把大而圆的，是用以开精神病疗养室的门，另一把小而平的，是开他自己的房门。他有时不知不觉的用房门钥匙去开疗养室的门，但是从未用过疗养室的钥匙去开房门。他结论说：他有一种下意识或私心的欲望，感觉得家中的舒服，而不愿意医治精神病的工作。并且他又说，有些医生视察病人回家之后，忽然记起来有几处没有去；大概会发觉出那些被忽略的病人，是那些诊费拖欠的病人。把这些原则推论太广了，也是不对的。有些善忘、做梦、语言和行为的不留意等，是可以用这种理论来解释的，但是并非一切的行为都能解释。不过此种理论证实了普通所谓行为比说话更有力量，并能解释此种行为之何以然和所以然。

四　看魔术的快乐

小孩子看见魔术家能从高帽子里拿出兔子来，从空中拿出铜板，将你的手帕烧一个小洞，又使之复原，将小至于名片、大至于美人，都弄得不见了，而这一切只要动摇他的魔杆便够了，因此小孩子非常崇拜魔术家。但如果你是一个成人，你便知道这都是假的，是一种手术而已。魔术家只尽他的责任做戏法，其余都是你的心灵作用。

说明一个戏法，便知道你和做戏的人是如何相连有关的。一个魔术家用他的手杖从看客中收集一些纯金戒指，跑上台去，用一枝枪将这些戒指击碎，塞入枪里面，然后将枪瞄准一个悬在木架上的盒子放一枪，于是拿下盒子来打开，拿出一个较小的同样的盒子，又拿出一个同样更小的，最末了，从顶小的盒子中，便找出原来的那些金戒指，毫无损坏，并且每个戒指上还系上一点礼物奉还原主，于是大家都拍手赞扬。

实际上魔术家所做的，和我们亲眼所看见的完全是两件事。这些金戒指由各人圈在魔术家用右手拿的杆子上，当他转回台上去时，他将这些戒指倒在右手掌中，而换左手拿杆，同时将左手里自己所预备的戒指圈上。他击碎的便是这些戒指。当他的助手递枪给他时，他便乘人不备将真的这些戒指交给助手，让他在台后去预备。在放枪的纷扰中，助手偷偷的放一张小桌在台后部。魔术家在这桌上打开这些盒子，你看见第二个盒子是从第一个里面出来，第三个是从第二个里面出来，第四个是从第三个里出来，因此你便会确定以为第五个——

最末了的一个——装金戒指的是从第四个盒子里出来的，然而其实不然。第五个是从这张小桌的桌面下抽出来的，因为桌子有一条边椽遮盖住了，不致使人看见，而且其余的盒子也都是为遮盖别人的眼目而设的。因为你不是一个变戏法场中的人，你也不会想到这些做作，因此就被蒙哄过去。

如果魔术家叫你上台去，用一个盘子盛八块银圆，叫你去数，然后告诉你要你张开两手，他便将银圆倾入你手掌之中，这时银圆已成为十六块了。你一定会觉得稀奇，以为他能够将一块银圆变为两块，再也不会想到这个盘子是夹底的，下层也装了八块钱，倒时便一齐都倾泄下来。

像哈第利（Houdini）这样的魔术家，不怕苦心经营，想出一种方法，使人或马忽然不见了，或更换地位，或是一个人用铁链捆缚，放在水中，而自己可以逃脱等等。他是现代魔术家中最有名的一人。以下的一段故事便是他说的。

有一次他被法国政府差遣到埃及去款待那些亚拉伯土著。他戏法之中的一种，便是使一个箱子能重能轻。

这是由一个放在台下的吸铁石使之如此，关掉吸铁石能力的一片锁匙，便在他自己手中。一个勇武的亚拉伯人跑上来举起这箱子，但是第二次哈第利将他的魔术杆在箱周围绕了一圈之后，这亚拉伯人便再也举不起这箱子了。这个戏法使那些亚拉伯人都拍手赞叹。第二晚他改变他的戏法，说他能使一个人变为有力，也能够拿走一个人的力气。这种戏法也是和从前一样，由吸铁石使然的；但是吓得这些亚拉伯人都跑走了，因为他们不敢和一个这样有大能为的人同住在一个帐幕里。他们从来没有见过吸铁石，也不知其功用，他们是由所看见的而感觉惊奇，并非由明白真正的内容而感觉稀奇的。

一个魔术家的戏法是能令所有不同年龄的儿童爱好的。你晓得这是一个戏法，但是你不晓得这戏法是如何变成的。你情愿被一个会变戏法的人欺哄而感觉快乐。尤其较小的儿童喜欢戏法，因为他们相信有些的确是真的。小孩子因这些戏法而感觉快乐，也使魔术家感觉快乐。

但是对于亚拉伯人，他们是相信一个人可以有真正的魔力，而他们可以用之去对待别人，情形便严重了。

因此这次哈第利的戏法，便不成为一种娱乐，变戏法使一般人去信仰巫术是古时常用的。扶乩的戏法可以显出两种人的心理，有一种人便以为是真的，而相信有鬼的存在。对于另外一种人便晓得这是一种魔术家的游戏。相信与不相信，完全是由你的心情而定夺的。

五　打野

现今的人对于打野比从前要看得重要得多；如果打野足以妨害良好的心理习惯，并且时常发生，便很坏了。打野是根据一个人的性格，这是无疑的。打野固然是生出来便有的性格，不过如有良好的训练，可以改良；如果任之忽略，则愈弄愈坏。

实在说起来，打野便是一种窄狭的专心。注意力好像是一盏光芒四射的灯，普照着一块广大的面积；但同时也可以好像一盏牛眼灯，集中于一块小面积。注意力另有一方面可以衡量的。它可以很强，像一盏六十或一百支光的电灯；也可以很弱，像一只两三支光的电筒。打野的注意力，便好像牛眼灯一样，但是这种注意力并不比那些分散于广大面积的要强大些。

有些职业是需要一种广大多方的注意力的。我们很难说，要做一个精明的侦探，必须有什么资格。不过无论如何，他必须是耳目敏锐，能够时时看出四周一切进行的事物。请客的主妇，也必须是耳聪眼快的。她必须注意宴会时一切款待是否周到，那些客人谈得高兴，那些客人表示无味。对于宾客一举一动，都能会意体贴。在另一方面，外科医生则只专心在开刀上；他有一群受过训练的助手，递给他一切所需要的器具，使他能够完全专心于开刀上。

对于平常应付世事，一个人要能随处敏捷留心。时常打野的人，注意力是很难集中的。虽然喜欢打野的人，在一般人之中很多，但总不能算是完全健全的人。如果这种趋势是专心注意在一方面，而隔绝了其他方面的一切，这种打野便成问题了。如果这种打野是天生的很强，那便无法禁止，否则练习将注意力分散到各方面去，可以矫正一点。有些人主张练习分散注意力的方法，是慢慢走过商店的窗外，而后背诵窗内所陈列的货品是什么。不过富有窄狭注意力的人有一种好处，因为他比较容易专心些。室内的吵闹喧哗难得扰搅他们，不像那些注意力对于各方面都敏捷的人。儿童是天生观察力既强而又能将兴趣专注一件事的，正所谓“小水瓶有大耳朵”；不过儿童的注意力也容易牵动。

如果我们的注意力完全专心致志于一件事，便也可说是打野了。譬如扒手，便是利用群众正专心于看马戏或看街上的游行时，作他们的偷窃买卖，暗地搜取你的皮包，在平时你本来一定可以觉得的，如果你的注意力集中到旁的地方去时，被偷走了便不觉得。

简单的说，我们对于天生的注意力的习惯，多少是无可奈何的。不过正如我们跑到健身房去训练我们平常不十分运动的肌肉一样，我们也可用长久的努力去稍微矫正我们其他的弱点。我们对于一般心不在焉的人，认为是特别的人，而以后见惯了也就不以为奇，但是有一点我们不可忽略的，便是他们此种心不在焉，也可以同时是一种更严重的心理毛病的象征。不过仅仅只有打野的毛病，不一定就有其他的心理毛病。心理的毛病有其他许多的象征，所以心不在焉，不过是一切象征之中的一小部而已。

在戏台上，最足以代表这种心不在焉的人是装扮教授的一角。他忘记打他的领结，把他的笔插在胶水瓶里去，拿毛刷当笔写字，不注意他妻子正在和一位宾客卖弄风情，听不见电话的铃声。有这样注意力的人，或许是因为他研求一件事体，需要专心；或许是他那种研求养成的习惯，或许两种原因都有。总而言之，心不在焉是应当矫正的，但是不可有妨害于集中的注意力。与专心相反的，便是注意力散漫不定的人。

六　有人注视你时，你能感觉得到吗？

许多人相信他们是能够的。这是一个很古的信仰，假使你生在几百年以前，有这种注视人的习惯是不妥当的。你便会被人疑为一种行巫术的人，有一对魔力的眼睛，去用注视的方法压服你的仇人。甚至一个教皇都被疑为有这种凶毒的法术。这种思想在许多年以前，有无数的人相信，而在现在如果我们过于相信，我们便说是迷信。然而这种事实还是存在，不过他们不致于在你每日的行为上表现出来。我们现在不焚烧巫术的人，也不诅咒巫术的人了。巫术与无线电飞机等不同，它是属于另一个世界。

还有一种很有趣的思想，也是大家所相信的，便是你常常会有一种很奇怪的感觉（在一个礼拜堂或会场中的时候），似乎觉得后面的人在注视你的背，因此使你回过头去看是否果真如此。有些人相信他们确实能用注视你的方法，使你回过头去，希望你看到他们；他们经验过多少次都是如此，所以他们对于这件事毫无疑惑的相信。

因此，斯坦福大学（Stanford University）的科发（Coover）教授觉得这件事是值得整个的用实验方法来实验一下。第一他问过一千三百个学生，每百个女学生中有八十四个相信这件事，而每百个男学生中有七十四个。这些男女学生都是挑选出来的好学生。假如对于这件事是以大多数的意见而决定，则是肯定的了。然而科学研究的结果，只要有一票反对，便可以打倒其余一切的投票。

所以他们便实地实验。先将受验者坐在房间的前部，将背向着注视者，然后一个注视者或一群注视者便开始工作，他们预备了一些信号去指挥这些注视者，信号一换，大家都须闭着眼睛不去注视，而想他们所爱喜的风景。受验者有一个簿子，每次十五秒或二十秒钟之内，如果感觉到自己是被注视时，便在簿子上写下一个“是”字，如果没有这种感觉，便写下一个“未”字。

如此的做了一千次。假如有五百次以上的这种印象或感觉或冲动是对的，这种事情大概总有一点道理在内。假如只有五百次是猜对的，便没有什么道理。他们实验的结果，只有五百零二次。这表示完全是一种纯粹的猜想！所以结论便是：没有道理在内。

假如再详细点实验，当你十分相信你是对的，你便写下一个“A”字，不是十分感觉时，便写下一个“B”字，照此类推，觉得自己完全是纯粹的猜想，便写下一个“E”字。这样做法是否你所觉得十分相信的次数比不十分相信的次数对的多些呢？然而实验的结果，却并没有大的分别。所感觉的信仰在事实上并没有一点根据。现在还有一个辩驳：这种感觉的能力，当然不是人人所能做到的。你必须身体无毛病，对于许多人相信的所谓“波动”，“辐射”或“影响”，必须知觉灵敏。所以这种实验只有学生和一些专家能做，他们用一种学术的方法，去应付这种心灵的能力。但是他们的结果，并不比其余一班做注视实验的人好。

对于注视的迷信，可从以上的实验而推翻了，其他各种不易实验的迷信，也可以由此类推。但是一般而论，为什么五个人中总会有四个人相信这种事体呢？从心理方面解释，当一个人在礼拜堂或会场中，大概对于上面的进行觉得无趣味或心神不安，而有一种自我的觉感，因此转头望望，常常便和别人的眼光相触。但是你却只记得和别人眼光接触成功的次数，而忘记未成功的次数。再则每个人都是如此说法，似乎觉得相信这种事体更使人生有趣味些。

七　心境与工作的关系

当你的感觉舒畅时，你的工作成绩便好些么？或者你仅仅以为是如此，因为你工作时快乐些，不费力些，你的心境能表现在工作上面么？这当然是一件很难断定的事。你是用一件事去对抗测量另一件事，而两者都无一定的标准，既无心境的标准，亦无工作的标准。

譬如我在一根直线之中做一个记号，如下图：

我假定这记号代表你平常的心境，就是你既不感觉比平常舒适，也不感觉比平常坏些。又假定线的极下端，代表你心境极不快的时候，不过你仍能工作，只是感觉不舒适而已；假定线的极上端代表你精神最安适的时候，是你感觉非常愉快时。你今天的记号是在什么地方呢？是在心境低压的这头呢？还是在精神舒适的那头呢？低压得非常厉害呢？还是稍许低压呢？比较你昨天的记号，你是加高了分数呢？还是减低了分数呢？关于人的感觉，曾经用体格检验的方法来对照过，如血压、脉的速度、握手的松紧、知觉反应的程度等等。但是从体格方面，还是不能确定一个人的感觉出来。

至于工作，如果是很简单而有一定的程序，我们可以测量出工作的成绩来，犹如我们用码测量货物一样，不过不是如此的机械准确，因为有时即算最简单的工作，也还是有品质的差别。堆砖块和钉板条，你可以数砖块的数目和板条的方码，但是假如你工作得太快，你或许会弄出毛病来。

简单的脑力工作——如画一条线等于某标准线，敲打一分钟，尽你能快的速度数各种颜色，加四行两位的数目，由某字联想起另一字，说出某字反意之字——这些用脑力的工作，就不像数砖块或木板那样简单，不过如若把错误都修改之后，便可有一种大略的标准。

如果是这样测量了，是否当心境愉快时，工作便优良些呢？是否心境和工作是携手并行的呢？大概而论，这种并行是很少的——如此之少，以致我们可以说，心境不适时和心境愉快安适时所做的工作，是差不多的。不过如若心境和工作稍有关系，那么，大概心境较好时，工作要好些。

不过有一件事是很确定的。当你觉得你的心境（实实在在）是在平常情形之下时，你便格外努力一点，而这种努力便侵入了你的感觉。此种努力使你的工作前进，达到平常状态。当你感觉愉快时，你便松弛一点，因此你的工作也是平平，不过你说你的工作容易做些。加之，这些实验，你晓得你是在受考试——你有一种好像是比赛的感觉，而不是做平常一类的普通工作。

假如你的工作不是一种可以用数量衡量的，而须以质量计算的（普通两者都有），则分数的结果并不能得出一个完美的答复——甚至高尔夫球都是如此。分数不能表示你的击打的技术，你是稳重或轻浮，你是容易击中或难击中，分数上都看不出来。

然而我们的心境，并不能完全表现我们实在的情形，以为心境愉快时才能工作。太容易服从心境的感觉的习惯，是可以酿成精神不适的；不过太不管心境的感觉，也不是一种好办法。健全的政策，也与其他事情一样，是不要太过或是太不及。我们不可让心境去专制工作；但是我们可以利用心境来帮助我们的工作。在这种适中的方法中，就可以得到精神安适。

八　什么时候是我们工作最好的时候

优良的工作是根据两种情形而定的。第一种是看你的生理和心理的健康：在这方面，你应当养成一种生活的习惯，建造一个健全的身心。这样，你是根据你天赋的身心尽心去改造的。第二种是良好的环境：你的目的便是要使你的环境能够帮助你的工作，得到优良的结果。这两种情形，对于精神的健全都有重要的关系。

在优良环境和不优良环境之下比较工作的效果，有出人意料之外的结果。桑戴克（Thorndike）、麦卡尔（McCall）和查甫曼（Chapman）曾经研究气候的关系对于简单脑力工作的影响。他们实验的结果，便是假如你决心要做好时，虽在一个极热、潮湿、沉闷、停滞的空气情形之下（如屋内温度为八十度，潮湿为八十度，和不流动的空气），仍旧可以做得很好很快，如同在一个极好环境之下，最舒适的天气，温度只有六十八度，百分之五十的潮湿，和容有每人四十五方尺的新鲜空气的环境是一样。

由以上结果，结论便是些微的感觉不舒适，对于工作的能力或是实际工作是无妨碍的。在不优良环境之下工作，你必须加劲的努力，还使你感觉不舒服；但是假如你是真正努力，你还是可以做得一样的好。大概而论，凡是当热而潮湿的气候升高时，工作便自动松懈，而我们便以为应当有一个假期。所以上述的学者以为夏天放暑假的习俗（尤其是劳心的学校），实是一种成例的关系，并非一定需要的。因此我们应当认识清楚，优良的工作，实由我们对工作的态度和决心而断定，不是由外界环境所断定的，因为我们可以克服不舒适的环境。

以上不过一部分的事实。大半的人总容易受环境的影响；我们每每借故天气太热而停止工作。我们总想舒适，这或许是因为我们平日太舒适的原故。在冬天我们的房子实在是太容易设法弄得极温暖，而在热天却无法将房子一样的弄得极清凉，因此我们热天便觉得比冬天难受些，而心境的感觉难受，便是工作的一个大障碍。现在的电扇可以消除心理上的难受，而可使我们开始工作。

然而习惯的关系尤大。美国人在欧洲各国不温暖的房子里是受不住的，北美的人冬日在南美是感觉太冷的；而欧洲人也嫌美国的房屋、旅馆、火车太热暖。知觉也可说是对于工作优良的一种无形帮助，因为我们对于外界环境少有分心，则我们的工作必比较优良，我们能忘掉环境如同促动机一样。

各人感觉的不同也有大的关系。有些人是需要有刺激的天气，才能做出优良的工作。有些人对于酷热和潮湿要比旁人感觉来得难受，因此工作效力便减低。他们的不舒适的感觉比较大，他们是容易感受而难得忘记的。关于各人对于冷的感觉也是一样。年老的人爱抱住火炉，便是因为他们对于严寒的抵抗力比少年人弱。不过天气对于简单工作似乎没有妨碍，然而对于复杂用脑的工作则不然。工作的品质是一个重要的因素；有时我们必须在一种刺激的环境之下或某几种适当的环境之下，才能做顶好的工作。

因此我们不能以在一种情形之下的实验结果去应用于普通情形。然而我们仍可以推论，有时我们起一种不愿工作之心时，便以为是受不舒服环境的影响。这种环境是一种心理上的影响，而并非影响于实际的工作。最重要的还是要心理的健全。我们要能养成一种能力去抗抵环境的引诱；不过论到这一点，也还是有一定的限度。超过了相当的限度去干，也是不值得的事。以上所说的一切，足以解释锻炼心理健康是一种很精细的艺术。

第五篇　怪特的性情

一　何谓意结

在我们日常谈话中，所用以分析人类行为的一切名词，恐怕要算意结（complex）最普通了。这个字有许多不同的用法。原来这个名词是代表一种常态而有用的心智的。譬如你如何认路的呢？你认识途径的知觉好么？你能很容易的辨别东西南北么？你走路时要靠记号，还是有一种心理的地图呢？人类认路的方法和鸟、猫或老鼠认路的方法不同。因为认路的方法是有这许多不同的因素所造成，这种复杂情形便造成了一种意结。

因此，我们对于各种组织兴趣或关系，都有一种意结——如我们游戏的兴趣，我们家庭的感觉，我们的集社及其他等等。后来这个字的意义又有了两种更改。

一就是这个名词每每是用于关于人类情感很深刻方面的组织的；便是我们平日最注意的事情方面。所以这种意结用于我们所喜欢的事物上，其意义实近乎“嗜好”，而对于自己厌恶的东西，则近乎“成见”或“敌视”。

“高尔夫游戏”可以有一种高尔夫意结，沉溺于纸牌戏的人可以把对于别方面应有的精力都霸占了，不过这些游戏只要不过度，对于人都是很好的。但是假如对于黑奴问题或是对于学校教授法的改良有了一种意结，却不能说是无害了。因为意结是带有强烈的感情作用的，所以这种意结——便是一种有组织的信仰或情感——恐怕会越出轨道之外，而造成不幸的结果。会处世的人是不让自己对任何问题造成畸形的意结的。假如别人在你耳边这样细语说：“你可以和某人谈论任何问题，但是除开……”“但是”便是触犯了他的一种意结；因为他听到那个问题便会触发起来。

意结第二种更改的意义，就是有一种冲突的意思，对于某种事物我们希望躲避、逃退，或抑制。这种意结多少是有点变态。

如果一个人对于某种事物发生特别强烈的兴趣，对其他普通日常的兴趣失掉平均的发展，而结果我们的人生态度是不合乎理智，那么，这便是一种意结。假如一个人的见闻思想除了“性”之外，再没有别的，以为全世界便是“性的关系”，正当的性的兴趣便变为他生活中一种主要的意结了。亲近、退避和漠视，待人接物时的拘泥退缩，都可以成为一种意结。但是最重要的，在个人或社会的关系中，意结可以发展个人的行为和思想，也可以造成变态的行为和思想。

关于抑制的意结，有许多的种类。常常有所谓犯罪的意结，因为这种意结的原故，于是又产生了一种查究这种意结的侦探者，这可说是一种心理上的“第三级”。假如一个医院里某病人失了某件珠宝，便可叫所有的看护都受一种实验，问她们一个字，教她们立刻答出由这个字而联想出的第一个字来；譬如问的人说了“手”字，所得的回答便会是“足”,“手掌”,“易拿的”或其他等等。如果你所说的字是“戒指”，而看护中有踌躇不能即答，或是答出很奇怪的字来，便可以证明他是偷珠宝的人。

还有所谓“受窘”的意结，患这种意结的人，以为他的仇敌到处都在设计危害他；还有一种自命为“改革家”或“救世主”的意结，这种人以为他们自己是这样的人物。

恐怕你听得最多的一种意结，便是所谓“自贱的意结”，患这种意结的人总感觉得自己不及别人好，或是觉得别人看不起自己。因此你的感觉和行为方面都受一种缚束；这对于个性的发展是一个很大的阻碍。有些人有一种“自高的意结”。无论是那一种，就是太情感化，不是一种理智的产物，对于自身和他人，都没有一种平衡正确的见解。

还有一种意结可称之为固执的意结。少年人太亲近母亲，不愿结婚，因为他寻不着一位像母亲的女子，他便是得了一种固执于母亲的意结。还有男孩子忌妒父亲对母亲的亲热，想胜过父亲，也是一种意结。这两种意结都是过激变态的。

意结也和其他有用的名词一样，常被人滥用。大概而论，我们都有若干微小的意结，稍带夸张的情绪，对于我们并无大害而稍有益的。不过我们同时还要留心那些能扰乱我们精神安适的厉害意结。

二　当你饥饿的时候

饥饿是一种很有趣的感觉，口渴和疲倦也是如此，因为它们像其他自然的要求一样，是一种需要的符号和象征，但每种却各有不同。

饥饿、口渴和疲倦的感觉，与脑筋的中枢都各有特殊的联络——它们从不会因纷扰的原故而给予你一种错误的感觉。需要满足的感觉和实际需要的本身的关系，是值得研究的。这些需要的统制便是意志训练的一部分，在心理健康上是一个很大的问题。

如某人能够在超出寻常时间之外不吃不喝而不觉精神颓丧，或是在应睡的时间能清醒活泼做分外的工作，这不能不说是此人的一种特殊长处。如果这些嗜欲是按规的工作，就是表示常态的象征，因此当你饥饿时便能吃得很有滋味，刚刚够时便觉得很满足——当你疲倦的时候便能休息睡觉，醒后即精力恢复。假如你的食欲不振或吃得过多，或是不应当饥饿的时候而感觉饥饿，或是你睡眠失常，或是你过于疲倦过于兴奋过于忧虑而不能安眠，或是你总是昏昏沉沉而不能得到清醒的时候，这一切便表示你心理健康的衰弱。要在需要和满足之间保持一种适当的关系，便是心理健康所应达到的目的。

在这些需要之中，饥饿要算最易观察的器官，因为我们大家都早已知道，有时胃部过于饥饿，便要起强烈的紧缩。生理学家曾经用有管的橡皮球吃入肚内去实验胃部紧缩；这种皮球吃入肚内时不致引起胃部强烈的难受。受实验者在他感觉饥饿时，便叫他按着实验器的钮子，则发觉饥饿时，和胃部的紧缩同时发生。因此当你胃部筋肉紧缩时，你便得到饥饿的符号而感觉饥饿。这种符号即算在睡梦中也一样的表现，由此可见这种动作纯粹是机械式而不自知的。

没有一个人能够禁止这种胃部的紧缩，虽是用力想或是闻见食物的气味，或看见食物，也不能禁止，但是稍许吃一点食物，或是液汁，或甚至唾沫，都能停止胃部的紧缩，而消除饥饿的感觉。还有触电，延长工作，或是读兴奋的小说，也能停止这种饥饿的紧缩。它们使你集中心思而忘记了肚皮的饥饿。

普通每次饭后经过三四小时便起紧缩。每一次的紧缩延长三十或四十秒钟，这样继续不停直到肚子又得到食物为止。

以上所说的便是饥饿感觉的动作，但是心理上感觉饥饿的逼迫尤其强烈。我们都知道一定要吃才能生存，缺乏粮食的恐惧，驱逐人到一种绝望的地步，因需要不能满足，感受饥饿的痛苦，而酿成要求面包的暴动。

心理学家堪鲁博士（Dr. Cannon）说："饥饿是一种很专横、很难过、很痛苦的感觉，迫着人类情愿犯罪以减轻这种痛苦。甚至在文明社会中，因饥饿而实行杀人为食的恶俗，也有许多人因而自杀。这种在胸下部和腹上部的难受和痛苦，对于人类的行为制裁实有很大的影响。"如果我们想管束这种饥饿的要求，使之在文明社会上不出常轨，就应当吃时有味，不当吃得过度，而我们也就晓得这不是一件随便的事。然而有些人还是能够压制饥饿，能绝食要求，以反抗无公理的锢禁，虽饿死而不悔。

食物和工作的关系应当特别说明一下。饥饿可以令人精力散漫。我们时常觉得没有吃饭之先，不能安心坐下来工作，或是快到吃中饭的时候，我们的工作便迟缓下来，或是假如我们工作许久而未吃食物，便感觉昏沉和扰乱。在另一方面，吃食无定时的习惯也是一种很显著的放纵姑息所养成，其结果不是缺乏营养，而是对于食物太关心。养成不能自制的习惯。

未吃食物所感觉的不舒服，不在胃部而在脑部。我们曾用实验证实劳心的人，在努力工作之先，略吃一点东西。当胃部开始紧缩时所做的脑力工作和当胃部平静时所做的脑力工作相比较，其结果表示微饿可以增加用脑的效力。

许多人在吃饭过后便想睡觉。动物园最寂静的时候，是因为所有的动物都刚喂过食物。现在重复再说一遍：心理健全的规律便是需要必须满足，但不可过于放纵。

三　当你感觉疲倦的时候

与疲倦奋斗是日常的战争，并且是很难战胜的。时间不住的往前进，你是抵挡不住了，于是你便心疲力倦的睡眠了。

疲倦是表示你身体内的精力汽油已经是不多，不过这种报讯不过是机械式的而已。它从神经系报告到你的脑筋里，虽则大概是对的，但有时也是靠不住的。你可以感觉非常疲倦，其实你身体并没有到这种地步，你也可以不顶疲倦，其实你身体却是非常疲倦了。尤其假如你的疲倦作用毫不准备，你更不能信任它的报告。

疲倦是属于精力系的一部分，在身体各组织中算很重要的一部。你的精力表现的形式是值得研究的，因为它决定你做事能力如何。有些人的神经系动作很稳定而照常规，但是不很敏锐；有些是起伏不定，一时兴奋，一时衰落，然而在前进的时候总是精神兴奋的。后种是较老而原始的形式。儿童和原始的人都是如此工作。

有些人对于日常工作非常有规定，差不多可以随着表做事；而有些却是非常无规定，好像一个燃纸灯器一样，你从来说不定他们什么时候是在工作。假如我们要把工业适合于个人心理，则有些工人是可以论工作之钟点付薪金，有些却只能论工作之成绩付薪金。

有些疲乏虽是由于过虑，但真正工作过度也还是有的，确实有些人是天生疲倦，自己不能克服过来，并不是说着好玩的。他们的疲倦是无可救药。假如一个人能够知道自己是那一类的疲倦，一定是很有趣味。如果你是一个健强的人，你便能在疲倦的时候睡觉，精神恢复的时候清醒，一定的时间内工作。但是或许你是一个得着无可救药的疲倦的人，对于睡觉也疲倦，吃饭也疲倦，寻快乐也疲倦，思虑也疲倦，那就没有办法了。

你的胃部和你的精力是有密切关系的。假如你在用精力的时候吃东西，你的食物一定不会消化。当你疲倦的时候，一切工作器官都出常轨。脑筋劳瘁便是缺乏精力的年久疲倦；你在夜间所恢复的精力不足供给你日间的需要。你或许感觉早起时比晚上要睡之前还要疲倦些。对于这种状态的人，休养是唯一适当的药方。

有一次一个疲倦的纽约商人跑到支加哥去，因为他有很重要的事情要办，觉得要变换一下环境或许有益于他。他本来预备三四天之后便回来的，但是这几天之中，在他不睡的时候，便坐在旅馆的回廊上像一个木头人一样。然后慢慢地每天花稍许时间想他所要办的事情，如此十天之后回到纽约来，觉得自己完全恢复而能工作了。这一次他被迫的休假恐怕省了一个月休息的时间；而在实际上他不得不如此，因为他的机能失效了。我还知道一个例子，是一个病人停止工作而休息了八年，但是在八年之后，他的病便好了，现在照常工作。

其所以如此的原故大概是这样：假定你是过于疲倦到某种程度暂称X时，你便应当得到称为Y时间的休息。假如你有两个X的疲倦，便应当有四个Y的休息。假使你是四个X的疲倦，你便应有十六个Y的休息。这虽不一定完全都对，意思不过教人对于自己的疲倦有数倍的休息就是了。

这并不是说当我们最初感觉疲倦时，便必定要如此。假若如此，恐怕我们不能养成忍耐的能力。加之我们疲倦的再振，不仅只有第二次，并有第三第四次的。你是尽你储存的精力而进行的。不过最要紧的，是要你晓得你还有储存的精力可用。

最稀奇的是当一个人病已很深时，而他自己甚至一点也不感觉疲倦。他的错乱疲倦组织已经不能发出警告的讯号。假如你的精力的交通是非常有规则的，它便能发出一种“绿色”感觉叫你“前进”,“红色”感觉叫你“停止”，在这两种之中，有时还要射出一种“黄色”，表示一种疲倦的感觉叫你“小心”。遵照这些符号，你便能平安向前。还有，如你知道你工作的能力如此，便不要去超过它的限度。

四　失眠时的心理

震惊世界第一次飞行大西洋成功的林白大佐，刚降下巴黎，在群众欢呼拥戴之中，他第一件需要便是睡眠。因为在他飞行的过程中，有三十三小时没有闭过一下眼。

支加哥大学有二十五个学生，里面有三位女同学。他们因为要研究失眠对于心理上的影响，像林白一样，大家一晚不睡，有三个两晚不睡，整整有六十到六十五个钟头之久。他们在未失眠之先、失眠之间，以及失眠之后，各受一次实验。在晚上，他们消遣长夜的方法，便是走着读书，跑到戏院里去，以及做各种兴奋的事。他们所受的实验，都是简单的用脑工作，如读书、乘数目，以及肌肉的动作，如瞄准、轻击和挤压等。他们实验的成绩拿着与一班照常睡眠的学生比较。

平均的结果是如此：如果是照这种简单无变化的工

作而论，失眠之后，工作的效力并未见减少，不过其间增减的高低很不定；最初效力似乎是因失眠而减少了，其后又突然有一种新的能力增加。一夜未睡与二晚未睡的人都是如此。如果你问这些情愿为科学牺牲的青年感觉如何，他们大半都呈显著的疲倦感觉，不过不是全体如此，他们经过这种实验，要费一番很大的精力，不过费力的程度也各不同。实际上，这种实验对于那班有照常睡眠的人，反而觉得讨厌，而那些失眠者则不得不努力来对付。

在失眠的时间，心理经过一种向外赔偿的态度。你感觉得不如平常舒服，因此便用一种例外的精力将之弥补复原；你在责任呼唤之下，催促自己向前。做夜间看护的也是有这种感觉，不过她们将这种欠缺的睡眠，用日间短睡弥补。这些受失眠痛苦的人，病状多半是表示无息止的兴奋，或性情变幻无常，沉闷或头昏目眩的感觉，头痛和行动不稳，以及昏沉欲睡的状态。失眠之后，对于精神身体方面的反应如何，要依你的神经组织而定。

睡眠也有不同的等级的。故事上有说兵士在行路时睡觉的。如果失眠太多，不是靠长时间的睡眠弥补，而是要看睡得如何熟去弥补。故事上也说到，在战争时许多失眠的兵士经过长时间尚不能复原的。他们的病状分脑昏症、癫狂、精神错乱和虚劳等。不过有了一次很酣熟的睡眠之后，他们又复原了。由此可见，我们的脑筋做最难最好的工作的那些部分，是最易疲倦或失眠的，脑筋受伤之后，你便不能工作最好，不过你还可以勉强维持做机械的工作，以后更越来越难，直到你不能工作为止。

很侥幸的，林白与昏雾、雨雪奋斗最难的一段，是在旅程中的上半程，末后的旅程都很平安容易，那时他想着成功的希望，便无论如何能坚持到底了。人的脑筋，都有一种能够打破习惯去应付别的事情的能力。英雄之中，这种能力，尤为显著。

五　气候与人生

当我们稍觉不舒适时，总喜欢说这是天气的关系罢？然则雨、太阳、酷热、严寒，究竟对于人生的性情工作有多少关系呢？

天气从广义上说就是气候，而气候和文化却有直接的关系，如依尔威斯·汉定顿（Ellsworth Huntington）在他几本书中都说过的。还有很明显的证明便是当叙利亚和埃及很兴旺的时候，当时的气候比现在衰微时代的气候，要有刺激性得多。北极的生活仅仅只能单独求生存；热带的生活只能懒散偷安而已。有些人从冬日严寒夏日酷热的地方，迁到温带像加利福尼亚省时，觉得他们似乎住在天堂里一样。

各人对于气候的感觉各有不同；有些人是气候与他们不发生多大关系，他们能在任何气候之中生活；有些人觉得大半的气候对于他们的舒适是仇敌。气候不仅是一种常研究的题目，也是一般人常拿着谈话的资料。马克·土温这样说："人人都爱谈天气；但是却没有人想努力改造天气。"

有些心理学家曾经为天气作过一些实验；丹克斯特（Dexter）教授的结果，虽是三十年以前所得，然而仍旧能应用于今日；因为从那时到现在，人类的性情和气候都没有变改过。他实验是用统计的方法，结果得知长期和平均的气候。用这种方法观察，时间既很长久，则甚至极细微的分别，都是有意义的。

丹克斯特教授还造有一个专门记载不幸事件的表，看它们是否随温度或气压而升降：如学校旷课，品行不端，打架，精神错乱，自杀，死亡，犯罪，银行书记的错误等。以上这些都是不受欢迎而想避免的事情。普通大概说起来，它们在酷热的天气比较盛行，酷热是容易使人行为颠倒的，而潮湿也是如此。这些不幸事件当然还有许多别的原因，不过天气却是增加事件的懊恼而助其决定事实的一个最后因素。

不好的天气消耗个人储藏的精力，因此而扰乱心理和情绪的平衡。莎士比亚的戏剧里这样说："天气很热，我们皮肤上都生了许多痱子；假如我们相遇时，大家难免不发生口角；因为这样酷热的天气，正是扰动我们发狂的热血的。"我们对于这种不好的天气，还是略有一点办法。我们可以在最热的天气停止我们吃力的工作和奋斗。我们可以寻出一些加重这种难过的原因。不通风和空气沉滞最妨碍心理的安适，因为它们减低了身体的安适。现在关于户内气候问题，我们可以有人工制造的空气。电扇可以使空气流通而减轻不舒适。以前我们依赖日光，现在我们用人工制造的太阳灯去照皮肤，而激起它的自然功用。此外如日光浴日光室都很盛行，由此可知身体健康与精神健康是如何密切的关系了。

虽则有外界的这一切影响，个人心理对于天气的关系也很大。心境是不可免的，但是我们不可过于顺从它。我们不应因外界下雨或室内暗淡，便愁眉含愠。多少我们应当克服气候，超而上之。因为为这种微小的不适便过度烦恼，是损害精神健康的。

一个脾气很重的人，是很难逃脱其钳掣的。而这些能够不受天气影响的人，对于那些受不住的人，也不可过于责备。酷热影响于人的感觉尤大；因为它确实是使人难受。自己当心一点是最好的方法，因为狂风暴雨是总难免的。所以我们不应当屈服于不测的气候，正如不屈服于难料的疾痛一样。

六　养成的愚笨

一个新闻记者如要说另一个记者的坏话，便说他是一个生而无知的天才，不然的话，他何以能在短促的时间内，吸收这许多的材料。这个笑话的意思，实际上并不是指真正的无知，因为无知是一种反面的意思，表示缺乏学识——不过这笑话可以实用于愚笨，因为愚笨并不一定缺乏学识。

如果我们想想，就晓得这种愚笨的例子是何等的多，而我们很少加以注意。愚笨在人类中已经是很普遍而最不值得的一种东西，而世上还有所谓“养成的愚笨”，这种比真正缺乏知识的人还不应当存在些。

在养成的愚笨之下，潜伏着一种心理的迟滞，简单一点说，便是太懒得运用思想了。在可能时，总是教别人替你想，“让乔治去做罢！”由此我们的独立性便渐渐的失去了。有许多人问问题，并不是因为急于想得知识，不过是想省自己一番力气。他们的需要，不去由自己工作出来，而依赖别人的施舍。假如他们长久沉溺于这种习惯，他们便成为心灵的寄生虫了。

这种习惯，在兜揽生意的人和女店员中，尤其特别的多。假如你问一点比较出乎普通的货物，甲便问乙，乙又推与丙，恐怕只有柜台后面的一个女人运用脑筋。

其余的人便也都用她的，因为她们觉得比用自己的要容易些。这种习惯便是走到养成的愚笨的路上去。

现在游历是很普通的，旅行家可以告诉你：当他们询问一个地方，在本地的居民，如五个之中能找到一个，不论年轻或年长的能告诉他，那便算幸运了。“养成的愚笨”也不仅是乡间有的东西。一个教师参观一个纽约繁盛区域的一个私立学校，询问招待员另外一个也在纽约城内的学堂，但是招待员却说他从来没有听见过这学校。其实这两个学校同在一条街上，一个是二十四号，一个是四十八号，两个设立的年代，都是很久了。

这恐怕一部分是天生的缺憾——平常不留心的缺憾。有些人从来不会随意留心的，他们所看见的，只是他们心里所要看的。这话似乎说得太过分，然而确实有这样的事。某大学有一个学生对他的同房说，街上有一栋房子从这边移到那边，挡在街上。他的同房却说他不晓得，其实他每天到学校里去时，经过这条街十几次之多。

养成的愚笨，种类很多，造成的原因也各有不同。缺乏好奇心，心理的惰性，依赖别人等等。恐怕最重要的便是：别人所希望于你的知识程度太低——这一切的原因便养成了狭窄的愚笨的心理习惯。

询问的习惯是很容易养成的，因为这是唯一的方法可以晓得许多事；不过应当自己研究的习惯尤为重要。要别人来告诉你你所想知道的，应当在你自己先研求之后。有一个笑话，说到一个大学生，希望有一天他能够睡在床上，把学问送到他床上来，过那种快乐的日子。多烈先生就问他："你想教授替你研究学问么？"而他却答不出来了。

一个人不应当因为惭愧自己的无知，而踌躇不敢问；却应当羞愧自己所能容易研求出来的。最低限度，你应当利用你自己的脑子。这话的意思便是你对于你所望于你自己的标准，一定要立得高。能够这样做，你便不会养成愚笨，而会培养智慧。

七　搜集的怪癖

喜欢搜集东西的人，在人类中另成为一类，可说是有点神经病的色彩。那些对于这种癖好太过分的人，或是耗钱太多的人，便失掉了理智的平衡。

这种怪癖最著名的例子，是十七世纪时荷兰国到处种植萝卜的癖好。凡是经济上办得到的，以及有许多勉强的，都种各种各类五花六色稀罕的萝卜，有各种奇怪的名子。据说有一个这种癖好达于极点的人，把他所有的田地和萝卜换了一个极稀罕的萝卜。另有一个工人把一只稀罕的萝卜误作洋葱吃了，因之他的主人损失了一百余元。后来这种膨涨的价格忽然低落，于是这种风气消灭，而萝卜在荷兰变为一种普通的工业了。

搜集的癖好，各年龄不同，各时代不同。最普通的是搜集邮票和钱币，因之这种癖好在各城市的行商名录中成为正式行商之一种。差不多人人对于搜集钱币都有兴趣，种类愈多，包括的地域愈大则愈好，不过这大半是流行的钱币。我们对于搜集的钱币大半不显出什么热情，而鄙视为一种卑鄙的好利之物。但是搜集邮票比钱币更盛行，因其种类更多，地域更易扩大，差不多无论何人都容易开始搜集起来。

搜集的嗜好，和其他的嗜好一样，是有其特殊益处的。搜集可以松弛办公的忙碌，虽则搜集变为一种正式商业的时候，也还是能保留那种热忱。所搜集的东西，除其本身固有的价值之外，还另有一种价值。搜集者可以得到一种惊喜的感觉，最初是找着了稀罕的东西，其次是为其所有，第三是胜过其他搜集者，第四是获得时需要巧妙的手段。

在搜集界中的贵族阶级，是那些搜集艺术作品的人。在社会上凡是所谓富翁，总必须搜集一些名画、帷帐、地毯等，就是历代那些价高、稀罕、有名的美术作品。凡此种种，都使人有一种热烈的惊喜，以发泄他在紧张办公时所不能发泄的情绪。

没有人为着休养身体而去办公，但是许多人是为着休养身体而搜集特殊的物品——为着精神上的休养以及搜集时所得的快乐。

搜集也是有教育意义的。许多小孩子从搜集邮票上所得的地理知识差不多从课本上一样多。博物院是一种重要的教育机关。搜集艺术和手工业的东西，可以使我们得知人类过去的历史。关于科学的搜集，展开了自然界的大观。这两种搜集，都可以扩大人的兴趣，增加他们的欣赏能力。

但是观赏一批东西和据有一批东西是不同的经验，正如听音乐和自己奏音乐之不同。音乐是由那些业余音乐家保存的。“业余”在法文中是“爱好者”的意思。搜集是由于你爱好而去做的事情，虽则同时也有一种占有欲和求知欲掺杂在内。

搜集完全是一种个人的事。某人所搜集的东西，或许别人认为是一堆废物，而且那些对此无兴趣或无搜集嗜好的人是一些浪费的废物，因为他们的心理构造中没有这种搜集欲。他们的嗜好或许是运动或赌博。

八　心理疾病和心理治疗

人人大概总听说有一两人是由心理方面治病的。信心可以移动山岳；但是信心也可以将小土堆变为高山，而在其余的人看为平地的。同样的人体，可以造成腐瘤，也可以疗治腐瘤。以下所说的，便是许多这种情形中之一种。

在三十六岁以前，钟斯是一个很康健的人，服务于一种有定时间的办公工作。三十六岁时，他有点消化不良的毛病，时常生病，做事浮躁。他也像有些病人一样，想自己来医治自己。他查了这种医书，看了各种医药广告，然后决定他是得了一种很稀见的血毒，而医生都未能定名的。他相信他一定是在什么时候吞进了一块有毒的血块。经过长期休养之后，并不见好。他放弃了他的工作，而以整个的时间来对付他身体的毛病。他从一个医院跑到另一个医院。有一个医院的医生，对于他所说的病状听得不耐烦了，用硫磺油膏贴在他身上，反把病状弄得更厉害了。

然后讲这个故事的爱丁堡的布利哲医生（Dr. Bridge）想出了一种医治的方法而有效了。他知道病人对于血凝的观念是不能打破的，于是他写了一篇文章，说他能医治血凝，于是那病人觉得满意。他叫他做一种户外的工作，有时给他打一点砒素注射，使他觉得是把他的病看得很严重的，并且叫他应许六个月之内，不看任何医书，和任何医生（布利哲医生也包括在内）。果然六个月之后，他便完全好了，血凝在他心理上也完全消除了。而且他说，假如没有布利哲医生的那篇文章，和他自己对于布利哲医生的许诺，他的病恐怕不会再好。

当然，钟斯本人是有一点病痛，不过因为他坚信血凝的原故，把毛病过分扩大，从小土堆变为山岳了。这种相信或信心造成了山，而对于布利哲医生的论文所发生的信心又将山移去了。他的病是由他看医书和自己催眠而来的；而布利哲医生也是选了同样的方法，把他从病中牵引出来。在从前，医生是不把药单给病人看的，不过他告诉病人，这种药如何围在颈上六个月，有能力可以把病治好。每一种病状，医生都是用原来致病的工具，而将病人治好；这种治法，对病人也非常满意。

如果我们得着这种印象，以为一切的生病和医治，都是如此清楚简单，都是同一类的，那便错了。大半的人以为如此的病痛和体弱，一定是身体上有什么严重的毛病，因而觉得非常惧怕。假如以前有过疾病或开过刀，便怕以前的疾病再复发或再溃坏的恐怖。大半的人是一种模糊的惧怕，而不是一种坚定的信仰。或是觉得某人错了便另找别人，或是一时无忧，而过些时更加恐怖。

铲除心理的恶魔本来是一件很慢的事。一个人对于自己的毛病过于注意，便容易过分的张大。医治的方法是要使病者能看清他自己究竟病到如何程度。如果有一种断然反面的信仰，把以前的习惯打破，这便是用心理医治的方法了。

这并不是什么奇迹；不过要一个聪明的医生才晓得如何施展这种伎俩。最好的方法，是要好好的引导神经，而不可突然克服那已错乱的神经。

九　礼拜五和十三号

有时在日历宣布某日期的时候，我们好像受罪一样的；而在这日期过了之后，又好像国家大选之后一样，我们大家都得救了。因此，无论那一天有何重大的新闻，“礼拜五和十三号”总是登在报纸的前面的。报馆编辑说，这是民众要如此，而民众却说报馆编辑故意提醒他们。说起来没有一个人是相信的，但是每个人都要这样做。这日期影响到旅行、建筑、医药、酢酬等等。礼拜五纽约不开船出口，还是不久以前的事。小说家德莱塞先生（Mr. Dreiser）说，他住在纽约某公寓是十四层楼上，但是他底下一层却是十二层。假如你请了十四个人晚餐而一个未到，十三人中便有一人不上桌吃，听说在巴黎请客时，总预备了后补者准备后补第十四人的空位。固然，泼尔门车中预备了第十三个铺位，但是有许多并非迷信的人，总以为让别人占这个座坐要合宜些。为什么美国人有这种偏见很难解说，并且美国的国家起始便是十三州，到现在国旗上仍旧飘扬着十三条蓝色。

一事的起源，与这种流行的信仰并无关系，正如理智与此种信仰毫无关系一样。现在大家都认定这种信仰是起源于耶稣基督与十二门徒最后晚餐（特别注意桌上是十三人）；至于礼拜五便是耶稣钉十字架的那天。但是对于吉日和吉利数目的迷信，则比基督教流传更早更广，三和七都认为很重要的数目，但也如十三一样是奇数，因为一般人似乎以为偶数是平常的数目。在念咒画符时必须做三次才能有效。后来有三位一体，含有坚洁的意思。在现在的泼尔门火车的吸烟室中，很亲密和气的客人不肯用一枝火柴燃三根纸烟，因为恐怕三人之中会有一人发生不幸的事。

如果你对于这种迷信，深加研究，就可以追踪于一个共同的根源。这根源便是一般人对于一件事很微小的地方，看得非常之重要，以为它可以影响将来的结果。这可说是一种趋吉避凶的仪式，至于其他如何可以看到某种吉凶的预兆，如何举行仪式的办法，都是根源如此而来。

何时最宜生育娶嫁，何时最宜出门旅行，何时最宜下种，何时最宜狩猎、战争、吃药、开刀等，这都是要解决的问题。这种种事都要受风雨、气候、野兽、瘟疫、仇敌等的危害。如果你不当心，这种种真正的危险，以及那些“鬼怪”，便要来加害你。

原始人当心的方法，便是在适当的时候，用适当的方法做一切适当的事情。至于如何才对，如何便错的标准，都是由他们一种偶然的幻想，只间常掺杂一点理智。第一次是如何做的，以后便成为一种固定的传统办法。每人都是如此做的，问题便算解决了。

大概最简单的适当方法，是依着时间的排布。这便是占阄的办法，正如现在小孩数韵脚的游戏，从前是认为一种神奇的法术。因此，由数字而推到种种事物的关系上，便形成了一种预言和算命的大规模学说。命运的好坏，离不了数字。譬如七爷的第七个儿子，可以有治病和预知将来的能力。一个上古埃及的人要开刀时，或是要取出一点血时，最要紧的便是要查明什么时候最合宜于开刀或取血，不像现代的人，只要去找一个最合宜的外科医生，而不管其他的一切。

“如果你在兰特结婚，你便不会开心”，“五月里娶嫁，儿孙长不大”。假如你相信这些禁忌，恐怕你永世不能结婚。我们今日之所以不相信这些迷信，其原因并非我们能证实它们是错的，而是因为我们已经逃出了这种思想的圈子。礼拜五和十三号便是前人遗留下来的一种古董。

一〇　何以向右转?

有多少人类的习惯是从天性而来，有多少是从风俗养成的呢？以全人类而论，差不多我们都爱用右手的，这也可说是一种幸福。譬如，设若许多人同在一桌吃饭时，一半的人用左手，一半的人用右手拿刀叉，便会显得很呆笨，难免不妨碍你左右同桌的人。现在许多一致的举动，都是风俗和训练的结果。但是有些天性生来爱用左手的人，还是变改不过来。有些人说人类原始即爱用右手，是因为心的位置倾左边的原故，是否便是这种原因，我们不敢确定。

虽然人类用右手的习惯在古时在现在，许多地方影响到我们做事的方法，以及许多古时的风俗，仍旧影响于现在的习惯，但是你向右转，并非因为你是一个爱用右手的人。矛或刀拿在右手里，盾牌拿在左手里，则身体的左边便成为被保护的一边了。当武士在马上和人比武或战争时，靠左边走是一种占优势的地位。这种习惯，当骑士变为马夫时，仍继续存在。一个用右手的骑者，总是从左边上马的。所以直到现在，英国和意大利的街上，骑马、赶车（以及现在的开汽车）的规则都是靠左边走。

行路的规则，看去似乎不对，然而实在是对；
在骑马或赶车时，
假如你靠左走，你便是对的，
假如你靠右走，你便是不对。
但是在走路时，又是另一种不同的习俗，

恰恰与前相反。

假如你靠右走，你便平安，聪明，不错；

假如你靠左走，你便是一个蠢货。

这是一种矛盾的习俗，一种是为走路的，一种是为骑马的，这两种规则破坏了一致行动的便利。现在交通的规则是一个很严重的问题，全世界一半的地方是用车轮行走的，所以一致行动的规则是必不可少。世界交通越进步，国际的一致行动便愈需要。如海上航行的规则，是一致靠右行走的。

但是如果你有管辖道路的特权，你便有自由订立规则的权利。美国有三条铁路是靠左走的，而其余的都是靠右走。这三条路如果要将它们改转过来，所费的太贵，因为铁路的交叉处、旗号、支路，都是安排好了为靠左走的，靠左走有种不方便的地方，便是我们天性是用右手的，因此我们也同样的爱用右脚，尤其爱用右眼。当两只眼睛同时用时，右边的景物总看得清楚些。假如我们的右手开了刀的话，我们便很当心是如何割的。

我们左边的一半脑筋管辖右边的身体，比右边的一半脑筋特别发达些，有多的才能些。所以使我们对于身体右边器官喜欢应用些。这些器官如果多加练习，便能运用自如，增加身体右边的敏捷动作。

从社会风俗上言，风俗的势力胜过于习惯；从个人便利上言，习惯的势力胜过于风俗。一个习惯用左手的人，在他个人行事、写字、绘画上，可以随自己的喜爱用左手；但是如果他要和别人握手，他便不能不照一般普通人的习惯用右手。因为左手和右手相握是不便利的。

一件衣服，那边应当钉钮子，那边应当做钮子洞，是由习俗和天性两者决定的。男人的衣服，钮子都是在右边，这对于用右手的人是比较方便些。但是女人的衣服恰恰相反，恐怕是故意使之不同的。雨衣的形式是差不多的，但因习俗的关系，钮子钉的总是相反。这完全是由习俗如此，而非与天性有关。

在另一方面，因为心在左边的原故，戏台上的情人对他心爱的女人宣誓时，总是用左手放在胸脯上；但是一个兵士向国家宣誓时，总是右手举刀。我们在法庭上立誓时也是用右手。为一致行动的便利起见，习俗造成许多人类生活上的规则。

从古以来，右手便能干些、正确些、受欢迎些。而左手却笨拙些、低能些，如普通所谓“行左手礼”。又如“Sinstor”一字，拉丁文是“左”的意思，便当“不幸”解。“信任”二字，也是受了右手的影响。

一一　为什么迷路时你总是打圆圈?

全世界各地的人都相信，当一个人在树林、旷野、沙漠、雪地、大雾、雪雹内，迷失道路时，便容易在此范围内打圆圈，或是打一些圈子走成一个螺旋形。兔子、狐狸、羚羊和其他动物，如果被人追赶时，据说也是如此走的。甚至爬虫类，无论它们走得怎样慢，也是行走螺旋式的路。难道体内有一种圈形或螺形的组织吗?

寻求答案唯一的方法，便是用实验。在康撒斯旷野的一带平原上，将距离很远处立一个目标，然后把受实验的人，以巾遮目，叫他们对着目标成直线走去，实验开始，有些走，有些跑，有些还开着一辆汽车。如果这种实验转到水上时，则有些游泳，有些划船。因此，这种实验各种动作，都顾到了。

这些受实验的人，大家都有一种印象，以为自己是成一条直线走的；他们一点不觉得他们的行路是歪曲或在打圆圈。然而实际上，他们行过的路线，大概都是螺旋形的。这些实验可以说，已经证实了上述的普通信仰。

这些圆圈或是曲线，是任便向右或向左转的——如像钟上面的指针移动，或是相反而行——甚至就是原来的人，在同样的实验中，也有时向这方走，有时向那方走的。然而，从这个实验，有一种很显明的趋向，便是他们总是偏重向左转的，或偏重于向右转的。

受实验时各人的路线不同。由实验可以看出各种不同的性格——是研究性情的另一方法。假如你是行走弛慢的人，你走过的路径便是长而比较规则的螺旋转，并且不走回头；假如你是一个性情浮躁不定的人，你走过的路线便非常不规则，起始很直，然后转一两个弯，常常走到原路上，不过有几条直线就是。

如果你去看一个很短，只有三百步距离的记录；你可以看到他们所走的圆圈或曲线，小者约直径六码，大者至四十码；水上游泳的结果，也与陆地步行的结果相仿佛。普通被试者所走的路线，多半是向第一次转弯后的方向走去，因此，所走的路线差不多与真正应走的路线成直角。

那些开汽车的，在旷野以一点钟一至八英里的速度，所经过的地段很小，不自觉而走的圆圈大约为直径的十三码至一百一十码。有一个善于开福特汽车的，他的车很紧接的倾向右走，成小圆圈，直到车子走到转弯的尽头时，他才觉得他一直是走的圆形。汽车所走的路线，仅比走行的路线，范围大一点。

上述种种要寻出一种解释，不是一件很容易的事。普通的解说，便是你之所以走圆圈，是因为你的右腿比左腿，或是左腿比右腿，稍为要长些或是有力些。但是如果你看到同是一人能向任何方面打圆圈时，这种解说便不能成立了。并且偏向右方或偏向左方的人，并不随从一定的形式。假如你走行或是游泳时；先向前，后退后，也不会变改你打圆圈的习惯的。

这种习惯也不是与你的肌肉有关，因为假如你把眼睛遮了，坐在一辆汽车内，去指挥车夫转这边或是转那边，感觉得似乎已经是离开了不正确的路线，其实你还是一样打转的。

因此，生理学家希福尔（Schaeffer），相信这种螺旋形的组织，是在人的神经系内。当你想要走一条直线时，你是依靠一种感觉而行的，但是实际上你并不依赖这种感觉；你却时时在依靠你所看见的以为记号，去矫正你的路线。当你被厚雪雹包围，或是在各处相似的森林中，或是你眼睛被遮的时候，那些你所认为可以矫正道路的小记号，便时时改变而使路线错乱了。于是你的感觉——头脑中的向导组织——便自由行动，导引不确的路线。

平常的时候，这种感觉我们是不会感觉的；然而当我们行动的时候，它便在工作。这便是说我们向导的知觉是很薄弱的，完全要依赖记号，并且还是容易迷失。假如没有指南针，哥伦布便不会发见美洲；假使林白没有一种特别的指南针，他不能飞渡大西洋。人类用自己的发明而帮助自己残缺的知觉，而这种发明也是他自己头脑的产物。

一二　你能同时做两件事么？

这个问题，要看你对于一件事及许多事，怎样计算的方法，事与事的关系，以及你对于“同时”所下的定义是如何而定。这是一个可资讨论的问题。即如我现在右手拿着笔写这篇文章，左手拿着雪茄，时时还要送到嘴里吸一两口；同时又要回答我的速记者问我的一个问题，一面却并未停止我自己的工作。我又能同时在一间房内，一面听留声机，一面做事。虽然我正式的工作是写稿子，可是我同时做了好几件不与著述相关的事。不过这些事情都是不需要我多少脑力去注意的。我的注意力是在这几件事情中间换动着。如果我完全专心于著述方面，我便会不知不觉的让雪茄慢慢的自己烧尽，烟灰堕落；假如此外另有许多打扰我工作的事情，我的工作便不能做得好。著述并非一件单纯的事，而是许多事件在同时进行；如思想我所要说的话，写成为字，运动钢笔，以及默想我所写的，都是同时进行。这都是一项工作的许多小事件，而我的注意力必须平均分配于各小事件上。

最主要的一点，便是看工作如何组织的，以及它所需要的机械如何。譬如一个钢琴家多半看乐谱，同时还注意到琴键。他右手弹一个音调，左手另弹一个音调，脚还踏脚板；然而一切动作的结果，只有一个歌曲。他还可以随弹随唱，如同做一件事。但是假如他右手能弹一种曲子，左手另弹一种曲子，那么，这就是一种难能的技能了。

一个人一面织绒线，一面说话，便是是在同时做两件不同组织的事。但是因为常常练习的结果，这两件事可以同时单独进行，毫无妨碍。我们也能同时走路谈话，但有时谈话受惊时，便停止走路了。所以几件不同的事，可以凑成一项工作。譬如开汽车，我们将各部工作组合时，便有许多事要做，虽则严格的说，不是同时做的，然统称之为开汽车。凡是熟练而易行的事，我们总很容易同时做两件事。

间或也有人具有一种稀有的才能，能在同时做两件完全不同而组织复杂的事，并且需要身体有连带关系的某数部分去表演出来，这确是一种难能的戏法。据说有一个年青女子具有这种才能，曾在台上表演过。她能一只手弹琴，一只手绘画。她能在二十秒钟内同时用两只手在一张像上完成各处不同的未成部分。她能每只手拿一枝粉笔，嘴里也含一枝粉笔，同时写三个不同的字，或甚至三种不同文字的字。在写字时，她左手从字的末了一个字母写起，因此两只手是相向而行的。她能用左手或右手或同时用两手写两个倒字。因为她所要写的字，心里有极清楚的印象，因此，她便能照她心中的印象写出来。又如“(她能)用(两手分开)写字”，在这九字中，凡是在( )以内的，她便用右手写，而其余的字，便用左手同时写。

像这个女子所做的，虽然是一种奇特的技能，然而也不过是一般人常做的，不过她更为复杂纯练罢了。只要是值得学的事，我们也总可以由训练而做得到的。有一个人发明了一架打字机，能同时打两个字，他想这一定很好，因为可以增加一倍速度；而且他自己打时，也很感觉便利；但是他却卖不出他的发明权。许多人情愿练习一字一打的简单动作，由纯熟而得迅速，却不愿学组织完全不同的困难动作。没有一个人会主张像这个青年女子的技能，我们大家都应当去养成。有些人能够用心在许多需要特别技能的事上，这确是很有趣的。实在说来，这些才能是由苦心得来的，而非像变戏法得来的。

第六篇　美的神秘

一　美和行为智慧

我不喜欢你，福而博士；

为什么原故，我却说不出；

不过我不喜欢你，福而博士。

我们何以对于有些人喜欢，有些人不喜欢，是一个很值得研究的问题，因为这是与人生有密切关系的。有些人是什么地方吸引你，使你和他们成为知心的朋友呢？

当然，第一是品貌。这是天生成的——你的身材，你的皮色，你的相貌，你的面部的形态等等。

第二是表情，表情可分为几种。第一种是对于你自身的修饰，如牙齿、指甲、头发、皮肤的整洁，身体的健康，这便是美容院谋利的根源。第二种很重要的表情是关于你的态度，如举止、行动、热力、灵活、微哂、大笑、蹙额、困恼、兴趣以及礼貌等等。这是关于你"为人"的表现，这种表现还包括你声音的粗细、高低。有些人在未说话之前，很能吸引人喜欢，有些人在有神气时，更能吸引人欢喜。第三种的表情，是关于装饰问题——你的整洁，你的颜色的嗜好，爱鲜艳的还是爱暗淡的，你自己想成为一个怎样装饰的人物，你愿意别人以为你是如何装饰的人物。一个人要装饰起来，是很费时间的。

最后是关于你的智慧，这是不容易造作出来的。智慧是从你言行中表示出来。这比礼貌还要更进一层，因为由这方面可以看出你的教育，你的兴趣的高低，你的情感和理智的人格。

至于上述各类吸引人的特点是怎样混合起来的，以及其对于交友上的价值如何，各人所见者不同。相貌美丽的人大概是聪明的呢？还是愚憨的呢？美有几多成分是由相貌构成的，有几多是由表情构成的？这一切在人类互相交往上，都有很大的关系——其关系如此之重大，以致有某学者提倡女学生的功课应当减少，而专去注意怎样对于人有一种吸引力。关于这个很复杂而无人考察的问题，曾经有过这样一次简单的测验：便是叫一班人举出他们所最喜欢的十个男朋友和女朋友来，然后把这些男女朋友最可爱的特点，依次排列出来。自然，这样复杂的事情，结果是不能十分准确的。

不过大概而论，人格的表情，最深刻而动人的，是以下数项：和颜悦色的态度，热情的性格，诚恳，举止大方，坚强的个性，行为一致，还有体貌的美丽，也是其中之一。很难吸引人的，是仅有面部和体格之美；尤其是专靠装饰，而无其他丝毫美点的最难引动人。在这两极端之中，高下不等的，是近于理智方面的特性，如脑力、聪明、精力、好脾气、声音、文雅等。

使人对于这种测验难于确定而易混淆的，便是两性的吸引。女子给予男子的吸引力很大，但她们对于同性的女子也是很大的。除了女子之外，男子找不着其他同性的男子，是能真正吸引他的。但是大多数能使男人崇拜的女人，也同时能吸引别的女子。能动人的女子，大概也晓得特别注重装饰和举止态度，因而能使自己更为动人；恐怕是把她们固有的特长更加发扬，如体格强健的，即发展为运动家。如圣经上所谓：“凡有的，还要给他。”

依照上面所说的，恐怕有些人查看自己的特点，或是觉得高兴，或是觉得失望。在上面那个社交的测验表上，脑力不是占很重要的地位。智慧若不加以外表的粉饰，则不过好像是女仆一样。不过仅有美貌和装饰，则发生的效力也很小。最重要的要算是表情，特别是那种能表扬内心的优美和特点的个人表情。

二　美的代价

无数的女人，无数的男人，以及无数的金钱，都是为着个人的美上用功夫。这种兴趣，普世莫不如此；凡关心人类的，对于这种普遍的一种兴趣，必想加以研究。美的心理学，不专是皮面上的。

如果世上除了美的风景和图画之外，再无可欣赏崇拜之物，便未免太枯燥了。因爱情或非爱情的原故，诗人之歌颂女性美，从古到现在，没有间断过。现在这个题目，又移到科学家身上了。哈卜金大学的顿来朴教授（Prof. Dunlap，of Johns Hopkins Univerity）说，美的崇拜促进了种族的进化，因为人类对于最娇美的妇女和最健壮的男子有一种天然崇拜，鼓励了一般为父母者，知道给予他们的子女，一种发达心身的最好的机会。

在习惯上，我们以为美是属于女性的。以月亮而论，“她”的光亮完全是由男性的阳光所反射而发的；但是在人类的美的炫耀中，恰与此相反。人类天然可分为崇拜者和被崇拜者两种，不过有时也互相调换位置。美的凑成，是由于天生的许多特点，以及艺术补助自然的许多缺欠。美的标准是随着人类的理想而变迁的。

要造成完全的美丽，虽然颇不容易，但是要破坏美丽，却不甚难。破坏无须乎什么大的残废，只要稍有缺憾，便可以破坏全体的调和。人类因为妒嫉心理，对于美丽的标准，定得非常苛刻，所以许多好看的女人中，只有少数是真正美丽的。美的标准，是包含着高低、身材、相貌、声调、安闲的态度、礼貌、表情、面部的动作及其他等等混合而成的。

有些部分比其他部分，更重要些，尤其是明显的部分，关系动作和表情的，如嘴唇、口、眼睛。人类对于这三部分美的标准，看法各有不同。每一种族有他们自己的标准美，而且标准美在性别上，也各有不同。如果男人任何部分，带有女性的态度，便不合标准的男性美了，女人面上如果有一根黑毛，也是一个缺点。

在人类身体最发达有生气的时候，便是代表人类最美的时期。每一时期，都各有其特殊的美，儿童时代的美与少年时代的当然不同；老年时代的美，是回忆壮年的最盛时代；而且除了少数幸福者外，老年人额上的皱纹，总是带着一种忧愁的色彩的。譬如“和你的女儿一样保持着青年”是一句很好听的话，但是只能说得好听，而在实际的人生中难于办到的。

美的各种成分，大家都承认是活力与健康的表现。譬如头发便是很重要的，足以表现一个人的活力和特殊的人格。丰美的头发，似乎是艺术家所不可少的；秃头秃脑，只是那些自傲的人，一种免强的自慰。不过我们还不晓得一般所谓上流社会者，是否重视秀丽的头发，更胜于灵敏的头脑。

臃肿肥胖在美丽上是很难占地位的。一个人无论怎样生得好看，如果年已四十，而身体肥胖，便应自量不与人争美了。唯有身材绰约的人，才可入选于时髦的画报上；因此使壮实者单瘦是一种很受人欢迎的艺术。但是我们只要看昔日流行的时髦，借着此种名义所作的恶，实不知多少。

美的崇拜，使世界到处发狂，从百老汇之群芳，以至于各城市之每年选举之美利坚小姐。妇女多的地方，便是美容院林立的地方。促进美容所花的钱，差不多和促进农业所花的钱一样多。

但是美的心理最重要的地方，便是因美而产生的责任问题。男人因为无须将时间消耗于无希望的美的寻求上，所以能多将精力从事于事业；如果他们不为别人的美丽所吸引，恐怕他们的事业，更要伟大。一个已著名的美人，必须设法保持其名誉；一个专门讲究美的人，使人不知她究竟是否能促进此种艺术，还是反而使之更现得做作。

从儿童时代起，美丽似乎是一种太好的东西。如果只要相貌便能吸引别人，我们又何必去修养什么文雅的举动，和其他心灵之美呢？美丽的儿童容易放娇，不费力而人人都爱他，便会改变他的脑子。

我们既然晓得上述种种情形，所以我们对于许多其他的优点，要重视些。而且我们常常疑惑美丽的面貌是否也有伟大的心灵和脑子。对于这问题，我们可说真正的美，是包括上述的美德，还加上一种可爱的态度，专是面貌好看，并非真美，因其缺乏特别的生气，这是高雅的人所重视的。真正的美是内心的美。

那些缺乏天生体貌的美的人，多半想发展别的美德。因此便有些因而获得成功，以弥补天生体貌的缺憾。所以美的心理学，是一直伸张到内心的。

三　表现个性的服装

人类对于衣服上所耗费的金钱和时间如此之多，而对于衣服的心理却很少人研究，这实在是可令人惊异的。

男人的衣服，是否能代表男人的心理，我们不得而知；但是女人的衣服，确实是能代表女人的心理的。女人对于衣服的感觉，要比男人敏锐得多。在美国第一首最盛行的诗便是《麦福里门雪的故事》和《无衣可穿》（*Nothing to Wear*）。在纽约有一种《妇女时装》（*Women's Wear*）每日出刊。各报上关于时装的文章均多于政治的文章，甚至可与体育新闻并驾齐驱。关于妇女的刊物，比关于男人的刊物要销行得多，而这些刊物最重要的特点，是研究妇女的时装。虽然如此，而我们时常仍可听到这种“无衣可穿！”的呼声。在“女子的投票权”呼声最高时，有人提议一种对峙的标语，便是：“男子的挂衣钩。”

关于服装心理学的时髦方面，比其他方面都要重要。对妇女谈话或是谈论妇女的时候，如果把衣服和她们分开，便好像离婚一样。从衣服本身上说，衣服是一种累赘之物，男孩子们便觉得是如此的。无论是何种形式或形状的衣服，他们都是不愿意穿的。而女孩子因为有爱好虚荣的心理，可以克服这种天然的反抗，甘受衣服的缚束。近代妇女减少衣服的运动，是否专为想表显天然的曲线美，抑是为可以行动自如的原故而减少衣服的长度和重量；这个问题如果高兴去研究，一定是很有趣的。时装的呼声是要加多许多花样，然而实际上所穿的，每次总是减少了。因此之故，可见与男孩子同一好恶的，实在并非少数。

服装的心理，最重要的是要使身体感觉舒服、轻软、光亮、舒适。松大的寝衣以及合身的旧衣，都是因为衣服的本质和感觉的舒服而使人爱好。做松爽轻便的衣服，还是一种盛行的艺术。但是时髦的装束还是居首要的地位。现今男子的硬领和高硬的礼帽，还不及四十年前女子的束腰和长裙那样难受。女子的衣服改良，也可算妇女解放的一部分。

穿衣服最重要的动机，是要合乎时髦。其次便是炫耀，因为衣服可以表现一个人在银行里的存款或是店里的存账。再次便是嗜好、雅致、精美、个性的表现等。这样，你的衣服所注重的是你，所表现的是你；衣服表现你个人认为美的思想，而同时又受时尚的约束。时髦大半是合乎那些单瘦的人，所以时髦的胖子总难得立足，天生的身段是不能忽略的。甚至你的衣服也要看你的人如何，看你的装束如何，你的衣服便可以表现或是埋没你的个性。你天生的缺欠，便可由你的装束而表现你的思想。

绸的、缎的、辉耀的、精细的、丰满的、毛的，以及最难得的你个人那种特质，使你穿上衣服不像一个样品式的模特儿，而是一个主动者，是能表现你个人的——凡此种种，都足以增加你个人的重心和引人的地方。这似乎都是表面上的事，但服装确实是深入于人性和社会的竞争。

在各种时期以及各种季候，你又有各方面的表现。有正式的，有非正式的，有庄严的，有最时髦的，在你穿衣服时，你都要考虑。你有这许多地方要考虑，所以你的衣柜越增加的时候，你随时也感觉得衣服的不够。

以怕羞为衣服的标准，已经是过去的事了。在汽车尚未代替骑马之先，跨着骑马便早已代替了横着骑马了。由骑马而产生的短裤，现在都盛行于一切户外活动了。面幕取消了，而短发盛行。服装可以表现你那阶级社会的思想。

论到用衣服来保护身体，可以留到最后讨论，因为一般人认为最不重要。冬天的喉咙可以露着，夏天可以披上皮领。手是准备着戴手套好看的，而现代的鞋子是不顾什么天足的。比较好一点的是雨衣和绒线衫，但是即或上古时代的服装，大半也还是为修饰，而不是为保护身体。衣服是为表现的，而不是为保护或遮盖的。

四　嘴红心理学

如果现代有一个像温克尔（Rip Van Winkle）的人，睡了五年梦醒之后，回到纽约城的百老汇，一定会感觉得惊异，以为现在的人得了一种流行病，并且只影响于女人——年青的妇女和不甚年青的——这种病便是嘴唇患猩红热。以前只限于戏台上的面部化装，现在却很傲然的跑到街上来了——以致全世界都变成了戏台。这是什么原故呢？

时髦不是一定要合乎道理的，因此一时风尚的时髦，我们很容易造出一些理由来解释。但是即或在这极摩登化的世界上，种种时髦并非完全是由巴黎创造出来的，而是由一般人类天性的心理所造成，永远准备着去改进自然的本色。红嘴唇便是代表新鲜的热血，丰富的活力，黄金的青年时代，以及其他等等。天生我们便是红嘴唇；艺术便使之更加红些。

其实说起来，这种把戏并不是新有的，在上古时代的人民，红嘴唇就看得很重要了。印第安人在打仗时，身上涂着彩色，使敌人看了害怕；好装饰的女人，也是想加上颜色，帮助她得到胜利，使那些想秀丽女子的男人，想得更厉害些。因为天生和人为的眼光，都以为愈相反则愈美，因此皮肤愈白，便愈可衬出红色的嘴唇（或是衬出脸上的黑斑），而愈红的嘴唇，则亦愈可衬出脸上那种敷了粉的白色。

嘴唇心理学在婴儿时代就有了。几个月的婴儿，嘴的心理学便主持一切。因为嘴既是接收营养物的站口；也是送发情感的站口，微笑、含愠、撅嘴、肚子里的痛苦，都要由嘴的动作来表现。这种动作，虽不是特别的苦心做作，然也和好来坞的明星一样能够表情的。声调的表情也是同一来源——如格格发声，喃喃自语，呵呵发笑，与放声大哭等。

但是嘴唇之所以为重要的表情工具，主要的还是因其为触觉的器官。触觉是最亲密的。我们以握手表示友谊。抚爱是人类的天性。每当我们为人所抚触的时候，我们的感情便激动了。

接吻是起于婴儿时代，后来渐渐应用到别的行为上，而变成了一种例行的风俗。不过这种接触当然是一种切爱的表现——普通多半是指浪漫的爱和男女的爱。然而当法国兵士接受勋章时，由长官在受勋章的兵士两颊上各接一吻，作为一种严重的典礼。

当我们说话时，我们便移动我们的嘴唇，这种移动可以吸引对方的注意。因为这种移动非常之准确，因此有些聋子能够由看我们嘴唇的移动，而懂得我们所说的是什么。谈话便是发挥自己的意见。有些女子本来是好看的，但是待她们说话时，便现出丑相了。有些女子是等到她们说话时，才好看些。

想恢复嘴唇的这种特殊心理，于是而有嘴红、粉扑、镜盒等，为自然与人工中，妇女不可少的时髦品。对于这种心理的解释，各思想家各有不同。这或许是妇女解放声中的一种普通潮流（当然也是一种永远的潮流），一种女性美要求自由坦白的表现，正如风行的短发、短裙，及容貌、谈话之自由等一样；是要减少妇女的藏匿，而多有开放。

这种流行是无讳言的。这种嘴红，决没有人认为是天生的颜色——时髦的女郎，早已把自然的产儿遗弃得很远了。她们最初以为是补救年龄推进的衰老，使中年与青年之中的竞争稍许公平些。那些野鸡之流的女人，对于这种解释，比较那些年龄较长者，更认为确实是不错。因此，一般女子想恢复学生时代那种红颜的热狂，日益增长，而美容院之开设，比高尔夫球场还要热闹些。

恐怕现代灯光的发达，对于此种潮流也有关系。从前舞台上脚前的灯光，现在更找了一个对手，便是头上的灯光，以及百老汇和他处那些照耀辉煌的灯光。电光迫着脸部，使人异常难堪，所以不得不设法请艺术来解救。不过主要的原因还是因为时髦的原故；少数的人领导，多数人则不费思索，而情愿追随，只要这种领导能称她们的心意。现代对于美的观念，非常重视，则美容术也只有一天发达一天。不过这种人工补助自然的艺术，所采取的途径和方法，其表现人类的心理，比较表现人类的颜面，还要明显些。时髦既是时时变换的，谁敢担保嘴红是永远盛行呢？

五　颜装的巧妙

最近我看见各处搜集的一些镶着珠玉的颜装盒子（Patch-boxes）。恐怕你还不懂什么叫做颜装。百科全书在“颜装”下面的解释是：“小块的黑绸或膏粉，在十七世纪与十八世纪之初年，妇女用以贴面者，间常男子亦用之，其所以用为装饰品之原故，一则可以遮掩面肤之粗燥，二则可以衬出一种特殊美丽，如酒涡之类。但是这种装饰引起了文学界的批评，教会的申斥，和国会徒劳无益的举动。”

发明这种颜装的人（大概是一位女人，否则便是偶然产生的），可说是发明了一种聪明的心理学。贴面不但遮掩了面部的缺憾，更且衬出了他部分的美丽，可谓乖巧之极了。如果有一点斑痣或伤痕，黑膏便为之遮饰了，其用途也明显了。这样，同时也能引人注意她下颚和面颊的娇美。黑的部分可以衬出涂了粉的白脸，这种装饰在带假白发时用，更是合宜的。

从美容术上看，这种原则至今还是如此的。譬如增加嘴唇妩媚的嘴红，一方面本是为弥补自然所忽略的地方，然而嘴唇也本来是值得使人注意的地方。我们至少可以说，这是一种很巧黠的技术。如果这种方法能应用到别的事业上，恐怕可以发明一种新的外交技术。

从原理上讲，这实在是一种消极的吹嘘的方法，因为你把本来不美的地方，假装着很美。这种吹嘘，或许是财富，或许是势力，或许是功名，或许是一种自以为高超的气概。这种虚张声势，愈是不配合，则识破之后，愈是难堪。《第十二夜》（*Twelfth Night*）中的管家马尔佛利（Malvolio）便是这样的人，他自以为是升为高官了。世上像马尔佛利这样的人，真不知多少。论到智慧方面，则带着便帽，摇着铃子，穿着彩衣的小丑，满口说些关于智慧的话，可说是近乎颜装主义的人了。

假如我们将技术少许变换一点，在普通事上我们也可看出同样的欺骗。最近我到某公司，有一位从远地游历回来的人，许多人询问他，我也在场。这个人所说出来的很少，他对于许多询问的回答，总是“的确，我不晓得”。他并不是虚伪的自谦——他确是不晓得，然而这也是好像颜装一样的用处，以衬出他对于这个很少人游历过的国家的一切事物，实在是晓得不少。一个著了许多好书的小说家（虽则不一定是销行很广的小说），总是很高兴的告诉人，说他第一本小说是完全失败的。他总是把这部小说提出来，当作一种颜装。

假如我们把这种原则，再推论得更广一点，便是像佛洛特（Freud）这一派的信徒了。他们以为人类许多的努力，包括作伪和其他欺假等，都是想得到他人的注意和称赞，使自己增加自尊和自炫的心。甚至儿童也受了这种精神的影响，用一种婴儿的口吻或依赖的行为，去再恢复如婴儿时代所受的一切宠爱。老年人的那种喋喋不休，也是同样的虚伪。其他的人是诉苦以得人的怜悯，或是夸耀自己的坚强，以得人的称赞，而老年人则是介乎这两者之中。

这种原则最后的推论，便是一般的虚伪或做作。一方面是那些虚伪者，矜夸者，自大者，主见甚深者，以自己的个性去引动别人；另一方面便是那些过于做作的谦虚，表扬自己的缺点，过分的自卑。

在这种过于自炫和过于自卑两者之中，我们对于自己应当可以找着一种公允适当的衡量。这种衡量，可以很容易的得着，无须乎十分费力。我们对于别人的批评，不必完全漠然置之，而当作一种理智的态度接受之，并任其稍许影响我们的行为，这便是一种合乎正当心理的办法。我们无须乎穿高跟鞋子，或是戴高帽子，或是用其他的方法以增加我们心智上的身份。我们也不可滥用颜装粉膏；对于自己的本来面目应当安分守己，至于别人怎样，我们不必过于顾虑。

第七篇　游戏的心理

一　游戏中之冒险性

游戏的原因不一。第一是喜欢冒险，希望侥幸的心。呆板有规定的生活是使人枯燥的。假如你只要将钩子上好食饵，把线垂到水里，于是便钓上鱼来，这样的钓法，从鱼上面说，当然是一种丰富的收获，然而未免是一种太无趣的游戏了。钓鱼一部分的快乐，是在钓鱼的人猜不定他的幸运。

游戏在人类的天性中，是最久最深刻的一种。原始的人便是游猎者。他们的生活时刻是要经过危险、紧张和胜利的。

这样的生活是表示出人类一种有永久性的行为。游猎为生是能使人兴奋的；种田为生，虽然可以得到固定的粮食，却是枯燥的工作。原始爱兴奋的天性，现在仍旧存在。你可以在各种职业中，如律师、教授、银行家、经理、工人等——找出这类爱游戏的人。

赌博是由希望侥幸和碰运气的心驱使而为的。人类从原始到文明的，从贫困到富有的，都爱赌博。骰子、骨牌、彩票，以及各种费猜想的游戏，都是为了满足赌博的天性的。一八四九年往加州采金矿的，白天整天淘金，晚间却以日间淘的金沙，整晚的玩扑克。冒险的行为吻合人性中游戏的本能。因此，如买股票及其他各种投机事业，虽则是人类谋生之道，然而却都是赌博行为。

游戏比较是一种男性的需要。恐怕有些女子以献媚和与男子周旋为一种户内游戏。因为周旋便是追求，而追求是游戏的第二特性。商人在办公室内整日的追求钱财，使他感觉刻板枯燥时，他便变改方向去追逐高尔夫球了。无论是商业或高尔夫球，都是有竞争，这便是游戏的第三种特性——人类好战的天性。商业方面，你和同行的人竞争；打高尔夫球，你也有友谊的仇敌。在高尔夫球上，你的胜利是分数，在商业上，你的胜利是银行的进款增加。如果你能打破纪录，你就会感觉得一种空前的惊喜，因为你立刻打倒了一切和你竞争者，而成了一位无敌的英雄。

竞争便是挑战。最高的山尖没有爬到，极北的一端没有走尽之前，游戏的天性是不会终止的。大西洋对于驾驶飞机者是挑战的工具，林白成功的时候，全世界的人都充满了游戏的兴奋，差不多要发狂了。

开辩论会的时候，比来听一个人演讲的听众要多十倍，但是还不及来看比赛拳斗的群众之多，因为拳斗是一种直接的原始本能，能引动一般普通群众的。

游戏还有一种附带的产物便是打赌，这是一种引诱局外人牵入的方法。这是请人代替自己游戏，是以热忱来打赌。当棒球足球迷以热忱或金钱打赌时，感觉得自己也好像是球员一样。许多人对于无论什么游戏，高尔夫球或纸牌，如果没有输赢的打赌，便不会玩得起劲。

迷信也是游戏的一种附带产物。那些爱过冒险生活的人，多少都相信某种记号的迷信，欢迎好运降临，而躲避坏运。玩纸牌的把他的椅子打一个转身，便是将好运转回来。水手的迷信尤其多。他们画着图的手臂，或许是作为认人的记号；但实际多半是为幸运和情感的原故。礼拜五不开船出口，还是最近才取消的事；这种习俗是水手所要求的，抑是航客所要求的，诸位可以随意自己去猜想。

商人之所以不愿办公而跑去游戏，是因为游戏能给予他一种本能的深切的满足，因此回到办公室之后，他还不断的谈论他刚才所玩的游戏。最好的游戏是要能胜利时不致过于得意，失败时也不致过于颓丧。

公平的游戏也可作为做人的一种规律，甚至连无知的鱼也能领略；真正会游戏的去钓鱼的时候，是要钓那种能反抗的鱼，而他牵引的时候也不十分用力。

二 捧角迷

“捧角迷”（Fan）是新闻记者的一种俗语——为fanatic的缩写。字典上的解释便是“过分的热心”——简单的说便是他所作的太过分了。

在从前有一种很危险的过分热心，大半是关于宗教和政治的。他们绝对相信自己是对的；如果可以办到的话，对于与他们意见相反的人，对待非常残酷。现在所说的“捧角迷”，是一种无害的热心，对于足球、高尔夫球、电影，以及其他等等崇拜发狂的。这种发狂是如何而起的呢？

那便是因为：虽然我们喜欢我们的工作，但我们必须做固定的工作和一些零工，才能维持生活；不过这种刻板的生活，使我们感觉枯燥烦闷，因此我们必须找一种事能够兴奋我们精神的，能够使我们生活愉快，能够使我们觉得高兴，谈得起劲的资料。这类事或许是游戏，或许是特别嗜好。如果不是使人痛快，便是使人震惊。“娱乐公园”建筑了一种旋回升降椅，你坐在上面，可以尝受震惊的滋味，而不会发生危险；不过这种震惊不能延长很久的。一种真正想发热狂的人，必须有一种持久能力的震惊。

收藏癖可说是一种静的热狂，以收藏稀少的邮票、古钱、古物等为狂乐。嗜好不同的人，便对于别的东西热心，而以为他们收藏的都是废物。有运动热狂的人，可说是有正确的对象。他的嗜好可说是有生气的，活泼的。生活便是追求。一个商人对于银钱追求得厌烦时，便去追求高尔夫球，或是巴柏罗丝打棒球得胜时，他便粗声的狂叫。生活也是奋斗。同一件事情，还有别的人也在想干，这也叫做竞争。凡是表演斗争的事，总会吸引许多人来看，如以理论相斗而开辩论，或以拳相斗而举行决斗。这两种都是出力来争斗的。战争的愉快和失败的危险，都可以使精神感受一种震惊。旁观者是间接加入者，他的热狂是忠心于一边。有时他是隔着两层而参加的，他看见报馆门口黑板上他这边的白粉点渐渐高上去，他便会如痴如狂的欢呼起来。

打赌是最容易使人对于游戏忠心发狂的，因为你有一种胜负的关系；这样才使你感觉一种切身的震惊。赌博和游戏可说是双生的兄弟，一个的赌博性质比游戏性质大，一个的游戏性质比赌博性质大。但是一个冷静的记录者，不是像一个真正热心者那样有趣。做一件事情，如果没有热忱，等于未做。一位波斯王子跑到当倍（Derby）——英国最大的赛马场——去看赛马，有人问他喜欢不喜欢，他的回答是，他说一晌便晓得总有一个马比别的马跑得快些。假如你用这样的心情去看赛马，你永远也看不出兴趣来。

在群众游戏中是一个热狂者有一种好处：他是群众

中之一员。他们彼此使每一个人都感觉一种热忱。热狂是需要群众的，如同类的鸟都爱集在一处一般。输赢越大，不论是棋子或是金钱，则群众的兴趣也越高。获得锦标的便是热狂者的英雄；我们大家都是有崇拜英雄的心理的。有时热狂者花费了不少金钱，除了震惊之外，并无实际所得，然而他们还是觉得值得。

我们不是一架肉体机器；假如我们是的话，唯一能使我们开足马力的，只有热忱。能够有特别嗜好和震惊快乐的习惯，是很好的事，因为这种习惯，可以使情绪像筋肉一样，保持良好工作的状态。一个热狂者去看游戏，是去开足马力。有时当他已经回到原有工作时，他的热忱尚未完全消除的。

三　孤独与好群

现代的世界是一个集会、聚餐、讲社交的世界。人类也和鸟类是一样，同一羽毛便聚在一处。城市的人，如果失了群，便感觉彷徨孤寂。至于个人的结党为群，专集合自己情投意合的人，则又深进一层了。人类为娱乐而组织的热忱比为事业而组织的热忱尤大。虽然许多我们的工作必须单独研究，才能做得好；然而娱乐时，必须团体参加，才能兴高采烈。

这种人类好群的天性，便造成了扶轮会、歧瓦尼俱乐部、商人俱乐部、广告俱乐部、神龛会、助手会、狮子会、麋鹿会、水牛会及其他种种人类动物园的组织等等。他们养成了一种团结相投的精神，编成了百万的好群的精兵。

无论一个好群者在办公时是一种什么态度，然而在集会时，他是最亲热的。买或卖，制造或运输，领导或服从，我们都是由供给和需要的关系而限制。商业便是工业和竞争两样东西。因为是如此，我们都是在一种压迫之下，努力寻求最有效的人和货。我们时常总是说“办公是办公”，或是“一个人之所以加入商业，并非为健康的原故”。从某方面看，人类如此想法，未免太可怜了。假如多数的人，在工作上能够寻求出快乐和健康，那就好多了。大规模的公司，不但是为人类谋工作，也为人类谋幸福。下面的职工，在娱乐和互助上都有联络。在商业上愈能使职工彼此融洽，则对于主人和职工都愈好。

人类的好群性总是要求表现的。假如我们能够在一处吃，一同唱，大家都有同样的热忱和同情心，我们大家也会同路的工作得好些。我们有些工作合作便可做，分开便不能做。团体是有一种结合的力量。好群唤起了一种为公的精神。他们使他们的公共利益，既有益于个人，也有益于团体。他们共同经营他们的利益。

好群的人也是平等的。无论什么人，他们都给与他一个位置。他们都是大街上都有的人。他们中间有好多是很聪明的，也有好些不是的。我们美国一个最聪明的民主党员便是罗威尔（James Russell Lowell），他在美国文学界和政治界上很有功绩。他说民主政治的实验是要看接受何种领袖。好群者便是为一班最好的领袖开路的。一个好群者的民众思想，是表现他的社会本能。

假如你盼望一个人永远是聪明的，从人类天性上说，你便不是聪明。和一群好人在一块的一种好处，便是你能够稍许愚蠢一点，但不太显明。好群的人是想得到一个不受缚束的地方，脱离商业的锢禁，而可以感受到人道的影响的。如果需要活动的时候，他是有一种准备的，他准备着尽他一份责任，因为他不但是为谋公众幸福的一位负责者，并且也为自己党的利益而尽忠。因为他是一个较好的公民。也可以做个较好的商人。一个好群的人是要想发展的。

四　网球与个人的性情

不论你所研究的是人类的天性那一部分，你都可以得到同类的行为；这种行为或许是训语，或许是游戏——但是实行的人总会把他的个性表现在行为里。以下一段是引自报上运动栏的：

> 在网球场这边进攻的是冷静的威尔小姐和庄严的哥斯小姐。在场那边防守的是轻浮的美娜夫人和好胜的贾可波小姐。威尔和哥斯那边当然是失错的地方很少，但是她们的敌手却时常要放花炮。威尔小姐的重击和哥斯小姐的救球，博得许多掌声，但是美娜夫人和贾可波小姐的精神和勇敢，也使观者敬佩不置。

我们都觉得用一个拍子打球过网，还要使之落在白线界内，是技能的关系；这话当然不错。但是技能，也像商业、诗歌、音乐、扑克、政治、财政、律师、教授以及其他等等，需要全身精力经营的复杂事业，却是一种性情的关系。性情是一种不定的东西，但是永久存在的气质，能决定你所经营的出品的优劣。

网球的种类很多，有所谓冷静的网球，打球的人态度安闲，发球稳重，以打球视为战术。有所谓轻浮的网球，爱施用重击难救的球法。有所谓庄重的网球，球多正确规矩。有所谓灵活的网球，球多使用奇计，神出鬼没，但自己失错的地方很多。也还有观众的性情，譬如只爱看像放花炮和惊人炫目的球术。

你可以听四个牧师讲道，而分析出他们的性情来；也可以观察四个实业家办事的方法和系统，而分析他们的性情。性情是人人都有的。在人类的职业上，各人表现的各不同，假如你将性情应用于恋爱、友谊、家庭生活上，也是一样表现出来的。

性情可说是你工作或游戏时，一个调和心与智，或思想与感情的一个名词。性情不但是个性的表现，也是社会的反应；这四位赛球的，对于观众的欢呼拍手，各人的反应都不相同。

性情是包括在个性之内。每一个人以及在蚝以上的动物都有性情。我们所谓性情重的人，便是他的性情比较浓厚，容易显在面上一点。

实验这些赛球的人和其他对于别种事情有技能的人的性情，最好的方法，便是看他们胜或负后的态度是如何。

心理学家也不能说明性情的基础究竟是什么。但是他以性情为人类原始的气质，以品格为性情受了训练的结果。儿童的性情强，尤易显露，而品格弱。品格便是约束之下的性情。

性情与情感是有密切关系的，如你待人接物的态度是如何；性情也是对于工作的一种情绪上的催促力，无论脑力工作或肌肉工作。性情能使你对于你所决定想做的工作，产生一种热忱去做。你对于一件事，必须能相当的兴奋，尽力而为，但亦不可过于兴奋。因此网球不但是一种技能的竞赛，亦为性情的比赛。

网球与其他竞技不同的地方，便是有一定的规律算分数。但是我们不能把平常一切竞争的工作分胜负，分为一盘或一局，通盘胜或最后两盘胜，全胜或险胜。并且评判的方法很多，又无一定的规则。有时你以为胜利了，然而公众却不承认，反扣留了你的报酬和奖品；有时你虽然博得一片掌声，而你自己却不满意你的技术。有些人可以固定的工作，有些人是时好时歹的。性情便是你心理的关键。

五　休养

凡是有人感觉一种心境不安适的痛苦，他便应当受一种忠告：“找一个休息的机会！”

休养不是从药房买来的药品，也不是可以由字典中寻得出的。但却是一个极好的丹方；你应当去利用，因为它可以使你重新变为一个新鲜活泼的人。

病状一——“我说不出我自己是什么毛病，但是我总觉得我好像是世上一个行尸走肉的一个机械人。每日走到办公室去，收发信件，做些每日刻板的工作，工作完毕，跑回家里，读一本无趣的书，上床睡觉。间或我也感觉一点兴趣，但总不能长久。你有什么可以解救这种心情的方法么？”

答复：得到一个适当的休养！

病状二——“我觉得人生无兴趣，每一件事对于我都觉得陈腐、平淡、无意义。我自从欧战后回来，便更感觉得消极，虽则我的银行存款是增加了。增加进款我觉得无味，正如其他许多事一样。做事情使我感觉非常疲倦。每日事情做完后觉得到床上睡觉是我最快乐的事。我已不是像以前那样年青了，不过你有什么方法可以使人生有价值些么？或者是因为我内部的肝或液腺有什么毛病。但是我自己总觉得这是我外部的毛病。”

答复：得到一个适当的休养！

病状三——“在广告上常常看见这样一句话：‘和你的女儿一样年青。’但是这如何可以办到呢？因为和女儿在一处玩总是容易感觉精疲力竭，而且也不能得到丝毫快乐的。有何方法可以使自己对于事物专心，而能使之喜爱财物，足以抵偿以前得财物的种种麻烦呢？每一个女人，假如她们能做到的话，都想在年老时仍旧容貌美丽。如果即算不能保持美丽，有何方法在年老时仍旧保持快乐么？恐怕男子是不能了解这些问题的。”

答复：得到一个适当的休养！

病状四、五、六都和以上情形差不多的。我们最后疗治的方法，可以由一本书中找出一个解答来。这本书是麦尔逊博士（Dr. Myerson）著的，叫做《当人生失掉热忱时》（*When Life Lose It's Zest*）。他书中也说到一种病状，是关于一个从外国回来的面包店徒弟，现在节录如下：“当他到法国去时，他能在任何地方，任何时候，吃任何食物，倒上草堆便能睡觉。第二天起来便精神恢复，好像一个两岁的牛预备清晨出去吃草一样。他也对于许多事情如朋友、开心、女人、音乐、书，甚至刻板劳力的苦工，都能发生快感。但是现在，不能睡眠，没有食欲，不能做事快乐，没有一件事是可以使他感觉快乐的，他不爱看他自己以及其他的人，甚至一个卷发的美女便好像一个有毛的萝卜一样。他好像一个里面盛着木屑的机器人一样，可以与任何挖沟的工人去调换位置。”

像这种很危险的病状，是需要长期逐渐休养以恢复他固有的快乐。这种快乐在他失望之中，有时希望再来。

然而这许多病状都是慢性的消沉，渐渐地由上滑下而失掉热忱的；所以需要一种休养去恢复其原状。休养与休息不同之处，是你要能为你自己去亲自做一部分事情，而这部分事情是可以当作培养你的热情的营养料的。只要是一种正当的休息，对于你总是有益的，但是不能代替休养的位置。追求表面的快乐作为休养，反而会使他们疲乏的，太多影戏、跳舞、喝酒、晚睡，都足以使人愈加疲劳。关于视觉、听觉适当有节制的娱乐是好的；优美的音乐，有价值的书，都可以解除工作的疲乏，使精神上感到一种舒适。这样，你便得到一种休养，而不感到生活的枯燥。

因此，每一个人应当有一种正当的职业和一种旁务，前者便是他的工作，后者可算为一种休养；而这两种事务的性质必须完全不同。玩纸牌作为一种正当爽心的游戏便可以，如果作为一种赌博，每日耗费精神在上面，便非一种休养。高尔夫球对于有些人是很好的休养，因为打高尔夫球不是专看别人打，如看足球或篮球一样（也是一种休养的方法），而是要将热情放在自己所打的球上的。

钓鱼也是一种很好的休养，因为环境、动作都完全调换，确实可以得到一种安适。收藏家因寻求而感到一种真正的快乐和热情。还有一般人如修理匠、园丁、工匠、画匠、照相家，在他们工作中都可以得到一种固定的休养，以及由看自己的成绩而得到一种快乐。如果你对于游历有真正的热忱时，也可以从游历中得到不同的景象和新的兴趣。开汽车也可说是一种休养，但是如果在拥挤的人群中开，要时时留心避免肇祸时，则不能算是休养了，在许多休养的方法中，最好的一种是和儿童玩耍，这便是一般为祖父祖母者，在户内最爱的游戏。

每一个人都应当选择一种恢复疲劳工作的休养方法。许多休养的方法如能应时采用，可以防止生活的枯燥。尤其当工作紧张，太疲劳时更为需要。劳心过度便会失掉热忱、睡眠、食欲，而感觉生活的消极、惧怕和疲倦。所以你工作疲乏时，应当同时得到一种休养调和之。

第八篇　人格的察看和批评

一　看相

有一个字的意思，是心理学家常常为一般人所盘问过无数次的，这便是“关连”(correlation)。这字的解释，是很有趣的，它的涵义，是“某数种事物，同时连带有的”的意思。我们对于世上许多有连带关系的事情，都有很大的兴趣。我们喜欢对于我们所珍贵的一种心智的才能，或其他艺能和能力，去探寻其特征。譬如假使说身材高的人比身材矮的人要聪明些，当然高度与智力之间便有一种连带的关系；如果这种连带关系是非常准确的，则我们测验一个人的智力，只量他的高度便得了。

但是我们都晓得这并不是真的。由量人的高度以测量人的智力，世上再没有比这还笨的方法。由此我们知道世上的事，尤其是人类的天性，想要寻出其准确的连带关系出来，是很不容易的。人类因为希望做到这一步，于是发明了各种从面部去观察一个人的特性的方法。

有一种普通的观念，以为美女独具有某种特质，而丑女另具有某种特性。还有一种普通观念，以为某人的下颏具有某种形状，则其为人必坚忍刚毅，另具一种形状的人，则必性情懦弱。这些都是想追求人类的某种连带关系。但是这些发明这种关系的人，不先去寻求一种证明，立时就定出结论来；这种结论，或许有一点隐约模糊的连带关系，但此种关系，实不足以维持其结论。

在人体的组织上，有许多部分是显然有密切连带关系的。高度和重量便是有连带关系的；一百个高人平均的体重，当然比一百个矮子平均的体量要重些。但是我们却不能根据于一个人的高度，而预知其重量，或量他的重量，而预知其高度。

要测量一个人所穿的袜子的尺寸大小，最普通的方法，是拿袜子的底折好围住他的拳头，使袜子的脚后跟和脚尖刚刚接头。这样，便得了你袜子应有的尺寸大小。因为一个人拳头的圆周和他脚板的长短，是有准确连带关系的原故。

但是如果论到平日我们最关切的许多事上，例如聪明的人是如何的，是否他们有音乐的天才，是否他们能在经商上成功，或是否会做机械工程师或社会事业家，都不能由某种标记看出来，因为没有什么特殊标记与这些才能是有密切之连带关系的。这是因为人的组织太复杂，不相同的地方太多，我们必须追根到许多不同的断语。假如世上的事情，都是有准确连带关系，又能寻出那一件与那一件是有关系的，那世界上也就比较简单多了。

因此所谓连带关系，是要看其关系的准确程度何如。如果某事与某事并无连带关系，而此两事同时发生时，则其关系是偶然的。譬如自杀与落雨，自杀的人数并不因落雨的大小而增减，不过自杀确是随着气候而变动，当然两者是有一点关系的。并且有些事情的连带关系，是成反比例的，如马的速度和气力。

所可幸者，智慧大概是一种多方面的东西，大凡一个人对于某事的能力好，在其他有些事上大概也能做得很好，不过不是对于一切的事都好。我们有普通的才能，也有特殊的才能。我们对于人类的各种特性，难于追求其连带关系，便是因为这个原故。

因为上述这种情形，于是引起了人类用科学的方法来研究各种人性的连带关系。我们先测量许多人的各种才能，然后根据于此种材料，考查人类心身方面有那些事项是有连带关系的。我们考查的人数多，则可以把大概的趋势归纳出来。各人种族的不同，男女的不同，遗传的不同，我们预测一个人的将来，对于各人的祖先及过去行为等，都不可不算在内。

这是一个实际重要的问题，因为我们对于自己的特长，都是很注意的。我们搜集许多材料，表明将来的成败，与过去的行为是有如何的关系，这样，我们便可导引一般人做他们最适宜的工作。我们考查一个人的才能，便可提议他应当做某种事业，保障他将来的成功。

二　你能知道你自己吗？

大概而论，一个人对于自己的印象，比其他一切人对于他的印象要好些。换句话说，便是你批评别人，比批评自己要严格准确些。

这话是否对的，我们可以实验证明。巴拉德大学何陵威斯教授（Prof. Hollingworth，of Barnard College）便做了这样一个实验。他叫二十五个女学生，大家都彼此相知很深的，每人把其他二十四位朋友，依照某种特性，排列位置的先后，譬如以整洁的特性为例。每人从其他二十四位中间，挑选出她心目中以为最整洁的一位为第一，次整洁者为第二，依次排列下去，同时也把自己排列在内，直排到第二十五号，为最不整洁的。其他如各人的智力、幽默性、自负、美貌、粗鄙、势力性、文雅、社交等等，也有同样的实验。

由这个实验，上述那种自满的观念，可以证明了。你批评别人，确实比批评自己来得正确。玛利对于安娜、白德、可娜、多娜各人的智力、美貌、自负、社交等方面的批评，大概都很恰当，比玛利对于她自己的美丽、智力、自负、社交等要正确多了。如果我们拿旁人对于自己和朋友的批评来作标准，则自己对于自己所下的批评，是不及自己对于朋友所下的批评可靠。

其次，如果我们去察看玛利对于她自己的相貌、智力、自负、势利性等所下的批评，说一句不大客气的话，她对于自己所下的评语，看去总似乎带一点夸张。在各项特性中，她把自己提得太高了。尤其是她觉得她比她的朋友们要文雅些、幽默些。她对于自己的智力和社交上所下的批评，也是比他人所批评她的要高。同样，玛利对于自己的粗鄙和势利性，则比别人所替她排列的为低。

从玛利所批评自己的特性上看，她对于那几项的批评是比较正确些，好像旁人批评的呢？那么，只有她在镜子里所看见的自己是正确的。在镜子里玛利对于自己的美貌，就没有错误的印象；她在这方面对于自己的批评是恰恰适当，那意思就是说，世上过于夸张自己美丽的女子，和过于嫌恶自己丑恶的，大概差不多的多。但是世间将自己爱雅致的特性标得太高的人，差不多比将自己标得太低的人要多四倍。那是什么原故呢？因为虽然有眼光的不同，面貌总是具体不变的，是客观的，但是文雅和粗俗是要从礼貌和行为上去观察。那么，你对于所喜欢的人，自然容易去夸扬他的长处，忽视他的短处，对于你所不喜欢的人，则你的批评语恰恰相反。美貌之下，便是整洁，这又是可以看得见的，而自负心却不能看见，要从谈吐和行为上去观察出来。

此外，还有一个更有趣的问题。假如你自己在某项特性上是很高的，你对于别人关于这项的批评，比较假如你自己的这项特性低些时，是不是要正确些呢？你的确是如此的。爱雅致的女子，在雅致方面批评别人，是比普通一班女子批评得要好些。聪明的女子对于别人智力方面的批评，也是要正确些。这种实验可说是送给了你一面心理镜子，从镜子里你可以看见你自己，像别人看你一样。从这方面对于自己稍许带一点夸张，是很自然而无害的事；并且这或许可给予你一个生活的标准，以求上进。对于自己太严格太不自信，会使你感觉得自己渺小无用，这样，对于自己个性的表现，是一种阻碍。你可以把自己看得好一点，但是不可太好，——然后照着你所立的标准去求上进。

三　生人和熟人如何批评你

当你去谋一个职位时，你便会忐忑不安，因为你觉得一切都有赖于初次见面的印象上。假如那个雇主对于你并不是完全不认识的人，或许你还不至于完全在暗中摸索，想像如何去表现你的长处而掩藏你的短处。这样，他对于你还是往常一样，而你可以得一点安慰。要见人本来是专为互相不认识而有的；你当然无须乎要见见你很熟的朋友是如何的人。

假如你已得到这个工作了，经过长久些的认识，你对于他或他对于你的意见，是否有了改变，而此种改变是好的呢？还是坏的呢？不管爱情上的“一见倾心”是否有这回事，但是在职业上“一见而用的人”，的确是很普通而必须的；虽然这两种都是必须经过一种实验的时期，但是开始如果不是两方真正有心，便不会凑合的。

因此，你对于你所熟悉的人的批评成绩的如何，你的朋友对于你的批评比生人对于你的批评好得多少；以及你第一次给人的印象和相识较久后给人的印象是怎样；研究起来，都是很有趣的。

克里登教授（Prof. Cleeton）叫二十个男学生和二十个女学生批评他们最亲近的朋友，看他们的智力、裁判力、诚恳、决断力、领袖才干、创作能力、感情冲动、交朋友等点，是在什么地位。然后将这些被批评者，由完全不认识的校长或雇主，由见面而批评他们以上诸点，不过这些校长和雇主是有用人的经验的。

大概说起来，生人所批评的，大家对照之后，都觉得批评的都差不多；朋友所批评的，也是如此。不过这两种人的批评却彼此不相吻合，在朋友方面的批评是要比较好些。所以相交很深后的批评是要比第一次的印象的批评好些。最难批评的便是看人是否诚恳；关于这一点意见多差参不齐，其次便是交朋友的才干。

当然，生人和朋友看人所根据的标准是不同的。生人多半从面貌和举止上去批评，而朋友对于这方面已经是很熟悉了，并且一个人在朋友中间举止比较自然而随意些。生人的批评是变更得很快的；所以多有两次或三次的见面比只有一次要好些，尤其是可以看出你的印象是向坏还是向好的方面走。

各种生人的批评，对于某几项要准确些，又各有不同。有些批评者的批评，在某四人之中有三人是很准确的，而别的批评者对于四人中却有三人是批评得不准确的。因此，这种实验也能实验你初次见人，你的评判的能力如何。

女人对于一个人下评语比男人来得快，但是男人虽然考虑得长久些，却能批评得很正确。

此外，还有第三种批评人的方法，是看相的人所长用的，便是看头部的形状，是长瘦的还是壮实的，是秀美的还是丑恶的。应用这样的方法，只是一种猜谜的方法，有时猜对了，有时猜错了。这种头部的形状，与别部合起来看，或许稍有影响，但是单独看起来，是不成功的。依据一个人的行为、表现、神气、礼貌、姿势、谈话、声音和整个交谈（不仅是零碎的句话）等等而观察人，实较之专看外表而批评人的要可靠得多。

我们对于一个人的印象，其所根据的非常之复杂，因此评判人者，即算是很有眼力的，都难说出他们究竟是根据什么而决定的。即算你是专门批评某一种特性，仍旧是一样的为难。一个大百货公司的管账员如何决定某人可以记账，某人的支票可以兑现呢？以现今世界一切事务的进行而论，我们对付人，总是依靠第一次的印象。因此，我们实在值得研究这种第一次的印象，到底正确到如何程度，并如何能使之更正确些。

四　由书法可以看人吗?

我们很难说：那一种简便的看人方法是最无价值的。是掌纹相法呢（这是观察一个人手掌上天生的纹路）？还是看笔迹呢（这是观看教师告诉你写字时的方法）？这两种都是非常愚笨幼稚的方法，以致使我们不知应当将那一种算为第一最笨。如果这些办法，把它看作猜谜似的，粗粗的计算，大概的分类，也或许不致酿成很大的错误。

这些看相之流，其所以显出其太幼稚者，实因他们坚持着一切细微的地方都是对的。那些研究笔迹的书，与那些释梦、相手、算命的书都是同流的，专告诉你一些无稽之谈，例如："假如你写字是向上斜的，便是表示你有志气或自负心，你想求上进；假如你的笔纹是很细的，便表示你是一个天性细腻、感觉敏锐、胆小、害羞的人；假如你写的 M 或 N 是很窄的，便表示你的性情也是很窄狭，退缩怕事的；假如你的字写得粗重，你的 t 字上面的一横总是划得很重，便表示你的性格也是强项有力量的；假如 t 字上面的一横非常之长，便表示你对于做事是能坚持耐久的；假如你的O字和A字上面都不合拢，便表示你是一位心襟宽阔而温柔的人，反之，如果都是闭的，你的性情也必是深沉不露的。”这种的推论，如果当做说笑话便可以，如果作为一种学问，则未免太可笑了。

然而世上却有许多人相信这样的相法，以及其他相类的无稽之事。他们似乎觉得很值得，拿着显微镜和测量器具对于这种信仰加以详细的考验。他们好像从米索尼亚或其他内省的乡下人一样，对于无论什么东西，总是说："请给我看看。"被这种虚伪的科学所欺骗的，便是像这样的人。

威斯康星（Wisconsin）大学的教授荷尔（Hull）、教师蒙隶哥麦莱（Montgomery），叫十七位彼此相知很深的医学生，每人依照下列各项性质，评论其他十六位同学：如每人的上进心或自负心如何；害羞心或坚强心如何；坚忍的能力如何；沉毅或慷慨性如何等。然后将每人平均所得的各点计算出来。至于每人写字的笔法，则叫各人都抄一段同样的文章。再将这些字的斜度，线的宽度，笔法的轻重，字的开合等，都很小心的放在放大镜下测量出来，测量到五十分之一英寸那样小。

现在再将每人批评各人的性格分类依次排列，如上进心、害羞、慷慨等；然后将各人的笔迹也依照“笔迹书”所说的，依次分类排列。假如这两种实验能相符合，甚至只大体符合，则可证明笔迹相法确实也还有点道理。譬如设若有两三个人在慷慨一项内，排列得很高，同时他们的A字和O字的上端也是开得很宽的，其他各项，也是能一一符合，这种学术，便可以证明是对的了。但是实际的结果如何呢？两种测验，完全没有相符合的地方。如果你这些学生的名字写在一些小纸条上，放在帽子内，然后随便抽一条出来，并且说第一个抽出来的名字，必是上进心最强或最害羞的人，这可以和相笔迹的方法一样猜得对；或者你也可以依照人的鞋子或帽子的大小而评定他们的性情，也是一种很好的相人方法。

上面便是用科学方法很麻烦而实验出来的结果。这种证实，对于那些相信笔迹相法的人，是不是有点影响呢？你自己回答罢！不过这个实验的意思，并非表示笔迹是完全无意思，不能表现什么。笔迹也像别的许多事一样，是你一种个人的表现；不过不能维持这些很细微，难捉摸，非科学化的分析。这些错谬观念之所以盛行的原故，是因为你没有过细去追求其理由时，表面听着似乎觉得很对，或许是因为笔迹书上说得好像非常灵验，并且不知名的学者看了各国君王及无数电影明星的掌纹或书法，而得的推论，然而他并没有做过一点实际的实验。这种相法，如果把它当作一个庙宇里的点缀品倒可以，因为没有人真正把它当一回事的。

五　相片看人的可靠性

有许多以看相为业或稍知相术的人相信他们能根据于照片而相人。他们是否对的或完全错的，实不难断定。

现今一般谋事的人必须要照片，所以照片占很重要的位置。哥格隶大学的教授罗那德（Prof. Laind，of Colgate University），对于这种实验是一个专家。他想实验普通一班人评判的程度是如何。他收集了七十张学生的照片，这些学生智力测验的分数，他都知道，而从七十张相片中又选出五张男的和五张女的，这十位学生的智力相差都是很远的，因此他知道他们智力排列的程序。至于评判员，他请了七十五个学生，此外并由其他各阶级受过不同教育的人，请了三十位，男女都有。他请这些评判员所要做的事，便是察看这十张相片的相貌，依照他们面部所表现的智愚而排列其先后。

结果是很容易算出来的。先将每一个评判员因排列错误扣的分数算出来，然后将大家所扣的分数相加，平均一下，便得出团体的平均错误。这种依照相片评判智力的测验，证明了他们纯粹是瞎猜而已。没有一个人得到完全分数的，多数的人猜错了许多相片，他们的平均仅有一两张对的，三四张错得还相近的，其余的错得非常厉害。就是这七十五个学生评判的结果，也不见得比其他三十各阶级的普通人高明。事实上看去，似乎评判男人的智力，比评判女人的智力容易些，这恐怕是因为男人没有其他的地方来牵制。男女评判能力彼此的高下，也无显著的差别，不过女评判员将四五张女子相片的程序，排列得太高一点。

如果我们将实验更弄得简单一点，仅仅用两张相片，你只要说那一张相貌显得聪明些。当然，这样你有百分之五十的希望可以猜中，而结果也恰是如此。你用眼睛闭了猜，也都没有关系，这两张相片，不论都是男的，或都是女的，抑或是一男一女，均无分别。

这种实验的结果，对于那些相信智力，以及其他特性，可以从一个人的面部或相片上看出来的人，是很不利的。这个实验的意思，当然不是说，你不能从一张相片上，看出某人任何特点来。大概你是对于一些模糊不清的特性，有一种混合的模糊不清的印象。然而在上智和下愚中间，评判员是多半容易猜中的。

我们要评判的地方，有许多的差别都是非常微小的，这些差别都是在比普通智力稍高或稍低的人中间：这便是使我们很难猜中的原因。而那些相信相术的人，都以为你一切的特性，都可以从你的面部，或你所写的字上观察出来。这两方面之风马牛不相及，实无过于此了。

由表面而观察性情的人，最大的毛病，便是你所盼望的太奢，希望所得的结果能合乎你的推论。还有更大些的毛病，便是他们完全根据臆想而瞎猜，毫无科学的方法。

不过现今我们渐渐的根据于那些组合人类性情的复

杂元素，用精密的观察，创造一种有系统的学术出来，这种学术总是不能完全无错误的，而研究的结果，也不能用一种绝对肯定的口吻。

六　英美人谈话的资料

你所选择的谈话材料，是由你的兴趣和热忱方面而来的。男人爱谈“商业”或“高尔夫球”；女人爱谈“衣服”或“闲谈”。心理学家变成了一位听人私谈者了。他窃听你们在街上、酒店、戏园里所谈的话。并且他注意你们的谈话，是男人向男人谈，女人向女人谈呢，还是女人向男人谈，男人向女人谈，以及你们所谈的是什么。他把伦敦和纽约两处所得的观察，拿来比较一下英国人和美国人的心理。

现代交通的便利，差不多将世界都变成了同样的样子；而自然的安排，好久以前便使世界无论各地的男人都是一样，各地的女人也都差不多。同样，人类谈话最感兴趣的题目，在英国的牛津街或雷津街，和美国的百老汇都差不多，在各城的“大街”，也是如此。谈论的材料，范围都很狭窄。第一当然是金钱和商业；第二便是男人；第三是女人；第四是游戏和娱乐；第五是衣服和装饰。除此以外，谈论自己是一种很受人欢迎的题目，“杂谈”的势力也不小。这些题目是伦敦所谈的，是纽约所谈的，也是哥伦布斯、阿海阿所谈的。不过其中还是有兴趣的分别，表示两国的兴趣和习俗的不同。

在纽约或哥伦布斯，商业的谈话，在男人之中非常盛行，大概要占一半，在伦敦则不过三分之一。美国人对女人也喜欢谈商业；而英国人却从不如此。不过英国女人间常却同男人谈论商业，以迎合男性的兴趣。在英国除了大学的女生外，很少女人和女人谈论运动的，因为她们私人的兴趣较重；但是美国女子却能赶得上男子，喜欢谈论运动。

美国女子比英国女子爱谈衣服些，而纽约的女子比大学女生更爱谈衣服。美国女子最爱谈的题目是男人，纽约比哥伦布斯尤甚；她们向男人讨论“男人”，奉承他们或讨他们的欢喜。英国女子比较爱谈论女子。衣服在纽约谈话的资料中，比在伦敦要占势力得多；而伦敦谈话的范围比纽约宽广。英国男子不大谈论女子，至少在街上是如此。

英国人如果向女人谈话，总是迎合女人的兴趣；而美国女子则去迎合男人。英国女子比美国女子比较能共同享受男人的兴趣和世界的普通兴趣些，而纽约比哥伦布斯又比较好一点；这便是我们所以说哥伦布斯比较偏狭些的原因。

以上一切可以看出男女兴趣方面所以不同的原因，大半是因为自然和人工将男女生活上所走的道路不同而致如此。习俗的影响也很大，不过还是依着自然的导线。女人的兴趣多半是关于个人方面，关心她们最亲密的朋友，她们的装饰而已；男人的兴趣，则多关于客观方面，外界的活动和较大的事业。

习惯和风俗的影响，可以发展天生的兴趣，同时也能压制天生的兴趣。天性决定我们的根本兴趣，习俗决定我们自由表现这种兴趣的程度如何。我们美国虽重民治主义，但受习俗的限制比英国还厉害些，在学校里比在大都市里更厉害，虽则现代的青年总是表现狂放不羁的。男人和女人谈话时，比男人和男人谈或女人和女人谈，感觉拘束得多。英国的男子和女子谈话，多半是男子去迁就女子，而美国则是女子去迁就男子。根据谈话的经验，美国人大半不喜欢和女子谈话，因为那些情愿和男子谈话的女人，总是投合男子的好恶。

以上所说的，是一个心理学家实行一种不用问句的方法，只默听一班人普通的闲谈，得来的粗粗结论。要显明英美人谈话的差异来，这的确也还是一个比较满意的方法。不论这种结果如何，恐怕那些在这种比较中居次等地位的，总要起来反抗。我们不喜欢别人对于我们谈话的资料作批评，正如我们不喜欢别人看了我们之后，对于我们的面貌作批评一样。不过有一点可安慰你的地方：这些结论或许对于你和你的朋友不大适合，但是对于其他的人都是适合的。

第九篇　职业的选择和保持

一　你是偏于社交的呢？还是偏于机械工作的呢？

如果你去翻看人类职业的统计表，可以看出世上大部分的人是与物做工作：做东西、做手工、驭使机器、做物品等等。善于做这类事的谓之好手艺；但是假如太好了便是机械的人。

世上还有一种很大的职业，不是搬弄物体，而是搬弄人。教师、经理、书记、商人都是需要与人接洽，使人受影响，招待人的。凡是与人相往来的工作是趋重于社会的。

A 夫人对于做妻子和母亲的责任，在人事和社交方面比管家方面要好些；B 夫人则恰恰与之相反。A 君善做鞋匠或钟表匠，而不善做家主；B 君是一位好丈夫和父亲，而不长于自己的工作。每一个人都必须知道如何接交和做工；但是有许多人专门倾向于一方面。我们还可以另加一种人，专长于运用思想的。如何接物待人，必须是要有思想和计划的，而这些思想和计划却必须需要一种特别的训练，或谓一种专门学识。大概而论，你是偏于社交方面的呢，还是偏于机械方面的呢?

佛雷德博士（Dr. Max Freyed）专门研究各种不同的职业需要什么特长的才能。他以某工业大学三十个大学四年级的学生，作为偏于“机械”之类的，去与一个年寿保险及商科的专门学校里的三十位学生比较，这些商科学校的学生则算为偏于“社交”一类的。从他们所选的学科上，已表示他们各人的特性。佛雷德博士的实验，便是看他们有什么不同的地方。

实验的结果，属于机械方面的学生，对于需要运用肌肉精细观察一类的事情成绩好些，如在一张表上作记号，批评一张图画是否确实，在一个极小的空格内写字，或尽力慢慢的写。虽则这类的事情像是书记的工作，但学工业的学生总要比学商业的学生做得好些。商业学生对于变更自己的字体，模仿别人的字体，思想上的正确和敏捷，讲故事，都比工业学生做得好些，并且个人养成的兴趣也较广，也爱读书些，对于轻松的生活方面要多些。偏于机械的则多思想关于自己的严重事情。

适宜于工作、家庭、社会等生活，实是很重要的，不过这不是专可用实验看出来的。各种工作之中最重要的工作，是要能寻得你最适宜的工作。根本的问题是：关于接待人物和做实在的工作，你是那方面能做得好些呢？保险公司的经理便是与人交往的职业中之一种。戏子当然是属于社交的阶级。政界的人是指挥别人的阶级，如果别人不服从，他们便发脾气。他们也可说是另一种偏于机械方面的人。

劳资两方如能认清彼此人情方面的关系，便能满足工人社交方面的需要。人类虽则有偏于机械的性格，但究竟不是机器。人类的天性比工作要重要些，在工作上我们必须想到人性。

二　劳心与劳力

肌肉是脑筋的仆人，是受过适当训练的仆人。大工商业的指导者叫做总理，虽则他们不过是把事情指挥别人去办理；他们的命令无论怎样有理或重要，但是如果不执行出来，还是毫无用处。一个人可以是一个天才，但是假如他的肌肉完全瘫废了，他的天才便不会表扬于世。他必定要用肌肉去写、画、雕刻、说话、命令等等。最伟大用脑筋的人也和平常人一样，都要看他所做的而评定他。

无论你做什么，你总是用肌肉去做，尤其是用你的手。然而在肌肉工作之先，却总有脑力工作，你的身体和肌肉便谓之体格；然而你的脑筋也有它的体格。你的脑筋便决定你是最合宜于做那一种事，而你的肌肉同时也使你可以将那件事能做得最好。珠宝商和铁匠，外科医生和屠夫，都是用他们肌肉工作的，不过不是同类或同形式的肌肉工作而已。珠宝商和外科医生做细而精巧的工作，但不是同类的工作；铁匠和屠夫用大力气做粗重的工作，他们各人的脑力工作也和他们肌肉工作一样不同，而差别更大。外科医生之无能力修理一个旧表正如珠宝商之不会接骨头。屠夫和外科医生相似，便是大家都知道一点关于动物的学识，然而外科医生所晓得的仍是完全不同的一方面。他们各人在肌肉和脑筋合作技能上，大家所受的都是不同的训练。

假如从儿童时代起，珠宝商或屠夫即练习为一个外科医生，或许就可成为外科医生，而珠宝商比屠夫可以学得更快。机会之所以使某人成为珠宝商使他人成为铁匠，便是因为前者总是喜爱精细工作，天性造之如此；后者却爱粗笨工作，也是天性使然。训练便发达你天性所有的特长，使之臻于至美。

在每种职业中都有肌肉和脑力的工作；问题便是属于那一方面，并至何程度。在工业上分精巧的工作和不精巧的工作。不专是心灵精巧，也要手工精巧。在游戏上和在工作上是一样的。玩棒球的掷球者把球丢与第三人而捉得敌方的一个人时，你便说他有一双准确的眼法或精巧的手法；但他何时丢而何时不丢，也表示他有一个好的头脑，好的判断力。如果他乱丢，那便表示他没有头脑，没有技能。在大的交易场中你常可看到一种广告：“需要帮手。”但是如果应征者真正只带他们的手去而不带头脑去，雇主便会感觉失望。在有些工作广告应当说：“需要有头脑的人。”许多工作是完全需要脑力的。

经理、工头、计划者、工程师等，这些人能够得到他们的位置，便是因为他们能将劳心和劳力的工作连在一处。

工作有一定的呆板方式时，用脑的地方便减少了。机器工作是可以用头脑简单的工人的。这种工作对于有些男女感觉得非常满意合宜的。但是也有许多人不以为满意；有些因为觉得这种工作太单调了，有些是因为特别那一种对于他们不合宜。在任何工作上做得好时，在做时便能得到满足而维持生存；但是假如你的工作是特别适合你的脑力和肌肉，你便可以得到一种特别的满足。

许多女人都是以速记、打字、家政等为职业，这是因为这类工作合乎她们的脑力和肌肉。她们喜欢教书，因为她们有一种与小孩亲近的才干。男童喜欢玩机械的玩物；世界上大的复杂的机器，都是青年人转动的。打字机并不是专为妇女工作而发明的，不过趋势如此而已。汽车也如打字机一样成为男人的工作。这两种工作都是要用脑的。

你对于你自己的工作，所消费的脑力和肌肉如何能增加进步，这是很值得研究的。极简单而不用脑的工作是很少的，所以有许多工作，除非你用脑，才能做得好。

三　你的才能高于你现在的工作么？

最讨小孩喜欢的问题便是：将来你长大成人，你愿意做个什么人呢？“驾驶火车者”或“救火队队长”，多半是他们最喜欢做的人。但是如果你去问将近成年的儿童，因为他们已经感觉有要决定的需要了，因此回答也比较切实些。如果你去问那些已经有职业，但是还跑到职业介绍所去另找新职业的青年人，他们的回答，最显著的一点，便是仅有三分之一的人，能够确定的说出来他们愿做怎样的人。

这里有一百人的回答，大都是对于自己的职业比较有点主张的。他们心中所希望的职业，从野心最大的起，责任重而薪金相当的，普通颇好的，以至于最无需技能的都有。然后又将这些人的智力测验了。于是将每人的智力去比较他所希望的职业。有四十四人所希望的职业，是恰恰与他们的智力相合的；四十一人是相合而有余的，照他们的智力而论，还可以胜任比较他们所希望的更高些的职业；十五人的野心是超过了他们的智力。这些人如能照他们所希望的达到目的，能够对于他们的工作快乐努力的有多少人，因为能力太好或不及而不适宜于工作的有多少人，这是很难说的；不过，这两类不适的人当然是很多。

或许那些智力比工作较高的人，因为缺乏毅力或上进的心思，于是将他们的野心降低。他们恐怕如果干好一点的事，自己的能力不够。因为有这种感觉，便使他们跑到职业介绍所去想换别的工作。那些野心最大占少数的人，大都是以前的尝试失败了，他们把自己的才能看得过高。

如果同样的问题，拿来去问大学生，叫他们回想以前在小学中学时代的野心，以及现在的野心，结果也是差不多。大概也是四十几人能确实知道自己所合宜的职业，并且已经选择一门学识去达到自己的目的；这些人都是平常普通很好的人，其中多数的，都感觉在大学时，对于自己合宜的是什么职业，比在中学时要晓得确定些；在中学时所晓得的，又比小学时要确定些。总之，人的年龄越小，依据自己实际的才能而论，所规定的将来职业越不正确。这时的规定，可说是一种希望，而不是一种理智的判定。

我们常说在少年血气方刚的时代，字典中是无失败一字的。然而失败的思想或惧怕似乎存在他们心中。我们很难说，为什么世上有许多智力比野心高的人。那些少数想尝试在他们能力范围以外的事业的人，如果你从各方面招收拢来，可以编成一大队失败者和工作不合适者。许多人把自己的志愿限制得很低，是否因为他们觉得要达到更高的目的机会很少呢？

你对于依默生的劝告“赶着你的车子对星球上走”，觉得怎样呢？你必须使车轮在地球上走，而你的野心是在星球上。青年人在世上所遇到的是两个问题：我所适合的工作是什么？我所希望的是什么？问题便是要以希望去将就适合；因为这便是使生活美满的钥匙。用试验或其他方法，衡量自己的能力，可以说是最好的方法。

四　如何胜过你的缺憾

虽然普通的规则是身体健康和心理健康并驾齐驱

的，可幸的是我们在许多大伟人中，仍可寻出一些是没有好身体的。罗马人的思想是“健强的心灵需要健强的体格”；希腊人也是要身体健强和心理健强平均发展的。他们的英雄——他们的少年林白——便是引起群众运动兴趣的阿林比亚运动会中的豪杰。

伟大的牛顿告诉我们苹果之所以堕落和地球之所以环绕太阳而行，是受着同样的力量所驱使。他又告诉我们太阳光之如何分裂而成虹，和一些其他的发明，然而他刚生出来时却是非常渺小脆弱，差不多可以放在一个“夸特杯”中，但是后来他在成人的时期中，却是非常健康，一直活到八十五岁。法国的大著作家嚣俄也是一位生出来很弱，人家对于他的生命已经失望的。然而他一生也是很努力工作，而且活得很老。

美国大政治家威伯斯特（Daniel Webster）也是由脆弱婴孩变为强壮的成人。假如这些例子发现于今日，我们便会知道得多些他们在婴孩时代所受的痛苦，以及他们如何克服他们的缺憾的。

现代心理学发见了一种新的解释方法。假如你有一种缺憾，这种缺憾便好像一种刺激，使你想去克服它。

传说当狄摩西尼（Demosthenes）幼时，有一种口讷的毛病。因为他下决心克服，后来便成为全希腊最著名的演说家。拜伦是一个躄足，自己非常怨恨，他为补偿这种缺憾，却成为全英国最著名的游泳家、善骑者和大诗人。还有我们的罗斯佛总统跑到西方的旷野，克服了身体上的软弱，成为山野骑马会的参将，做过责任重大的总统，又是非洲著名的猎者。

这种缺憾现在风行的名称叫做自卑的意结（Inferiority Complex）。如果你能设法补偿，便可以走到像狄摩西尼、拜伦、罗斯佛一条路上去。如果你因为自己是跛者而不像别人，于是便一生懊恼，心情忧郁，那你的性情便会变为乖癖，前途变为崎岖，末了成为失败者。

心理方面的低能缺憾的痛苦更胜于身体方面的。相貌上的损伤是一种社交上的缺憾而非身体上的缺憾。破相比做跛者更为难受。或是你属于一种低贱种族，或是你是一个被社会偏见的蹂躏者，也可以引起一种自卑的感觉，觉得别人对待不公平，别人另眼偏视，以致影响他的人生目标和快乐，而使他不努力。至于像较次一点的缺憾如口讷之类，影响于人的心理和社交生活也就不小。

另外还有一种缺憾，比肉体的软弱更难克服，因为大部分是关于心理方面——神经方面的困难。例如哲学改革家斯宾塞（Herbert Spencer）以著述著名，他一生都是困于疾病中，时常只能工作十五分钟便要休息，然而他还是活到很老。他的许多困难，都是用极好的休养而减去了。伟大的达尔文也是需要小心保养自己的身体，而同时从他自己的工作和他那些有名的儿子的工作中，贡献了世界不少有益事业。贝多芬（Beethoven）也是终身痼疾还加上耳聋，以致后来连他自己所创作的音乐都不能听见。德国大哲学家康德有健强的脑力，却只有软弱的身体；德国诗人海涅（Heine），虽然肉体受了酷刑，心灵上却产生了永生的歌曲。

能克服缺憾在一生比较有稍许成功的人中是常有的；至于那些有大成功的人中，我们晓得的更多。不论他们是否能忍受他们的痛苦，去尽力而为，或是他们真能克服他们的缺憾，这些名人应当可以鼓励那些有相似问题的人。

五　每日工作能力的升降

如果你请人做零工的时候，你便要看他是什么样的人，以及在何时工作。夜晚的睡眠，便是每人日间工作的燃料。不过人之劳心不能像钟一样的工作。人是需要时间去慢慢引起工作的兴趣的；经过稍许时间的工作，疲倦便随之侵入，工作的能力便向下山的一条路上跑去。然后在日午又加一次燃料，精力的汽炉渐渐上升，一直达到功效的高峰，随即渐渐增加疲倦，以至一日的工作完毕而疲乏。这便是大多数人普通日常工作的升降表。因此我们应当尽力使每日的工作，适应日常工作的升降表。

这里有一个证明关于每日工作升降的。从上午八点钟起至下午五点钟止，除开正午，叫许多学生每一点钟都受一次实验。他们所受的实验，是比较简单用脑的工作，而其结果是可以容易计算的：譬如照样答出所念给他们听的数目，默记突然一显的数目字，背诵某种律规，在一堆图画中分别那一些是他们以前曾见过的，运用稍许理智填写句子中的空白。工作的进行中，他们的分数是每点钟都记下来的。这些实验虽是用脑的工作，但并不需要多少精力便可以得出一个结果，从结果你便可以计算出多少是对了和多少是错了的。

以一百为标准，从上午八点钟到九点钟的结果，工作效力高到一〇四点三；十点钟时达到效力的高峰为一〇六点六；然后在十一点钟时稍许降低为一〇五点六。但是在一点钟，工作在吃饭之后重新起始，这是一天之中效力最低的时候，为九八点七。在两点钟稍许升高为一〇〇点六（和在上午八点钟开始时差不多）；在三点钟时达到下午工作效力的高峰一〇五点一；四点钟时仍旧有一〇四点二；但是在五点钟时却又退落到一〇〇点四了，这表示你在这个时候工作效力还是很好，但是不及你开始工作时那样新鲜就是了。

正午的时间大半是为生理方面的关系，因为在吃饭之后，血都离开脑部而跑到胃里去了。所以动物吃饭之后便要睡觉，而许多人也感觉要如此。饭后工作中便带有睡眠的趋向，直到这种趋向消灭，工作的效力才能升高。

你或许会以为在清晨工作可以得到最好效力，并且也有一些人真是如此；但是总需一种渐渐唤起工作的兴趣的练习，这是平日训练别人的人都知道的。你不能开始便立刻能做得很好。工厂以及其他工作应当在午饭后轻轻的做，第一个钟头不希望多的成绩，以后再补充起来。

还有两点可以加上的，便是这个日常工作效力的升降表不一定对于各种工作都是一样的。这种表是专应用于简单和呆板的工作；至于复杂些的工作另有不相同和无规定的表。第二，个人方面也有不同。我们各人工作的形式各不相同。对于有些人，觉得清早是最难工作的时候；他们不能够一起床便很清醒而预备努力工作。儿童大概清早是很有精神的；神精衰弱的人却是清晨最无精神。清晨打呵欠便是使人清醒，如同晚间打呵欠以保持精神一样。

打呵欠是一种很奇怪而不简单的变化，但是是一种很好的预征，告诉你是不适宜于工作而应当休止了。所谓效力最大便是要你能在最适当的时候做出你最好的工作，而且在适当环境之下，划出一定工作的程序，能使在一天的工作上，将精力用得适宜而舒服。一天八点钟工作在工业上是一个合宜的制度，但是自然却依据人身机体的运行力而打破此种制度。这里也和其他的事一样，人类的本质，和世界需要而应有的训练，不得不彼此折中而有一种妥协的办法。

总括一切而论，习惯对于工作亦有一大部分关系——要养成一种机械习惯而能保持下去。神经的组织，是有很大的伸缩性，能够适合于人造的生活。夜间工作者，应学习日间睡觉。有些是被迫不得已而工作，有些时日和季候是要赶快完成某项工作。我们不能把人变为机器；将来一切简单的工作有机器负责，而不必顾虑产量是否足够的时候，那么，人的注意力就要集中于品质的优良，而不管产量的多少了。

我们不可在坏的环境之下做一种劣等工作，因为恐怕反而以后要重做一遍。那些要负责的工作，应当在最好的情形之下，做最优良的工作。创造的工作是最费精力的，做这种工作的人，只有在精神完美的时候，才能做得好。把这种工作变成机械的动作，是一种精神的浪费。现代的文化强迫我们造成每日工作八小时的习惯。我们要晓得世上有许多重要的工作，不是按时间的多寡而成功的。

六　如何减少浪费的工作

假如我们每次在工作时能够做得实在，那么，一天的工作加起来，就很可观了，而且许多人也无须每日做上好几个钟头的工作，工作中最不合算的就是那些脱漏的地方。只要有一点脱漏，就可造成很大的浪费。但是想绝对求全也是不可能的，因为人类是决不会有完全的时候。工作的浪费是不可免的——现在的问题，就在我们如何去减少浪费。

工作毫不休止并不能消弭浪费。消弭浪费的方法，工作的时间不必过量，而在工作的时候，能真正专心确知毫无浪费。不过，这也是近乎不可能的。我们所能做到的，便是尽我们的能力去裁制那些脱漏的地方。环境不适合时工作十分钟，比环境适合时工作一点钟，还要吃力些。游荡一天看去似乎是耗费时间；但是如果游荡后工作时，能增加工作的效力，休假便是有益的。

人体的组织要算复杂了，而脑筋又是人体中最复杂的一部分。脑筋也是管理情绪的机械，情绪平静，则能工作优良。脑筋对于工作是需要兴趣的——兴趣便是驱使脑筋的机油。如果对于工作不能发生兴趣，则工作不能灵活，时常发生阻碍。最宜工作时的心情，即是对各事都是调协的心情，这种心情的名词，便是快乐。

要工作快乐，必须出乎本心的愿意，不可勉强；也必须能自由行动，无忧无挂。灵活、自由、追求快乐是生活上不可少的三位一体的元素。自扰、不知足、愤怒，都是浪费精神，妨害工作的。

做不愿意做的事情，不仅不能做得好，并且也是耗费光阴。世上有各种不同不聪明的浪费精力的方法，正如人类的天性各有不同一样。各人应自己找出一种减少浪费的方法，正如各人有各人寻求快乐的方法。对于自己的浪费，每次登记起来，也是一个很好的办法。

要增加一个人工作的成绩，必须设法阻止浪费。烦恼之所以使身体疲倦，便是因为不断的浪费精力；而这种精力在感情上比在工作上要消耗得多些。心理卫生必视乎我们能否减少浪费，而有充分的效率：就是进行的顺遂，满意的感觉；而这又是由于调度得法，心灵的机器运行畅快。你工作的时候，应当洋洋得意，充满了快乐。

如果一件事情是容易做的话，我们便说这是小孩子的游戏。游戏之所以容易而好玩，即是因为我们让精力做自己情愿的事。这是出乎自然的。不过游戏专有热忱也是不行的，还是要加上一点专心，要将全副精神放在游戏上，眼睛望在球上。工作也是如此，除非是完全机械式的工作，便无须乎专心。声音之所以成为极扰乱我们工作的，便是因为我们不能将耳朵关闭起来，我们只能关闭我们的心。我们的心是在某件事上，扰乱便拉扯我们到另一件事上。

注意是专心的一种表记。如果你疲倦时，便难得注意。扰搅是专门扰乱注意力的工具。兴趣有冲突和对抗时，便是一种浪费。这不仅是一种训练可以解救的，心理和生理的组织也有关系。

复杂的机器比简单的机器，应当更小心照料些。如果我们用脑的细心工作疲倦了，我们还是可以继续机械工作。在铁路上只许开车头的工程师，每次工作若干时为度，因为假如注意力懈怠时，关系太大了。调换工作也是一种休息。

世上是没有防止浪费的简单方法，你必须要能知道你自己心理的构造，而依照其构造和你所相宜的工作去运行之。

七　无人知道的秘密

像一个人，一本书，或一种工作一样，所谓无人知道的秘密，本来是每人都晓得的，不过晓得不完全就是——这个秘密便是“专心”的秘诀。

“差不多每个人对于如何使注意力专一，都感觉难得做到。工商业上用脑的人，中学大学的学生，甚至大学的教授，都诉说不能专心的苦。”这是某作者论专心开首的几句话。

所谓专心，便是心的一种锋利；但是我们必须有好钢，而后才有好的锋利。最先是要有粗大的斧削和磨炼，然后细细的磨擦，如此才能有锋利的边。无论什么地方，都不可以疏忽，而且最初就要用一种顶好的材料。

支持专心最普通的原料，便是好的记忆力。有一位作者这样说："好的记忆力在乎有良好的消化，良好的逻辑，和良好的良知。"而这三者又看你对于专心修养的根基深浅如何。何蒙斯（Oliver Wendell Holmes）说：一个人一生最要紧的事情，是要能选择最良好的祖父母。如此看来，专心是与遗传有关的。

不过现在我们对于专心，实际的工作，便是要能将祖宗遗传给我们的原料，好生去运用，尽力吸收各方面对于专心有益的事，训练成为一个已经磨炼的边。多数的人并非愚笨得毫无希望，不过他们不晓得磨炼心智的艺术，不知应当要达到一种什么样的角度；却永久的拿着呆笨的工具磨炼心智。

因为许多人相信，专心的秘诀是易于晓得的，因此他们便随时听信那些大声呼喊，以为自己已得着了专心的秘诀而愿出卖的人。我没有完全研究过这些出卖秘诀的内容；不过我敢大胆的劝你们不要买他们的秘诀，或是偷取他们的秘诀。如果你买了，你会发见他们的秘诀并不能解除你的困难的。

还有一些对于专心的秘诀有研究的人，他们是不出卖的。不过他们确是真心的愿意帮助聪明的汤姆，中资的狄克，愚笨的哈利如何去专心；他们也谈论一种正确的心理学，大概不外乎要你振作或马上去干。他们只撒播一些正确的理论：如在某时间内只注意某事，要把这件事做得好，你的工作上不可露有粗糙破绽的痕迹，在做某事时其他一切的事情都要忘记，把全副的心智紧张对付工作，使自己有一种相信的心，觉得在专心方面，已得着了平衡的状态。

他们所说的这一切，在相当限制之内都是不错的；不过学习专心的正确方法，如学习行走的正确方法一样，要能矫正一切琐琐屑屑不对的地方和不良的习惯。这或许是一种很简单的工作，或许也是很复杂的工作。指导你学习专心的人所需要的工具，便是你一副心智的模型，尤如别人要你一副脚的模型一样，用之来扶持帮助你。这就是现代心理学家正在进行的工作。不过现在他们的成效很少。然而他们如果想盼望有一天能够忽然觉悟出来，以为得着了专心秘诀，做成模型，去发一笔财，却是无希望的。

有一个学生，选了一项“记忆的秘诀”的课程；他说如果他不是常常忘记去上课，他还可以得到更多的益处。这种课程也还是有点好处，因为可使那些健忘的学生对于这件事看得严重一点，以为花了钱来选这课程，总要得一点东西转来。他们读这课程好像新年立的志愿一样，在正月的开始几天，一点不疏忽马虎，做得非常之好，到二月时，所立的志愿就没有像以前那样高兴做了，再过一些时，这些志愿便无形的消灭了。真正能够将志愿坚持进行到底的人，却是那些不曾立志愿的。

以上所说的并非去使那些要学习专心的人灰心，而是要点出学习专心最要紧的地方，怎样的进行，以及为什么这种解救法不是一种秘诀或药方，每天吃几次的。学习专心的意思，不如说是重新训育一下你的全部的心智习惯，而这即是矫正你对于工作的态度。

彭乃特（Arnold Bennett）在他的《如何利用一天的二十四小时》一书中，对于这问题从另一方面有一种正确的见解。他说这好像医病，医生的本领和病人的反应都互有关系。用一种热忱和聪明的态度，从自己的弱点方面改良起，你可以解救你许多的心智工作的习惯，而这却是别人不能知道，只有你自己晓得的。

你不要去询问或希望一种救济不能专心的秘诀，而是要进行一种能够使你心智各方面健全的工作，正如你要改良身体，便要使身体各方面都健全一样。你决不会写封信给一个医生说："我觉得不好过，请你送一个药方给我。"同样，你也不能写封信给一个心理学家："我的思想力不好，你有什么救济方法呢？"虽不是一切事情都是如此然而实在有许多解救的方法，是旁人所不晓得，只有你自己知道的。

八　集中注意力的阻碍

注意力的集中，对于心智的运用是有许多方式的。注意力可以随时收取外物，随时拒绝外物。如果心的门是半开半关的，那么，你便会像小孩一样，很容易为外物所吸引。你所想拒绝的东西，但是不能随你的意，仍旧进来了。不过有一点与小孩不同的，便是你有一种想拒绝的心愿。心智之门，是身体感觉舒适与不舒适的特殊感觉和普通感觉。

如果你的牙齿痛，或是鞋子太紧，或是冷、饿、昏沉，你便不能集中你的注意力。工作的先决条件，是要没有这种种身体上的痛苦。胃口和气味也常常打扰人的注意力。此外便是目见和耳闻的。对于眼见的打扰注意力的东西，我们大概可置之不理，正如我们想睡觉时可以把灯关黑把眼闭着，但是你无法可以闭着耳朵，只能从心意上立意不听。

声音是最打扰注意力的。轰轰的工厂，敲敲打打的办公室，喧闹的百货公司，喊叫的小菜场，以及街上种种喊叫喧吵车马往来，都极其打扰一个人的工作，困乏他的神经。集中注意力的第一课，是要你能尽力关闭你的官能，设法置之不理。

最使人不能工作的声音，是那些有意义的声音。一个人在房里谈话，比一个机器在房里转动，还要阻碍你的工作些，因为你想不听他的话还要难些。真正集中注意力的工作，是要房中只有你独自一人。但是私静无声是现代生活中最花钱的东西。如果有钱的话，你可以设法买来，否则立意忍受之。

还有一种使你分心的，是由你的内心而起。你内心的某部分打扰别一部分。在你脑子的后面，有别的思想和兴趣，你想做别的事，有种种的忧虑、希望、失望，压在心头上。口头上说“要忘记它”容易，实际上做起来却不容易。有时一件小事做错了，全天一切的事就都做不好。所以一个人内心别的兴趣和情绪，妨害他专心工作。

因着工作的性质和需要，而分别有各种不同专心的种类。两种差别最大而相对的专心，是普遍的注意和窄狭的注意。前一种是要眼观四面耳听八方，后一种是要集中于一个很小的面积。在请客的筵席上一个能干的主妇，菜蔬是否一样一样依时送到，那一个客人是觉得有味高兴，那一个客人是觉得厌倦，那一个客人是招待疏忽了。侍者对于自己的责任，也要有一种普遍的注意力。百货商店的巡视人似乎没有特别的工作，但是他们要普遍的观察不少的东西。行手术的医生必须有高度集中的注意力，他的助手和看护对于自己的职务也是要有同样集中的注意力。

各种职业，因其性质不同，而需要不同的注意力。我们选择职业的时候，要适合于我们的个性的。但是在我们的日常生活中，有各类的事务，各种情况，有时需要这种注意力，有时需要那种注意力，所以我们顶好对于两种都要有训练。至于你专门的职业，顶好要适合于你所特长的那种注意力。

其次，便是关于注意力的持久性。要集中高度的注意力，差不多人人在短时间内都可以办得到，所难者就是要继续坚持下去。无论你是那种注意力，持久性也是要计算在内的。

如果你注意的习惯是有很大伸缩性的，可以很快的从一件事换到别件事，那么，你就可以做一个很好的工头或是公司经理，在一点钟之内可以答复十几个问题，做十几件琐碎的事，而在五分钟之内仍旧可以回到你正经的事上来。如果一个人的才干只能继续把一件事做得很好，那么，他便不能做这样的事。

同样重要的，是关于持久性。你对于你的工作，能够持久好久不疲倦呢，有许多工人之雇用辞退，或是自动的不干，都是因为只能维持短时间注意力的原故。他们的注意力之集中，或许可以维持一个月，但总不能维持一年。但是有些发明家对于某问题最难的部分解决之后，便觉得厌倦，而必须另换一个困难的问题，以继续集中他的注意力。

此外，无论何时何地有重要的事临到时，要马上有一种能力和意志来对付，不受环境或一时心境的影响，要能胜过惰性，而料理你的义务。我们的兴趣和责任愈扩充的时候，我们心智的习惯也要能一件一件的随时应付适当。

九　大人物和大事业

一般人以为在社会上做事，使人注目，身体也有关系。如此说来，则魁伟的人应当是能干的人，为首的比在下的应当是高大些。然而要选择人做大事，以身体的大小为准则，实在是最愚蠢没有了。

哥文（Mr. Gowin）在《干事的人》一书中，搜集了一千五百个为领袖人才的许多有趣的事实，其中有铁路局长、银行行长、保险公司经理、合股公司经理、大学校长、劳工会会长、兄弟会和各种宗教会的会长、高等法官、上议院议员、市长、主教、出版家、大商家、销售经理，以及其他同等级的大人物，各种业务的都有。

所谓人的大小，包括高人、重人以及又高又重的人。

如果是警察官、救火队队长，或是在大路上指挥交通的长官，需要魁伟的人，那是当然之理，但是其他办事的总经理或领袖，则矮小体轻的人可以和高大体重的人一样的可以合格。不过从反面看，事实上归纳起来，占高位置成功的人，的确多半是那些身体庞大的人。大概而论，以及与普通一般保险的人比较起来，他们是要高多了。最高级主干的人大概比普通人要高三英寸，次一级的要高一英寸，平均计算起来，他们大概比普通人要高二英寸。位置愈高，则身体愈大。

但是把这些领袖分别而论的时候，有一班不是指挥下级人工作而是专长于本人创造工作的，如艺术家、著作家、心理学家、哲学家、演说家、宣教家，则他们的高矮和普通人差不多，体重比那些次等的实干人物要轻些，比那些高级的实干人物就要轻多了。这一班可说是体轻的领袖人物。

最高级的实干人物，多半是体重的；他之能够达到这高的地位，是因为体重而不是因为体高。大概而论，知识界的领袖（上述的创造人物除外）、政治领袖、商界领袖都差不多高，而比较算高的，至于体重，则由知识界至政治界以至商界，一级一级的愈重，最重的是劳力领袖。实干人物以及有威权的人身体应该强大些，这也是有正当理由的。在知识界做创造工作的，比在知识界做主管工作的，无须乎大的身材，而是以质料为衡量之准则。

关于干大事业体重的人，还有几点可以发挥的。他们大概是生长在大家庭，而自己也是成立大家庭。再则他们容易与别人混合，加入许多会社。

上述种种事实，现在大概很清楚了。你要爬到高的地位，必须有好的体格。你必须努力长时期工作，必须耐劳，能够担负人生中重大的责任，负着前进，而且要有长的寿命能够获得你所结的果实。领袖人物是一类特殊的人物，大半是脑力上进，而同时有健强的体格来支持。好体格使别人有好印象，于是他便易于前进些，特别是在民治时代，一般人的选举，大半是以眼睛来看人的。所以你要做领袖人物，门径是很简单的。你要有好脑力，顶好先有好的体格。领袖人物，大半是在高尔夫球场里的。

一〇 你以为难的事便是难事么?

困难是否和烦恼或忧愁一样，多半是由自己造成的呢？确实这话是不错的；不过我们不容易证明就是了。这里有一个很显著的例子，事实虽是在一八九〇年发生的，然而在今日仍旧可以应用。

一八九〇年的户口调查第一次开始利用电表计算。这种电表并不是一种复杂的机器，不过对于当时一般人是一件新发明，没有一个人知道当书记的是如何计算法，以及一天的工作是否得力。这种工作是转载表册上每个人的性别、年龄、种族、已婚或未婚、国籍、职业、语言、学校等到一张卡片上去，转载的方法便是每一个答案在卡片一定的地方打一个小洞。如果这些卡片，都已打好了，便放到计算机里面去，然后总数便会像银洋计算表一样的从机器上表现出来。

如果要学习应用这种机器，第一要学熟一些省写的字母，如 Ad 是代表农夫，Kd 是代表商人。计算机上一共二百五十个洞，大半都需记在心里。有十个洞是每张卡片上必须打的。当无数的记录都已备齐后，每二十个书记便派一个指导的人，给他们五个星期去练习。开始的两星期是没有一人能做到本来预计的一天工作——五百五十张卡片。然后他们便努力想将工作做得快一点；于是贴出一张每日工作最高的褒荣纪录，而使大家竞争都想去打破以前的纪录。因此纪录由六百五十增到一千五百。但是这时大家都出怨言，觉得工作太过度了。于是便取消这种褒荣纪录，而让每个书记从容尽力而做，不必促急竞争了。

这种工作在上第一章课的时候，大家的印象都觉得这种用机器打卡片的工作实是太难了。后来上更进一步的第二章课时，又加入二百个未曾受过训练的新书记，分散在这些已经受过训练的书记之中。这些新书记对于这些表册既茫然无知，也从来未见过这种机器。他们所见的便是一大群书记，大家都很快的工作，击打无数的卡片，似乎是一件很容易的工作一样。他们没有经过训练，并且也没有一种觉得这种工作很难的印象。因此在三天之内，有几个便能每天打五百卡片，一个礼拜之后差不多每人都做到了这步，而平均的统计比这个数目还要高些。印象以为容易的只花了一个礼拜的工夫，并且还不觉得工作过度；而印象以为困难的却花了五个礼拜的时候。还有一个新的书记打破了以前的纪录，一日之内做了二千二百三十张卡片，平均四天的工作在一天做了。

在第一个月，时常书记打了七百卡片之后，回家便觉得讨厌了。后来有些书记能够打一千四百张卡片而一点不觉得什么。这便是一个很好的证明，凡是你心里以为难做的事，做时便确实感觉得难。在这方面别人所示的影响很大，同样的事体如果别人畏缩，便也使你畏缩；如果你以为痛苦，便当真觉得痛苦；如果他们怀疑他们自己所采来和已经吃下肚的菌子是否有毒还是无毒，便能使他们因怀疑而成疾。这都是一种团体的暗示，群众的暗示，而不是自己有意识的暗示。这些新书记是没有人告诉他们这种工作是难或容易；他们只看见别人做，因此他们做时便有一种思想，以为别人能做的他们也能做。

这个例子的结论当然不能应用到人生每件事上去；因为有些事是确实很难的，或是只对于那些天然有这种特长的人容易的。但是这句格言还是对的：不要想着以为困难，将事情变为困难。因为想像的阻碍是能变为真的事实的。

一一　刺激与行为

刺激在人类行为上占很重要的地位。刺激的心理是很重要的，其保持人类精神安适的功用也同样的重要。人的心身两方面的机器，是由刺激而催促前进的，它们从内部激励。人类求空气、求食物、求安息，以及求伴侣的刺激，都是例子，借着肉体的感觉迫着前进。比较复杂一点而属于精神方面的刺激，是追求震惊、职业、冒险、游玩、友伴、竞争、权势、名誉等等。

刺激是加鞭使人前进。如果某一卖弄风情的女子看见某一男子对于她不甚热情而宠爱她的敌手时，她便会用妒嫉的方法激起男子对于她的热情；而她之能成功到如何程度，是要看那男子所感受的妒嫉到如何程度。

刺激好像是竞赛的机车上面的测步者，使驾驶者当心不要落后；刺激也好像赶驴车者鞭上的那束草，在驴子的头前引着驴子前进。在现代社会赏罚的制度之下，而且人类行为的动机愈复杂，则各种刺激也就愈是间接而愈复杂。你的人格的表现，就是看你对于那些刺激的反应。

一般人工作，大半是在紧迫之下的。如果没有刺激，便不会迫着我们前进，做我们生活种种所必须的事。如果我们不是不得已要做许多事，则不知世上完成的事究竟有多少？为要求生存的经济压迫，为要得到名誉和地位的社会压迫，时时向我们攻击，以钱财名誉为奖励，以穷困耻辱为责罚。奖励和责罚——天堂与地狱——在刺激中是否占很重要的地位呢？这两样东西好像是并行合作，一个引着你前进，一个不许你后退。

我们对于这个问题，曾经有个小小的实验。这实验是叫许多人看见记号时便去按电钮，或是看见某个记号时，便按某个电钮。我们衡量开始按的时间，到百分之一秒之微。经过一番练习之后，每个人是要在最快的时间内反应。然后给他们一种刺激，叫他们各人竭力打破自己的纪录，结果每人的时间平均缩短了百分之六。然后告诉他们，如果不更快些按，便会有触电的震惊。事实上无论他们怎样快，总是会得到触电的震惊，但是结果这种小小的惩罚平均减少了百分之十六的时间。所以在这里惩罚和奖励的时间比例是二又二分之一与一之比。这两方面都是一种刺激。若是把这些刺激移去，则所费的时间延长到普通的记录了。

但是实验中的刺激是一种事实，日常生活中的刺激又是另一种事实。在压迫之下我们便能赶紧的做，但是我们的努力，以致精疲力倦，是否过分了呢？反之，如果没有刺激，工作便会单调，许多人便会觉得烦厌、无神气、懒惰。如果工作的性质没有味，便要有刺激，便要别人迫着我们来做了。

当然，我们两种刺激都是需要的：但是譬如不工作就饿死，不游泳就淹死，这种刺激实在是太急促了，所以我们不可在自己的热情之下或是在专横者之下，做一个绝对的奴隶。你应当有一种适当的刺激的统系，催促你自己前进。

此外，个人的性格也是有关的。我们大半的人，如果要做机械的工作，就必须有不断的压迫；我们必须有一种有规则的推进以胜过惰性。把事情停着不做，直到高兴时再做，是很难办到的，因为像这样必须有比普通人更强的意志，更少的惰性。事情必须按时去做，不过这种按时做事不是我们原来的生性。我们必须勉强把我们的性格去迁就世事。

不过在通常的刺激之下，“必需”的压迫是最无价值的。愿望、地位、成功的高兴，尽义务，应付的才干，我们敬仰的人对于我们的称赞和爱护——这些刺激乃是使世界前进，使我们享受光荣的，在后面那一方，则有失败的恐惧，失望的忧虑，达到目的的困难，在门前的狼虎等等。如果你有你适当的刺激和适当的反应，那么，你精神上便可以调和了。

第十篇　几个可以代表多数人的问题

一　令人不可解的失败者

我是一个很幼稚的心理治疗医生；我在这里行医的是一个小城市，在这里没有什么专长于那一项的医生，大家都是百病皆医的，不过别人晓得我对于心理方面颇有兴趣，所以心理方面有什么毛病的人，大半到我这里来。比较严重一点的，我便要介绍他到附近一个较大的城中的神经系专家那里。不过碰巧近来到我这里来商询心理毛病的很多，但是我不能看出重要的毛病究竟何在。他们大半是一些失败的青年。他们在校时本来是些好学生，成绩也还不错，但是进入社会便做不好事。他们喜欢学校生活，照常毕业，想进入什么专门职业。但结果他们只是流荡，没有实际处世的能力。别人觉得他们的行径是异怪的。他们的衣裳不整洁，没有充分的志愿。他们或许想结婚，但似乎要等待某女人来捉他，而且他们没有收入可以结婚。他们不晓得自己要干什么事，不知如何去找工作，找了一个工作的时候，除了别人指使之外，不知自动做事，而人人都奇怪何以他们不能上进。然后他们到我这里来问我，但是我也不晓得。像这类的人，究竟是什么毛病呢？

一个心理的医生

做医生或是心理学家的，对于那些心理组织不好的青年最忌的，就是不可吓倒了他，说他有什么很厉害的毛病，说他们是生性如此，没有救药。但是一个医生要解救那些，可有办法的（这包括大多数），同时不可不记着有几个少数的人是早年心理停滞了的，正如前面所述的。

像这样的人，医生不仅是莫明其妙，而且觉得要很当心。他晓得（正如许多做社会事业者也晓得），有许多青年男女在幼年时期是常态的，但是达到成年时便停止发展，或是往后退。他们未能发达成熟，不知如何对付工作、责任、婚姻。他们显得一天怪异一天，以致最后只能认定他们只能进步到这个程度，以后便停止，或退后，或完全消沉了。

心理治疗医生对于这种病，有一种专门名词，不过对于普通读者在此不必提出，只要大家晓得有这种事实就够了。但是还有许多别的病态，表面看来与此相同，不过所不同者是如果加以良好的指导，可以仍旧回到正路，在可能范围之内，仍旧可以做一点事业。上述的这些人就是令人不可解的失败者，或是有失败之趋势者。他们需要另一种不同的救世军，使他们恢复到常态来。

对于这类人的办法，是要设法恢复到原来的状态，不过已经总是迟了。有些是因循任其走错路，走得太远了。最好的办法是要赶早查出来，导引他们到实际的事务上，户外的兴趣——最重要的是要干事。只要他们能够热心做事，就不论是什么事——无论是做东西，敲打，搜集，或是顶好能够赚一点钱的。他们大半是不能自动向这方面走的。他们不好玩，不热心，不能成为什么“迷”，不能沉湎于某种事物，不能进入生活的游戏。他们的心力是向内长，不是向外长的。他们好梦想，好读书，好沉默，常常害羞，他们的心智是凝结了的。

当然，我们不可完全禁止他们不读书不讨论，但是不可让他们太过分。我们应当把他们的心智转向外来。他们需要独立，能自己维持自己。要叫他们时时观察外物、做事、管理，要修整，要注意外观，要他们晓得这个世界是充满了责任、工作、事务的，而不仅是一种梦想悠闲的世界，要别人来照顾。对于常态的孩子，这些事物自然而然会随着而发展的，但是对于他们却不会如此。他们需要特殊的帮助，而且愈早愈好。

要捉到这样的人，有一部分困难，就是有许多孩子自然的通过了这渡难关，而发展得很好。一个人能够找着了自己，能够按步前行，而能得到自己的地位，这是他一生的关键。有许多人非要经过一番改造，才能做到这一步。他们很早就需要扶助，而且是时时的扶助。如果他们不能得到适当的扶助，便会成为一个不可解的失败者。

二　意结的治疗

自小的时候，我便自觉的或不自觉的结了许多仇人。我时常默想一些事物，易于把这些事物特别放大。我对于我所遇着的环境，总是破坏的批评，但是同时又觉得自己无意志性格来改造事物。凡我所做的事情（我的婚姻也包括在内），我又怕又恨，总不能忍受别人对我的批评，而我的丈夫也是非常之好批评不表同情的。你看，我能够分析自己，但是对于自己无解救的办法。在结婚之前，我对于不合于我的环境不能应适，而我是希望结婚能改造我这种特性的。但是我的丈夫与我的种族、信仰、教养、人生的理想，都不相同，而与我相同的是易于激发的怒气，所以我想到我们两人都有恐惧。我现在是想来改变自己的。我实验了应用心理学中所谓“肯定”（affirmation）的方法，但是结果我觉得好像是适得其反。我常常总觉得对于神经质的人有催眠术技能，很好的用催眠术方法，一定可以有很好的效果；我常常也奇怪何以在疯人院里不利用催眠术。

我还可以附带的告诉你，几年之前我曾到某治疗院去查看。我和里面的某医生谈了一个钟头之后，他说我并无什么毛病，我便无结果的出来。自那时以后，我似乎对于我自己的情绪比以前更难自制，而我有点怕起来。我再可以到何处去得到解救呢。我这种昏乱似乎循环不已而来。

一个失望者

这样的人，可说是有了一种意结。她的情绪不安宁，充满了疑惧愤怒，还带着自傲的心情。她整个的心境，是快乐的阻碍。这是一种青年时代的意结，有许多小孩子也是如此。从一方面看，她是不能解脱儿童时代的那些意结，就是那些放纵情绪的儿童。愤怒、敌视、破坏的批评，不能适应不同的意结，亟想改造自己而不能办到，这都是儿童时代那些放纵的习气。

当然，我们不能叫人再回到儿童时代，再重新加以教导；不过如果我对于这个“失望者”的解剖是对的话，那么，我就主张对于她重新加以教导。“失望者”很能懂得自己的情形，所以对于诊治的方法较易于了解，也多有自制的机会。

第一，关于催眠术的问题，我要她切不可把此放在心上。催眠术对于别人或许有用，但对于她却不行。第二，所谓“肯定”的方法，“新思想”的方法，应用心理学等，她已经是尽量利用够了。当然，她想要解脱这种罗网，大部分要靠她自己努力，但是如果她只晓得要得自由，只知挣扎，那是不成功的。我再说一句，她要医她的毛病是要把她的毛病忘却，因为她总挂念着她的毛病而去奋斗，已经是失败了。她把她的毛病愈加塞进去了，没有导引出来。

解救的方法，是绝不要想到她自己的毛病，想种种方法解脱，而是要竭力忘却，而同时对于某种别的事物养成一种热忱的兴趣。从这方面她需要别人的帮助，别人不必医她的病，而是引导她离开她的病。这不是一日或一月之功，最初是要把她引入正道。所谓正道，是要根据于许多特殊情形，在此不能讨论。她不能注定是一个悲剧，而是有悲剧结果的趋势。许多别的人胜过了他们的意结，而能有常态的性情。

她这种失望不是无办法的，虽则她很需要急切的解救方法。像她这样的人的情形，既然是若干年养成的，当然不能在短时期内拔去劣根。或许有些心理剖解家对于此点不同意。这是因为他们对于某些心理病症，看出了一种特殊的意结，某种重要的心理冲突，他们对于此特殊意结加以纠正，病者便恢复常态了。这或许是如此，不过我看像“失望者”的困难，已经生了较深的根蒂，短时期不能拔出。不过无论从那方面看，我以为她总是有很好的机会，可以复原的。

三　一个难驾驭的女儿

我有一个女儿，现在十一岁半。大约一年以前，我相信她所受的训练是对的。不过对于她现在的情形，我却很是不安。我的女儿非常聪明，意志坚强，而怕她这位自以为严于训练人的父亲。我比较温和些，对她说话也柔和些；

但是如果我去矫正她时，她便反唇相驳："没有人能够压迫我做什么事情。"在夏天露营时，她是一个百分之百善于过露营生活的，在学校里也是一个极会读书的学生。使我烦恼的，便是她对于我不能有相当的敬意。有时候我想用斥责的方法，但是我不晓得这是否一种正当的方法。她的父亲好久就想送她到一个长年留校的学校去。我还可以加上一句，她对于宗教是有很深的兴趣的。

F.S.P.

这一个问题，也和其他许多问题一样，有些地方是很普通，有些地方是特别的。最普通的便是，多半的儿童，尤其是男孩子，情愿去遵守群众的规则，而不愿服从父母直接的管束。因此，露营和学校生活对于这类儿童最为有益。这是什么原故呢？因为儿童服从营幕和学校的规则，觉得这并不是服从个人；他们是遵守群众的规则，这种规则并非专设立了去管束或压制他们私人的。这就是何以独生子是容易任情放肆的。

所谓特别的地方，便是她的这种反常行为，发生还只一年。恐怕你要说这是父母对于教训儿女的方法各不同（这种事实本来是不好，然而不可免的），也是一部分的原因；因为你那些年纪较大的女儿，在这种差异尚未显明之先，便已长大了，所以不会反抗。大概反抗的儿童，总是年纪很小，等到十一二岁的时候，他们便渐渐改革而走入正途了。

至于管束儿童的方法，在威吓的管束法及仁慈开导的管束法中，我的意见还是以后者为佳。假如父母与子女中，能以爱字相系，是最可宝贵的，虽然有时敬仰的态度，是由威吓所迫，然而真正的敬仰，便是由爱而生的。你希望你的女儿在十一二岁时，能够对你表示一种敬仰之心，这是很对的，但是比十一二岁还小的儿童却很难办到。不过无论子女的年龄大小如何，敬仰是不能由强迫或命令可以得到的；必须是他们内心情愿。这是整个连系的一部分。有些父母喜欢儿女的亲热，还胜于儿女的尊敬心的。

这个问题是常常发生而极严重的。问题的中心，便是有许多感觉敏锐的儿童，都喜欢反抗一定的训导。他们并不是真正的坏儿童。如果常常压迫他们，他们便会变得更坏。他们受着这种他们所谓的“压迫”，便会使他们激烈的反抗而不快乐。你当然应当树起你正当的威权，不过你必须以适当的手腕而达到此目的。你有时是应当用粗鲁的方法胜过儿童的意志，不过你要同时记得恐怕要付相当的代价的。

你还要晓得，这种性格，并非完全是不好的，虽则令人很烦恼不便。差不多要像圣人一样的父母，才能对付得来。有一个小学校的训育主任遇着了一个像上述那样的女儿，他对我说：“那个小孩子不愿服从管教，是有一种领袖的性格；然而如果他不知学习服从，结果他只能成为一个暴徒，而不能成领袖。”

现在再重复说一遍，一切教导的方法是要看如何实施的。而这种心灵的药，不是看药的内容是如何，而是看病人的反应怎样；一切其他药的效用也是如此。一个儿童如果只有外表服从，而内心反抗，是没有用处的。你还可以留心，有些性格很和蔼的，如某家中的婶婶或叔叔或朋友，有些是养成儿童反抗的习气，有些是能熏陶儿童善良的习惯。

关于上述的那个女儿，我看把她送入长年留校的学校是一个适当的解决方法。并且她也不小了，而对于群众规则的生活又能表示服从，或许她能因此而变好。不过还应当想到一点，便是她是不是愿意去呢？她是否觉得这是被送走了呢？抑是觉得这是一种很好的机会去得教育呢？我希望她是第二种性情。

没有学校是可以代替家庭的。但是经验告诉我们，有许多小孩在学校里比在家庭还要感觉快乐安适些。现在我们不必谈到教训，而说是儿童保持常态。善于使儿童保持常态者，必定把他的真意藏匿起来，因为他是一个艺术家。上述的那个女儿是一个激进的，但她是否也同时神经过敏呢？有时医生必须打断一根骨头，才能把身体医好；但是打断了一个儿童的意志是很不幸的，除非是不得已之外，不可采用这种方法。学校生活可以建立一种平稳的心情，由是而经过一年之后，或许她养成了别的性格可使她驯服。那么，怎么不把她送到学校里去试试呢？

四　性别感觉的过敏

请你不要宣布我的真姓名，而略略告诉我一点处世为人的方法，好么，我可以告诉你我的毛病在什么地方。

别人以为我是一个非常古板的人，我自己也觉得与男人交际时，常常感觉得不自然，可是我自己也不明白这是什么原故。有人告诉我说，这是因为我自己太神经过敏的原故，因此我现在努力改良，加入了一个游泳社，每礼拜去游泳两次。我觉得别的女孩子都不像我这样呆笨，我希望我能克服过来。如果有时男人加入游泳时，我感觉我便污秽了。我并没有做什么错事，只是感觉得呆笨不自然，或许你有什么建议，可以帮助我解除这种习惯。自从加入游泳社之后，我似乎感觉得我的心思纯洁些，但是这也不能完全有助于我。还有一种毛病，我有一种爱偷看别人的男朋友的习惯，我也情愿能够改除，不愿意给予别人一种坏印象，以为我是一个多疑的人。我猜你一定以为我为这种思想所困，以致脑筋昏乱。老实说，我确实是常常头痛得厉害，这大概是我对于随便什么事都看得太严重了。实在我并不情愿如此。

J.B.

这封很坦白诉说自己毛病的信，引起了一个很重要的题目，便是性别感觉的过敏。感觉性别过敏的青年人，比感觉神经过敏的青年人还要多。不过这两种很容易打混。从许多人生的目的上说，我们可以自称为人类。其实严格的说来，世界上并无人类，只有男人和女人。

性别过敏的感觉，发生得很早，不过不在婴孩时代，而是在儿童时代。性的感觉，也和诚实和幽默性的感觉一样，是要经过几种不同的时期的。我们叫儿童时代为天真时期，这当然是对的，不过如果谓之无知时期，恐怕更切当些。

儿童性别感觉的过敏与男女儿童各个的好恶和能力之不同，都很有关系。社会上的风气也很有影响。男孩的一种最早的发现，便是觉得女孩子是可以被戏弄的，恐怕同时这也是一种女孩对男孩的发现。戏弄是有一种卖弄风情的意味。

我们应当要注意到男女在十几岁时的青春期，是男女儿童心理根本转变时期。虽然现在的青年男女，便是以前的年幼儿童，但是他们嗜好的变迁，却是非常显明。他们的感情脾气，变为深沉，他们的行为举止，也变了风度。男孩之欲亲近女孩，女孩之卖弄风情，已有点显露出来了。

如果带一个十岁的儿童去看电影，表演爱情一幕时，他便会说或心里想："剪断这幕！"数年之后，这幕却变成他最惊震的一幕了。一个十岁小孩觉得看牧牛的武士在旷野的故事，为得一个姑娘而冒险，是很愚笨的事；但是对于一个十五岁的孩子，便觉得他这种勇敢的行为而得到一个姑娘，乃是应得的答酬。

你渐长大的时候，你对于各方面性的关系，便愈觉有趣，而你对于异性的兴趣如何，也变为你心理安适中之很重要的部分。关于这种性的关系，在心理上我们也可以找着两种不同的特性或态度。一种是过于积极的——太热烈、太沉湎、性欲过于发达。一类是惧怕、退避、害羞，没有勇气向异性攻取的能力，在异性的面前，态度不能像在家庭里一样表示自然。大概而论，受性压制和受性害羞的痛苦的人，比受性放纵痛苦的人多些；不过每个人自己总是感觉得，自己所受的痛苦比别人厉害些。

恐怕要一个聪明人，才能告诉 J.B. 或其他与 J.B. 同病的人，如何去克服这种愚笨的行为；去告诉 J.B. 如何进行，恐怕也是一个愚笨的人。一个男子对于性的关系，只有男人的感觉，他不觉得别人何以要视为了不得的事。他并不是不晓得女子是觉得男子是有趣的，他也觉得这可以自傲。他觉得这是女人的一种弱点。

J.B. 想努力求自己的态度自然，大方，以尽量利用她这种性的本能，也是不错的。世上有了男人女人，便有味多了；使这种男女的关系健全，也是生命活力的一部分。

五　怎样诊治神经衰弱的青年

我已经受了几十年的神经衰弱病的痛苦。

或许你以为我是受了这个病名的害处，其实这个病名，我还是最近看俾尔德医生（Dr. Beard）的书，才知道的。我晓得从前那种老观念，以为这是身体机能上的毛病，这实在是错误的。现在的解释以为这种病状，乃是因为人格的分散。这便是我所晓得的一切，我既没有精力将这种病状研究下去，我也没有钱可以去看一个神经病专家；我更无自由可以让我自杀。我现在不将我琐屑的历史来烦扰你，不过我可以告诉你几点重要的地方。

我的最大病状——精疲力倦的感觉，脑力衰弱劳悴——这些病状都是你知道的。我现在二十五岁，在大学四年级。我本是一个健康、活泼、平常的青年，我的家庭并没有神经衰弱的遗传性。我在中学的头几年，非常之会读书。毕业以后，我担任过好些好的工作，但是这时我发生了种种沉闷、厌倦、衰弱等象征，使我对于每件工作都不能好好的干下去。在二十岁时，我入了大学；沉闷、厌倦、脑力衰弱、心神不定等仍旧毫未消除。我以前以为我所患的一种是烟精毒。后来我便到一个医生那里去过细检验了一下。他说我并没有病，不过要多加休养；因为我的病是属于精神方面的。我自己觉得我的病是忧郁症。因此，我跑到图书馆里去翻看了关于这个病的书，觉得赛德勒医生（Dr. Sadleir）的话最对，他说诊治忧郁病唯一的方法，便是心灵的职业和时间的磨灭。我于是以读小说和算数学为心灵的职业，但所得的效果非常之小。到现在，我的病已深到只走五步路便感觉疲倦的程度了，但是我读到西德（Boris Sidis）所说的疲倦的恐惧，我又咬紧牙根特意走长路。不过无论怎样，我的疲劳、脑力衰弱等总不能治好。

像我这样的身体，能够奋斗读完大学（我中间有两学期未读，）令我也觉得非常稀奇；我是在我有精神的时候，把学识塞进去的。我很相信，假如我能找到一个终身伴侣，或者可以把我这种病医好。但是我现在的沉闷和疲乏阻止了我的交友幸福，和正常的交际；因此，我觉得现在我所能做的，只能让我的病拖延下去，希望能碰运气自己好。

B.E.

一个病人的自状，可以表明他对于这病状是如何看法。在他自己看来，这并非一种病状，不过是他生活上一种可怕的实现。这种极普遍的神经衰弱症，是神经世界里最可怕的。如果你想赶走这种恶魔，必须用白昼的光辉，照耀得很清楚。

这种不幸的人所看到的恶魔，比实际存在的还过分些。他知道要去找书看，但是看得不够，不能有助于他。他从书上所得的见解，错误的和正确的一样多。这样一知半解的学识，去医治自己的精神毛病是非常危险的。

关于神经衰弱症的学识，我们现在所晓得的并不及我们所应当晓得的那样多；但是有几点我们是清楚的。第一，原始的天性。这并不是说你刚生出来，先天便带有神经衰弱的遗传性；而是假如你有这种趋势，便容易得这种病症。有些人的神经系组织非常之硬强，他们可以忍受顶大的困难风波，各种人生的烦恼和悲剧；还有些人则遇着小风，就会跌倒，但是跌倒之后，能够合法的修养，又能恢复原状。

神经衰弱症，如果在年龄上越发现得早，便越表示是原有天性的衰弱症；但是年青的人总是比较很坚强的。有些人到三十岁或四十岁得着衰弱症的，那是因为责任太重的原故。

神经衰弱症顶显明的病状便是疲倦；这是由惧怕和沉闷所致。如果一个人对于疲倦有一种异常灵敏的感觉，他无疑的是得了神经衰弱症了；恐怕除了患神经衰弱症的人，没有人能知道什么叫做疲倦，因为他们所感觉的，似乎精疲力竭快要死了一般。这种疲倦或许是他们自己身体内由疲倦所产生的毒物所致。其次显明的便是一种自觉身弱的烦恼，现在之所谓忧郁症。再次还有失眠，及其他各种无名的痛苦。

因此，当这种病厉害时，便有六种显明的病状：疲倦、恐惧、沉闷、自觉有病的烦恼、失眠、痛苦。病痛的时期有时几个礼拜、几个月，有时甚至几年。还有一种虚伪的神经衰弱症，便是患病者并无一种机体上真正的疲乏；其实这不过是病的深浅的关系。许多神经衰弱症，如果病状不是顶重，又有合法的医治，还是能得到一种有效能的适当的生活。

对于 B.E. 以及其他与 B.E. 同病的人，我们可以贡献他们一点指导。如果你是一个患神经衰弱症的人，你要能自己有一定的主见。对于你去读完大学，当然是一件很困难的事。但是你不可可怜自己，你要想到世上还有许多与你同病的人，或者比你的病状更厉害的人。别人可以不须苦心孤诣，便能得到快乐，你却应当努力奋斗，屏除一切烦恼，去寻求精神安适。你所需要的帮助不是拐杖，你应当不需要拐杖，尽力的向前奔去，随时增长你的距离，不要看一切关于神经错乱的书，只要你自己知道患的是神经毛病，而这种毛病是必须由自己医治就够了。最要紧的是去寻找一个好医生，他能和兄弟一样看护你，能在你需要时帮助你披大衣。让他做你的指导者、哲学家和朋友。

你现在对于你的病所做的事很难说是对的。你的方法只能使病增重。一个患神经衰弱的人，应当有一种比常人较高的生活标准。你相信如果找得一个终身伴侣可以将你的病治好。完美婚姻确实是有助于一些病人，只要这些病人是值得救济的话。不过你现在没有一点理由，可以叫一个女子牺牲她的一生来安慰你。你应当先证明你值得救济的地方出来。

你的病状是一种不顶厉害的神经衰弱症，需要一种固定有规则的职业，和一种坚持不断的政策去渐渐克服这些病状。打击是免不掉的，但是它们还是会离开，每受一次打击，你可以加强一分管制的力量。其次，你必须找到一个聪明的指导人，督促你往前进行；你对于他必须真正的信仰，照他的方法去做。除非有了很大的进步，切不可任性。

六　自贱的意结

我被一种身体的缺憾（我以为是的）烦困了许多年。这种缺憾也影响了我的心灵智力，使我只好丢弃了一种专业，虽则有人告诉我有这种才能。因此，我趁这个机会写信给你，觉得你一定能够发表一点意见（也希望你能帮助我而发表一点意见）。我现在将事实说明如下：我心身的组织方面都是健全的。在中学毕业之后，进了一个法科专校。开始时我书读得很好，一切都很顺遂，但是后来我读了一本关于堂表结婚所生的子女的问题。因为我自己的父母是堂表结婚，因此，我觉得受了这本书很大的影响，尤其是这位著者表示堂表结婚的后代，大多数是身或心方面有缺欠的。

自从读这本书之后，我便完全变了一个人。堂表结婚的后代不健全的思想，似乎牢固在我心中。我时刻都不忘掉这本书里所说的话。不久之后，我听了一位精神病学家讲论关于有心灵缺憾的人。在他演讲中，他说人类手的形状是与心有关的。大概我是比较神经过敏，我察看了我手的形状，觉得似乎太小。因为我身长五英尺七英寸，重一百八十磅，肩膀也十分宽大，而手却像一个小女孩子的。朋友们也常提到我这种身体上的不相称。间常我也能忘掉这一切无谓的思想，努力于着我日常的工作，而得到很好的效果，不过当我想到别的事上时，尤其是我的手，我消失了一切兴趣，感觉得我是平凡。我相信你一定能抽暇读这封信，并表示你的意见，则我感激不尽了。

H.I.W.

由这封信的文词可以看出这位写信人的才能；然而从他的才能方面也可以解释他情感方面的毛病。自贱的感觉有时可以遮盖一种自高的感觉。这种阻碍力很大，因为他有一点觉得自己缺欠，便感觉得非常不安。

像 H.I.W. 这样情形的，改正倒是容易而简单。他对于自贱的感觉太过于神经过敏了。假如他不是这样，他一定不会因读关于讲表亲结婚的后代的书，便要怕到这种地步。近亲结婚固然可以产生弱种，但也可以产生强种。许多父母是表亲的人之中，只有少数的人，因为自贱感觉过敏的原故，才会受表亲结婚后代衰弱的论调的影响。

至于手小，情形又不同一点；这是不可否认的事实，但是我们可以不必时时记挂着它。这是因为自觉过敏所致。我们都希望在体貌上像常人，虽然不能超过常人之上，至少是和他们不相上下。每个人都希望成一个发育完全的人，女人生成是小手的，男人带有女人的特性，当然是使人不舒服。他所以感觉不安，一部分是因此之故。有许多青年人，其实并不十分勇敢的，谩骂、喝酒，矜夸他们一些冒险的行为，表示他们是如何的老经世故——毫无一点儿女柔情！这些行为其实便是遮掩他们一部分弱点，因为他们并不能依照他们所说的去做。他们是想由夸张而把自己抬高。他们似乎觉得把自己看得高贵时，便使别人视为渺小了。

一个人的手小是一件小事情，手小了不会阻止人做大事，不会阻止人用脑力。假如是别人对于这件事或许不会十分关心，以为是很自然的事。艺术家韦斯勒（Whistler）有一种自傲的性格；他的黑发中有一束是白发，他反而以此认为他是特别的人物。如果是一个自贱的人有了这种白发，便会觉得与别人不同，会把白发染黑起来。小手并不是一种残废，即算是身体上有残废的地方，也不会妨碍个性的正当发展。

世界上虽然是有许多真正的自贱，而且难于诊治的；实际看来，似乎无谓的自贱感觉引起无益的烦恼还要多些。像现在所说的这种病状，唯一有效的医治方法，便是“忘掉它”！

七　一个家庭的冲突

假如我的家庭知道我写这封信给你，他们一定会说，我太不知情义了。然而我实在和家里的人合不来。我唯一喜欢的便是音乐，而我在家里所听见的，除了商业、钱、工作等语之外，再听不到什么。我的家庭要我去工作，他们觉得在一个不著名的乐队里拉梵哑铃是一种很无意思的工作；但是我现在的能力却只能做到这一步。假如我去进音乐艺术院，我梦想着或许可以有大的发展。你主张我这样自动的进行么？我现在刚刚二十岁。我实在不能和家里的人继续住下去，因为他们看不起我玩音乐；如果一个人四周的环境不合宜，当然是不能奏出好音乐的。除此以外，我的家庭也是一个普通家庭，家里人似乎都弄得很好，只有我一人合不来。

一个好音乐者

这是一封关于家庭心理学还比较和缓的信。有许多这类的信，个人关系太重，不适合于公布，甚至这封信，我也略去了许多细节。这些变化无穷的家庭冲突，是应由那些比心理学家还要聪明的人来解决的。因为这种家庭冲突，环境地位的关系太多，外人很难加以指导。

佛洛特对于家庭心理学的解释，以为许多因家庭冲突而引起神经错乱的病源是有遗传性的。他说男孩子过于与母亲亲热，养成了对于母亲一种深的印象，这种理想后来影响于他们的婚姻，因为没有一个姑娘是能像母亲的。他又说女孩子也有一种理想，以父亲为天下男人的模范。因为这种思想，男孩子常常反对他父亲，甚至忌妒他父亲对母亲的亲热；或者呢，他便反抗那种过于严厉的父亲。其他的心理分析家比佛洛特还进一步，以为人类失败的一切悲剧，都是由家庭关系之不良而来。但是我们不必完全相信或大部分的相信这种理论，因为家庭还是占重要的地位，以发展个性，养成精神上的健全或不健全。

家庭是一个很重要的组织，因为人类的儿童时代便是在家庭消耗的，一切重要的特性是从家庭开始的，种种习惯和兴趣是由家庭养成的，我们一生的行为，便由幼年时代的训练所形成，尤其是人类寻求快乐的情绪程度如何，要依家庭生活的快乐与否而定。这是人类天性基础培养的单位，是我们生活中最亲切的世界。假如我们能够给每一个小孩一个快乐的儿童生活，人生一半的问题都可以解决了——其他一半也可以减轻事实的严重。

不过家庭的关系，无论如何坚强，是必须破裂的，在破裂未临到之前，好久以先，我们必须准备着。因此，当破裂临近时，父母与子女的冲突，便成为尖锐化的时期了。从前认为是当然的顾问，现在居于冲突的地位时，那么，这时男女青年便不知再往何处去商议他们的私衷了。有些人甚至提议说：假如在问题尚未变严重时，能找到一个顾问，那我们的亲属争执的法庭和青年法庭，就可以少许多麻烦了。这种家庭心理学的问题，我们是否需要专家来研究，是很难说的；社会学家现在是常常研究这种问题的。

但是世上最普通的家庭冲突，多半是和这位音乐家一类的。因此，我说的这些话似乎可以作为一种普通的指导。不过实际上并不能够，因为能真正作为良好的指导，是要对于他整个二十年的家庭情形能透彻了解。现在他的情形，已是问题的末了一步，而不是前后整个的原委。

做父母的如果能够晓得，这种坚强的音乐嗜好，是他们儿子终身事业的根基，为儿子的恐怕也不会愿意铤而走险，脱离家庭，去做飘泊无依的游子。如果环境不合宜时，没有人能做出好工作的；不过现在说来，改良环境，让子女依照自己的所好去求发展，已经是迟了。小的不合可以变为大的不合，然后终至分离。没有人能够阻止了下了这种决心的人，也没有心理学家能够想出一个普遍的公式，对付这一类的问题。

家庭也和世上其他组织一样，有它的好处，也有其坏处。如果将家庭生活的好坏都衡量一下，心理学家就会觉得这是生活适应最基础的一种环境。世上最完全的人便是一个适合于家庭的人，不是为家庭所淹没，而是能依照家庭关系稳定起来。不过一个人的终身事业，还是应当由自己决定。

恐怕家庭心理最重要的一种实验，是看家庭能够做一种人生的护庇和指导到如何程度，而此种护庇和指导，不要是一个监狱。因为终究看起来，各人还是有各人的进行曲的。

八　冤枉造成的悲剧

某人是一个思想行为都高尚的人，他鄙视别人做卑下的事，他从来不赚一个不正当的钱，然而他自从有一次被人所控告，要他拿出一笔数千块钱的赔款，实在他没有拿这笔钱，也不晓得这事的内容；因此，他被人暗地讥讽为贼，想要将他监禁——这样他不幸为人所暗算了。他对于这件事，实在是完全冤枉。从此以后，这个本来健康的人，心身便日渐消瘦——体重减轻不少，变为孤寂、忧郁，工作也不像以前起劲，上面的经理本来答应增加他的工资，现在也无形取消，并且用辞退他的位置的话去恐吓他。因此上面的人对于他很有成见。未受冤枉之先，他的一生工作进步得非常迅速，但受冤枉之后，便不能如前一样的研究和工作，变为迟钝、不留心、惧怕。数年之后，健康稍为恢复，他便独自开了一个小公司。开始事业进行还很顺利，后来他又沉入以前的病状，时常忧郁惧怕，而不能再保持他原有的高尚思想。

随后他厌恶与人群往来的性情，越加厉害，变成一个离群索居、不见人的孤僻者。我所说的这个人对于这次打击所起的反应，你的意见对于他应当怎么样呢？当然，他的毛病是起于最初心灵受震惊的原故。他应当就这样孤独下去么？无疑的他现在是专向这条路上走，而且他现在也是受着一生从未受过的痛苦。

带着希望的询问者

这是一个关于精神的普通悲剧，常常使人想到究竟多少是由命运造成的，多少是由原始的天性造成的？情感受打击的知觉过敏，大概是由于原始的天性。不过我们不能说，它们的关系倒底是如何，并且人人都是不同的；有些人经过的一生如钉子一样硬，不管内心的情绪，对于世界的舆论完全不去理会；另外一些人便对于微小的耻辱、粗暴的语言、不公平的证明，都感觉异常灵敏。

我们情绪知觉的粗或细是由何而定，尚不得知。但是虽则天生有此种区别，但还是可以用功夫来培养的。在我们身体组织中，有一种组织使我们对于骄傲和羞耻感觉灵敏；不过我们所以骄傲和所以羞耻，都是行为的结果。

如果别人疑心我们为贼或叫我们为贼，我们都会感觉羞愧的。不过感觉羞愧程度的深浅以及因别人议论，而自己感到不安到如何程度，却是各人都不相同的。或许我是一个不注意别人对我的批评的人，而你却是非常关心的；或许我感觉被人视为贼是一件无足轻重的事，而对于你却是一件丧失人格面子的，所以每个人对于受冤枉的打击而起的反感，都是大不相同的。

但是还有一个因素，也是在原始天性之内，决定我们对于冤枉起如何的反应；我们的羞耻的感觉会怎样的表现出来，以及我们如何能准备恢复常态。近年最大的一幕冤枉悲剧，便是德雷富斯队长（Captain Dreyfus）的悲剧。他被削去了所有陆军的头衔，被全世界所看不起，被送到一个孤僻的小岛上去过一种非人的生活，他无辜的忍受了许多年的罪。后来亏得他的朋友替他辩明了冤枉，他的官衔依旧都恢复过来，他被荣尊为一位牺牲的烈士。有几个人心身方面能够忍受这样许多年的冤枉，洗清之后，尚能心身健全的回来呢？

从这个例子可以看出天性是如何有关了。信中所说的这位先生天生是不宜遭遇悲剧的，我们预料假如他没有遭遇像这样难受的冤枉，他一定可以常态的过一生。我们的忍耐心都有一定的限度的，假如我们遭受的打击和失败胜过了我们的上进心，我们失败的行为，便随着我们的弱点表现出来。无辜的打击便使人容易消极，神经过敏，远离社会；如果在好的环境之下，这种种便不会表现出来。雷德富斯队长是从一种更大的冤枉之后出来的；这个人却并未受这种遭遇，用不去咎责的方法可以使他恢复原状么?

同样重要的一点，便是对于人格的感觉过敏。人类看待荣誉和羞辱比物质上的需要之满足和缺乏还要重要。这些东西变为人生精神上的营养品。假如荣誉一旦丧失了，其他一切都完了。丧失体面的事和羞辱所造成的悲剧与丧失物质的悲哀一样实在。破坏了你的好名誉比损伤了你的珍珠宝石，还要使你难受些。不过假如人类不把荣誉看得重要，社会便不能维持下去了。生性细致的人对于这些价值是感觉非常灵敏的，粗鲁的人便不如此。

性情便是由先天的性质和后天的训练所造成的。因此我们原始对肉体惩罚的感觉，便变成了对精神惩罚的感觉，于是一种损伤名誉的打击，便形成了心灵上的悲剧，至于这些悲伤的人和运命不好的受害者，对于所遭遇的悲剧的反应如何，要看他是那种性情的人，以及他原始忍受的力量怎样。逼迫可以显露一个人生性的软弱，正如一件不结实的衣裳，便在合缝处分裂。英雄有天生坚强的忍耐力。不幸世上的人不能人人是英雄。

九　心理的注射治疗法

我是一个二十二岁的女子。从小我就有一种奇怪的感觉，以为我不久就会死。我晓得这完全是心理作用，但是我没有能力压服这种思想。

我现在已经请了一个医生诊视，他在我膀上打了注射针。他说这种注射可以使神经安静。我已经打过了五针，但是感觉得并无一点效验。现在我想晓得的便是：这种注射真能有益于我么！医生说我需要十五针。还是枉费金钱和时间呢？如果你贡献我一点意见，真是无比感激。

W.D.

医生所努力的，是要打倒一切卖百灵药或假药的欺骗。如果不把这种工作完成，恐怕精神病者也会找精神病医生要一种百灵的精神注射疗治法。医生是为一种正当的目的而用注射；使病人感觉得这种治疗法是最强有力的。而那些庸医尤其爱用。

膀上打注射针去平静神经，共打十五针，每针照算付钱，这种治疗当然容易引起别人不信仰。这位病人实在是比医生要聪明坦白些，因为她晓得间常她的不快之感，是从小时就有的。

当然，她这种神经过敏是什么原因，是要由过细检查她的病状和一生历史去决定的；原因查出之后，再寻找一种合法的治疗法去医治。如果以上的步骤不能做到，最好是将以前一切无用的治疗法赶快终止，而找一个对于神经素有研究的医生来医治。

说到骗子医生，虽则我们为那些受骗者可怜，而他们的行为又是医学界的一种耻辱，但是他们的治术却是非常有趣的。不过这两方面的看法，也不尽然。一个人如果没有经过长期病痛，时常调换治法而毫无效果的痛苦，他不会懂得有些人为什么只要找到一线希望，便觉得这是值得一试的治疗法；甚至那些聪明人，生病的时候，都情愿去尝试一些愚蠢的治法希望病好。

原因便是因为很少的人能够忍受病痛，尤其是那种病症不顶清楚而复杂，使人烦恼气闷，身体不安适而想精神安适的病。他晓得他的病源，而他的神经过敏，使其情形更加复杂。这便是为什么许多病人当病已诊好之后，必须经过长期休养才能恢复原状的原故。他们有时养成一种病态的习惯，再不会恢复到完全精神安适的状态。至于这些庸医，有些医术虽然不高明，人还诚实，有些则只管能骗人多少钱了。

要明白这一切，必须懂得费世彬博士（Dr. Fishbein）所谓的“医药骗术”，关于神经和心理方面的。注射二字使人听了，当然是起一种稀奇和神秘的感觉。一个人能够发明一种元素，注射在皮肤内，变改你的神经，消除你的惧怕，不可不谓聪明了；他对于这种注射不但非常内行，并且还知道必须要打十五针之后，金钱到了手里，才能见效。

这种注射，如果说是用注射器在皮肤上打的注射，不如说是一种心理催眠还好些；至于说到它的功效——不能完全说没有，有时也能见效的——其见效便是因为催眠的功效。催眠可以说便是一种心理的注射。

伪医的治法能引动人听闻的，既多且奇。有些都是从前代相传下来的，如磁气学或天文学，有些是根据于古代医学知识的奇怪理论，还有一些完全是挑战性质去诋毁现在的医药方法，以为过偏于唯物论，或太不自然。

最大的一种骗法，便是仿效着用科学的方法去维持医学的理论（实际上可说是游戏论文）；因此，如专卖的药，便直接大登其广告，说这种药是一位尚不知名的最好的医生最新发明的，其所以未为医学界所公认，是因为一种同业的妒忌的原故；但是他出于慈善的动机，情愿将他的发明贡献给能够有钱买得起药的受苦的病人。这种药品可以说是一种“心理注射”。

他们有各种最新医药治疗器具如电气的、磁石的、注射的、震摇的、化学的、两极等器具，他们还有证明书、冗长的鼓吹文章、各处来的颂德信件、各种资格学位，以及各种奖章等等。反之，如果没有这种种的排场，而只有几句简单的告诫、鼓励、解释，则似乎太简单，太易于了解，不足以当专家了。

然而在现代文明进化的时代，以为一般人容易被医药所欺骗，似乎不会有了。他们的确也不会，不过是因为他们过于失望而跌入阱里。这种种虚伪的罗网，在生理和心理的医药中，好像寄生虫一样，蓬勃的发育起来。

一〇 家庭心理学

我非常喜欢读你的杂志，好久我就希望你能指导我。我现在二十八岁，在一九一九年我十九岁的时候结了婚，那时妇女中玩纸牌和吸烟的还很少。我有两个女儿，我也很满意我的家庭。最近我们从城市里搬到郊外去住，但是我发觉了这些郊外的人，完全与我兴味不相投。当我自己不能与这种新环境同化，而又看见我的丈夫非常能与他们合得来，能照着他们的方法行事，我便决心写信给你求你的帮助。有时我觉得恐怕我离开家里，还可以快乐一点，因为我在这种环境之下，非常沉闷；我也喜欢请朋友吃饭、听音乐、看戏、看电影等等，但是不喜欢爵士音乐和纸牌。我对于无论什么事情的记忆力都非常好，但是不会记纸牌；因为我不能玩这些东西，所以我不能和这些人混在一处。对于我的女儿看护医药方面的事，我都爱做（我曾经请过乳娘带她们——但是祖父母待她们太严厉）——到现在我也感觉得和她们合不来了。

E.G.

许多信都是提起了这个问题：心理学家是否有助于解决家庭的纠纷，这封便是其中之一。教会和国家对于这种家庭问题是负了一部分责任的，他们将男女结合成夫妻，假如夫妻不能快乐的同居，他们又规定了在如何情形之下及何时夫妻可以分离。

但是一个人如何与另一个人不相合，是一种极端个人的问题，没有那一种片面的法律可以给以一种完满的解决。我们虽然有家事纠纷法庭和教会来解释劝导家庭间的冲突，然而各人的嗜好、脾气、思想、习惯之不同，无论是心理学、社会学或其他所谓“学”，所定的公式律法，都难为他们解决。

的确，现代的心理学，不但发觉了人生的冲突是仅在神经系内起毛病，并且这种冲突也是人生成功的途径上的障碍物。一个人在冲突环境之下，生活当然不能快乐美满，冲突是包括各种不相容的情形，自压迫恐怖以至于反抗背叛，其中还有种种的不融洽，不相合，以及两人之间之连系渐渐稀薄分离。

现在没有一种科学可以为婚姻定出一种规律和公式，或是伴侣式的，或是“至死不分离”，能够使两人自始至终相融洽。心理学家顶好不要以为自己对于爱情的冲突，有什么确实可主张的办法，或是有什么方式可以苏醒已死的情绪，或是能够回避家庭关系的种种危险。

虽则我们这样小心的理由很充足而显明，不过其中最大的理由，是只有对于发生问题的家庭详细状况熟悉的人，才能提出适当的解决办法。如果不然，则冒险来主张的人，好像一个政治家，自己相信在某次大会时讲了一篇很好的演说；然后他问一个“朋友会”的朋友对于他的演讲觉得怎样，那个朋友回答说：“是的，朋友，你的演讲很好，但是比你聪明的人会讲得更好，如果更聪明的人就会不肯开口讲了。”

大半的家庭问题，都是如此；像上述的这个问题，不论其结果如何不幸，而其冲突的范围实在是很有限的。我们对于夫妻二人，不能给他们一个指南针或是地图，便可使他们在茫茫的大海中，安然前进。多用智慧，并互相忍耐，是老生常谈，不过现在还没有发明更好的工具。我们不能希望心理学有万能的指导，能够解决结婚的一切困难问题。常识、好的判断力、智慧以及人类彼此往来关系中种种适当的应付，都是维持良好家庭关系所不可少的。在个人或夫妻关系的种种困难问题中，古谚之所谓“自知”（know thyself），现在可扩为“自思”（advise thyself）。

一一　下意识与习惯

我记得在某书上看见过一句话（大概是Stanley Hall的著作中），说是我们在冬天可以学游泳，夏天可以学滑冰；我们的习惯，是在平时未用的时候学来的。所以到冬天的时候，我们不会忘记是如何滑冰的。但是我不知这种原则，究竟对到如何程度？我是一个私立幼稚园的校长。如果我长期不断的训练儿童，直到正当的习惯养成了，我不知这种培养习惯的方法，是否可得到最好的效果。这种长期的训练，是否可使习惯栽培在下意识里呢？这问题的真理究竟怎样呢？我们是否可以由下意识学习呢？

一个办幼稚园者

这是一个范围颇大的问题。第一，所谓下意识并不是什么神秘的东西，我们并不是有两个心——一个有意识的心，一个下意识的心——正如有些心理学家的理论。不过我们心的组织，一部分的知识是由故意有意识而来的，一部分是由下意识不知不觉而来的。这两者之中没有严格的界限，人的行为有些是属于此，有些是属于彼。

这问题的实际方面，是怎样利用这种关系来培养我们的习惯。稳当一点说：无论什么东西，总是要经过一点努力才能学得的。自然不会让我们以无易有。没有人可以希望某天早晨起来忽然会弹梵哑铃，或是缝衣，或是开汽车，或是打字。有些人以为如果在学生半睡半醒的状态教他们一些知识，他们便会把知识存留在下意识里。这实在是一种妄想。

实在的情形，是有时我们太费力，太不值得了。有时你想一个名子，总是记不起来；而你不去记的时候，却忽然记起来了。这是因为脑筋需要休息；你一晚想不起的东西，第二天早晨却毫不费力忽然想出来了。但这必是年纪很大的人，有过许多经验而心智组织很复杂的。

至于儿童，一切都是很简单的。他们培养习惯的原则，最好是经过学习；我们还不能切实证明，知识是可以灌注在下意识里面的。不过我们晓得，在儿童精神充足的状态，经过稍许的努力来练习，比较他们在疲倦厌烦的状态之下，不断的努力练习，效果还要好些。

努力继续不断的时候，有一种成效渐减性的定律。同时对于遗忘方面，也有一种遗忘渐减性的定律。在学习后接着最初的几分钟和几点钟，遗忘得最多，自此以后，则一天或一星期都没有什么分别了。

上述关于滑冰或游泳的事实，是因为你以为不用而会遗忘的预算得太过度了。一年之后，与一月之后，你所遗忘的没有什么大区别；但是一年的时期比一个月要长多了，于是你误以为你获得了什么东西，好像存在下意识的银行里所得的利息一样。实在的情形，是长期的不用，并没有遗失你所想像的那么多。

第二，与指导儿童努力的技术也有关。儿童的情绪是非常敏锐，容易因失败而灰心或不知所措。教小孩子像西部牧牛者抛绳子，有两点重要的地方，这两点也是可以应用于别种学习方面的。第一是要“泰然处之”，第二是要“不可性急，或是无耐心”。抛绳子是很引人的，抛会了很好玩。但是把衣服脱下折好是一种不适当的开始，所以必须养成一种不同的习惯。你必须引起他们的兴趣，使他们乐于开始。

我晓得这位办幼稚园者心中的意思，是指着另一种不同的比较关于个人的习惯，如使孩子们服从，按时做应做的事等。但是要养成这种习惯，必定是遭儿童反抗的，而反抗是养成习惯最大的阻碍。如果不遭反抗，而得着他们的赞同，则结果必很顺利。做教师的艺术，是要能回避学生的对抗。

反抗是产生于其他的习惯，天生的好恶，以及自主的欲望。所以无论做何事最容易，最自然，最满意的方法，是要能养成的习惯，进行顺利，而达到此种目的是要一种比较能合乎心意的习惯。有些教梵哑铃的，最初一定要指正放琴的地方，以及拉弦的姿势；另有些教师则只要近乎正当的姿势，等到琴学得有味些再渐渐的改正。大半的学生，用渐次改正的方法，似乎成效要好些。学习就是重新不断的学习，培养习惯也不能例外。

一二　社交中的胆怯

我是一个十九岁的女速记员。我长得很好看，很聪明，工作做得非常之好。凡与我接近的人都喜欢我，不过我有一件我自己不明白的事，一件很烦恼的事；如果我得不着帮助，将来一定有很不好的结果。以下所说的便是：

无论什么时候，遇见了一个我所熟悉的人，不过好久没有会过面了，在第一次相会的时候，我似乎为自己的神经所镇服，心里好像刺着，使我不知应当对他说什么话，常常所说的都是一些不适当的话，然而同时我却不知如何是好。不过我和人谈过几分钟之后，便可以完全恢复常态，甚至还可以和人开玩笑；但是在开始的几分钟却是非常窘迫。而且这种窘迫还从身体上表现出来，面部发生战栗（尤其是当我笑的时候），心里有一种退落的感觉。不过这种状况，不是对无论什么事都发生。有时候当别人介绍我见一个生人或我自己去见一个生人时，我觉得很自然，但另有些时则这种窘迫露到表面上来。我觉得我对于某种人的这种反应尤其容易。譬如我对于我的上手，便是常常感觉胆怯气馁的，假如他和我谈论意外发生的事情，或关于公事，我便会感觉心内沉落，面部战栗。因为这个原故，我不喜去拜访朋友，而且常时惧怕这种窘迫表现到面部来，使别人奇怪。这种窘迫使我变为非常胆小。

我在近两年中，因为这个原故，痛苦非常。我常常和自己奋斗，警告自己设法自禁，假如我再像这样做一次，我便不知我应当如何了；但是这都没有用处，这种窘迫完全不受我的管束，我自己实在无能禁止。我曾跑到医生那里去检验过，但是他们都说，没有别的毛病，不过是神经的组织感觉过敏而已。不过无论神经的组织如何，我是总想能得到一种诊救的办法。我不能懂得这是什么原故，我常常似乎是在一种云雾之下过生活，有这种毛病在心里，我不能够快乐。我想你或许会说这是一种遗传的自贱的意结，不过我不懂为什么我家中只有我一人是如此；不过无论这是什么毛病，这总是使我感觉精神痛苦的。有什么我可以做得到的，解救这种精神痛苦的方法呢？这种毛病是什么意义呢？我能有诊救么？还是要终身感受这种痛苦呢？我实在是烦恼得很，假使你有方法可以诊救我时，我真不知如何感激你。

一个烦恼者

这封信可以代表许多有同样病征，但是不能或是无胆量发表出来的。烦恼的人很多，这位写信者只是属于这大群中之一类——所谓“社交胆怯者”——这类在社交中以及社会之外是很多的。

我在前几章好几处说过，一切神经衰弱的人，都可以分为归于神经衰弱症和歇思的里亚（Hysteria）两大类。前者含有惧怕的成分，后者含有发怒的成分；那便是说，惧怕是前者最重要的因素，发怒是后者最重要的因素。后来两种因素淆混，以致有些病状之中，两种特性都有。依另一种关系说，他们可以分为退避者与急进者。烦恼的人是属于退避者。

社交胆小便是退避者的一种自然反应，在青年初次社交的时候，这便是一种很显明的病征。退避者也和普通人一样，希望能给人一种好的印象，但是因为惧怕的情绪所主持，以致不能办到。因此，当遇着不可避免的社交时，在起始的几分钟，便感觉一种进退两难，不知所措的痛苦。有些人的痛苦，有时便从面部表现出来，如喉部的战栗，面部肌肉的抽颤，心情沉落的感觉，红脸、怪样、假笑、出冷汗等等。一种情绪的感觉可以引起肌肉、血液、内分泌等发生变化。

这一切的病状，因为无大关系，都可以不说；我们每个人都有弱点，而神经不定把它表现出来。在一个位置比自己较高的人，或是一个重要人物的面前，我们尤其容易胆怯失措。我听说有一个少年人，在别的事上非常勇敢的，在英国皇太子面前却吓昏了。退避者总是把事情挂念在心，以致他这种心情不安定渐渐养成了一种自贱的意结。“烦恼者”把自己的病情看得非常严重，其实她不过是一种普通的社交胆怯。她把她的不安迫成一种悲剧。

世上有许多人的病情与她一样，有许多还比她厉害。她还只仅仅惧怕拜访别人，我晓得有一个人只要室内有三四个生人，她便不敢进去；到戏院里去时，只敢在星期三白天里，坐在近太平门不甚拥挤的一角上。还有一个人，非要单独一人的时候，才能工作。

患社交胆怯的人是不易导正的，然而却容易去鼓励他；不过你还是要告诉他，这多半是要靠自己的力量求解救。他们并非真正的胆怯者；他们常常能对付很严重的事。我晓得有一个患这种毛病最厉害的一个青年，在欧战时，非常会打仗，但是解甲归来之后，做了一个教师，因为怕见学生和同学的，只好不干了。对付枪炮不是一种社会环境，所以比做教师还容易。

“烦恼者”在社交胆怯者中还算较好的，因为她能用信表白出来。她并没有夸张，也并没有形容过分，虽则“痛苦”“地狱”等都是强烈的形容句语。她所表现的这些特征都是真确的，而她的悲哀也是真的，因为一方面她能够而且很想做一个比较大胆的人，但是一方面遇着阻碍不能实现，以致两方冲突。她感觉她不能与常人为伍，然而她知道，假使她神经所致的胆怯失措能够打破，她也是和常人一样的。

当然，这些毛病是可以除去的，不过不是一时都能除去，至少要在几次努力之后，才能解除。她对于环境应当每次加劲的泰然置之，态度安闲，然后她这种胆怯的表现，只是在常态的生活中，很少的发生。但是这一切都需要奋斗的，而且常常是一种阻力很大的奋斗，患社交胆怯的人，对于旁人视为毫不费力的事，他们却须鼓着很大的勇气才能做到。

一三　如何胜过惧怕

我现在患着神经衰弱症，这一部分是由于

我心理态度的原故。我是一个心情很郁闷的人，时常很容易沉闷。在这种时候，我便回避朋友或是娱乐。自从我受这种神经上的痛苦之后，我总是怕我独自一人在家或其他处，或是独自一人出外。我有这种感觉的时候，便使我胆怯，我的神经不由自主的昏眩不安。这就使我非常之忧郁不宁。可否请你指教我如何胜过这种态度，并使我的神经宁静。

L.F.

如果在我桌上堆着这许多信，对于惧怕诉苦的，足以代表古今来对于惧怕之破坏人生幸福的普遍性，那么，我们每日对于上帝的祈祷应当这样修改："拯救我们脱离惧怕，救赎我们不要恐怖。"或者我们对于哥倚（Coue）的谚语可以这样修改："一天一天我的惧怕战栗逐渐减少。"

我选的这封信，是关于这方面我收到的许多信件中最简赅的一封。那班容易为恐怖所围困，以致限制他的自由，改变他的人生观，牵制他的精神安适，这封信可说直接指出其毛病的根源了。一种惧怕，原来是在某种实际情形之下——如从高处下望——而造成的一种神经不安。至于预料某种灾害而感觉忧虑不安，则可说是恐怖了（这大半是偏于想像的）。惧怕和恐怖的界限也是不甚清楚的。它们是同属于一个大家庭，虽则在诊治方面各个的药方不同。

惧怕原始于婴孩时代，婴孩时代的惧怕是简单的。他们不用想像，他们只生活于现实。如果把他们所倚赖的东西移去时，则他们感觉得不安。如果他们是在黑暗中或见了生人而感觉不安，则他的惧怕近乎恐怖了。大半的小孩都是惧怕黑夜的，而且也易于受惊吓，所以我们对于婴孩应当很早就训练他们不要惧怕。许多患着恐怖症的成年人，大都是小时过于受惊吓的，因为过度的惊吓非常之震撼神经。如果增加自制的能力，儿童可以胜过惧怕。惧怕最初根源，是在儿童时的心理。

惧怕的第二个根源是疲乏。胆怯是困乏一部分的表现。疲倦的时候，我们大都容易惧怕。休息饱食之后，便可增加勇气。刺激的药品也可以鼓勇气，正如忧虑时可用一种催眠的药品使人宁静。要减少惧怕，就先要免除疲乏。但是无论如何不可因着某种惧怕的原故而怕疲倦，如此，则你赶走了一种惧怕，又放入一种惧怕了。

疲乏另一种结果便是沉闷。当你忧闷时你便默想，默想时你便回避伴侣。这类的人都是如此，因之造成这种实际情况——怕孤独，怕独自出外，总是想依赖别人。

像L.F.这位惧怕者，可说是简单惧怕者的一个代表，不过他惧怕的程度还很轻微。救济的办法，第一是要有充分的休息，使你的身体舒适。什么时候病态最烈呢？早晨么？你的职业可以解救一部分么？你是否需要换一个环境呢？你能否有好友伴着你出去游历，最好是海上航行，因为航海宁静而能鼓舞精神。你是否有什么家庭的情况使你不安呢？你有经济上的忧虑么？如果有什么好消息可以打散你的忧闷么？是否你所喜欢的朋友来时能使你高兴，不喜欢的朋友来时就使你沉闷？你被忧虑所袭击，是一来几天呢？还是几星期呢？

在郁闷时你应当休息，高兴时应当寻求刺激娱乐。你应当像这样想着：你已经有过了郁闷，现在已经胜过了。如果每次你能晓得并不是你所想像的那样严重，那么，第二次来时你便能较有勇气对付了。这种病症不是马上一时可以治好的，必须逐渐的宁静，逐渐增加能力以赶走恐怖。

不可工作紧张！应当时常休息，不可有病态的习气。不要以为你自己是神经质的，要觉得和别人一样，不过略微偏于这方面一点。只能略微依赖别人一点。要渐渐自己站立起来。有许多别的人胜过了你这种毛病，所以你也是能够的。

一四　不易克服的神经

我所要提出的问题，是如何解除意结。这种意结延长至十年之久是否常态呢？虽则我晓得欧战已经是过去了，但是每当一个汽车胎爆裂，或是忽然瞥见手电的电光，或是闻着氯化物石灰碘酒的气味，不论是一转瞬之久，我都还是感觉得非常之不适。

在欧战之前，我以为所谓神经不过是牙科医生所怕伤害的东西，因此对之毫不关心。但是自从欧战之后，我对于你所研讨的什么精神错乱等等，就无时不注意了。我不能制止那转瞬之间忽然所感觉的回忆，觉得自己实在太不行了。因为我在坎拿大的军队里服务三年，在伊泊尔、索谟、维米、阿拉斯等处，经过许多激烈的战争，然而我吞下了我的畏惧之心，能够制止战栗，勇敢的往前进行；但是过了这大规模的恐怖之后，现在忽然听得一响声，却有点惊吓了。

我这种惊吓延长了一年之久，到现在我还是想设法约束我的记忆，不使那些战时的印象，再恢复转来。

一个法兰德斯人

这位写信的原来以为自己是不受神经震撼的，现在却把他神经的易感性很清楚诚实的表白出来。像他这样很强的神经，在平常的震撼之中，或许可以安然过去无事：但是战争究竟是战争，战争就是地狱，其影响于神经与伤害身体的别部分，是一样厉害的。从神经方面看来，战争就是不断的震撼。大炮的轰炸，受伤的疼痛，惧怕危险的紧张，这都是战争的纠缠时时免不了的，使人的抵抗力崩裂。那些受战争惊恐的人，不仅是限于那些为炮所轰的。

那些完全为大炮所惊轰的，其神经的崩裂比较最厉害，因为他们的神经永久不断的受战争记忆的刺激，以致他们不能相信战争是完毕了；他们的神经不能复原。但是大半法兰德斯人能够复原，停战之后，他们能够很快的恢复到安静的状态。他们狂放的吐了一口大气，于是复原了。但是有些地方，他们仍旧是神经易于感受。

回忆的觉官使那些老的印象不能完全忘却，是很有趣的。在战争的时候，使耳朵震惊的声音总是轰炸，而耳朵是对于震撼天生最敏锐的觉官，所以每次忽然爆炸的声音，由耳朵的天然生理和已往的经验，就已经有一条经过许多次数的路使神经震惊。我们人人的构造都是如此，不过兵士因着战争的轰炸就更加厉害。一闪电光，甚至一种气味，就可影响于他的神经，不过他现在的神经联系大半是间接的，是由经验而训练的，不是因为神经系的组织生来如此的。甚至于闪电也很惊人，因为联想到雷电的闪烁，是很震撼神经的。

像写信的这位法兰德斯人，原来是神经很健全勇敢的，然而他的神经还是不能遗忘大战时的震惊，自认为他的弱点，这也是当然的结果。其实这并不是他的弱点。这不过是表示他神经组织的敏锐（虽则战争是不常有的），他的神经组织是非常之完善的，虽则只有这一点点的感受震惊，对于他都似乎是不方便的。甚至于在一刹那之间，他也不能习于失去他那清醒的头脑，而认为是一种神经上临时的沉落。他这种感觉，实在是因为他的神经过于健全的原故。

至于这种意结要经过好久才能消除，在战前我们对于这方面没有经验可资参考。大概所受的震撼愈深，则延长的时期愈久。上述的这位法兰德斯人，我根据于他的信，大概别方面是没有受什么损害的。战争之后，他恢复他的原状。不过他在法兰德斯战场上的经历，不能完全抛去，因为他到战场时是他的那种神经系，回来时还是他的那种神经系，他的自我不仅在他的内回忆中生活（这些回忆他保存着而且遗传给他的子孙），并且他继续他那种细腻的神经系生活——那种一刹那的但是很显明的闪光——就是汽车胎爆裂的时候便使他回想到战场的情景。

“我所受的这种影响，如果还是这样继续十年下去，我是否还是一个常态的人呢？”当然他还是的，不过除了他神经组织上的某一部分，就是他那可怕的战争经验使他有很深的印象的。这是他神经系上的一点瘢痕，当显露出来时有一点震动。

当战争不断的继续进行的时候，神经实在是太集中了，太惊慌了，不能松弛下来。时日是紧张的，职务是需要全副精神的，惊恐是继续不断的。在休息的时候，所受的惊恐就显露出来了，正像头痛的人坐下的时候，就痛得更厉害，当我们卧下休息，才晓得我们究竟疲乏到如何的程度。抵抗愈长久，神经愈麻木，则等到松弛的时候，就崩裂得愈厉害。

那些真正神经崩裂的，神经衰弱的，则所感受的痛苦更加无间断些。他们的这种意结时时侵入日常生活，打扰日常生活的宁静，至于那些神经健全强不过感觉敏锐的，对于以前可怕的经验，有一种不安而同时似乎好玩的感觉。他们好像想告诉他们刚恢复的神经说：“战争已经完毕了啊！”

一五　心理病

许久以前，我曾去检验了一切体格，但是医生说我身体上并无疾病或缺憾，不过是神经组织感觉过敏而已。我的脑后部两耳之间，常感觉一种紧胀的痛苦，全脑也有一种混乱迟钝的感觉，使我不能有注意力去对付工作和日常事务。因为我要医治以上的病状，便到一个骨科医生那里受诊治，现在紧胀的感觉虽然医治好了，但是在后脑又发生了一个新的疼痛。

我现在想请你为我介绍一位头盖骨专家，问问他我现在的这种医治法是否有益，因为我自己实在不大满意他们的治法；常常在一种病状好了之后，别的病状又出来了。

C.W.S.

你相信一种胃部的神经过敏是想像而来的么？因为我经过了一次极详细的身体检验，并无身体的疾病，不过我对胃部不断的战栗感觉，非常感觉痛苦，使我的心灵也变为软弱。我一个人单独的时候，总是莫名的恐惧，但是如果有人作伴，便不觉得怎样；我相信这种恐惧当然是由胃部的神经过敏而发生的。

W.N.

我是一个二十七岁的少妇。我在儿童时代是很可怜的，因为我父母为着生活的压迫，很少能留心看护我，从性情上说，他们还不适合于教养小孩。

我中学毕业时的成绩，是得到褒荣的，还得了一笔奖学金，进过两年大学。我相信我近年来得了一种所谓自卑的意结的毛病，因为我总是不快乐，又不能交到一个我合意的朋友。

我近来时常容易感冒伤风，加之在几年前我曾经从街车上跌下来一次（我相信这两者便是起病的原因），以致神经过敏，变为有精神不适的人。我这种病已经发生了九年，问过了许多医生。现在我种着某种细菌，为着是要解除肠胃中毒的疾病的。

我还患着歇思的里亚，虽则已经经过精神病专家的查验，但是无多少帮助。我眼内的肌肉也有毛病，加之我的眼睛非常近视而散光。我相信这恐怕也是使我起病的原因。有人劝我将眼内的肌肉开刀，有些人说不可开刀，所以我不知应当听那一方面的话。我感觉得家庭环境是我致病的最大原因，因为我有一个很怪癖的父亲。

B.A.

上录的这三封信，是从许多信中选出来的，他们可以代表那些同时患着肉体和精神的疾痛，而两者不知是那一方面造成其他一方面的根源。身体的不健全，不论是胃弱，眼睛近视，病后失调等等，毫无疑义的，这些都能减低对精神疾病的抵抗能力。你能够忍受多少身体上的疾病，而不会使你心灵得病呢？假如你是病了，你能很快的恢复你心身方面的健康么？这确实是一个关键的问题。

在各种困难情形的病状中，其难处便是病人抵抗病的心灵抵抗力非常低弱。因此他们心灵上也传染了疾病，于是想各种解除的方法，其中有些是聪明的法子，有些是很蠢的法子。他们诊断自己的病状常常是错的。他们还算很聪明，能知道去过细的检验一次体格；然而检验的结果，不是并没有身体上的疾病，便是说即算有，也不是最重要的病源，而是无须着急的。

然而病状仍是依旧，内心的烦恼仍是不能消除。“我相信这种恐惧当然是由胃部的神经过敏而发生的。”“胃部的神经过敏是由想像而来的么？”我的回答便是，假如你心理上已有疾病，这种疾病便会在你身体最弱的部分进攻；大概你是有消化不良的毛病，所以便成了胃部的神经过敏。假如你有脑筋痛的趋势，你便真的得一种紧张的感觉，假如一个骨科医生给你治好了（或者是你觉得他治好的），但是别的地方又发生了疼痛，于是你又想去问一个头盖骨专家，因为“常常在一种病状好了之后，又发生别的病状又出来了”。

这一切的办法，实在是很蠢的，因为这样使一切疾病都集中在心灵上；既然有许多人对于自己的疾病，有这种错误的观念，则许多医生可以利用病人的这种弱点，大收其渔利。

第三封信所说的精神病状，又与前两封不同。既然我们知道有许多精神上的冲突，如家庭冲突、自卑的意结、受震惊、失望等，都与身体的疾病有关，而同时有一些身体上的疾病，如流行性感冒，从电车上跌下来，肠胃的疾病，近视眼等等，则两方面凑合起来，便成为一个很可怜的故事了。这一切内体的不幸，当然都是能加重身体的疾病的；不过疾病真正重要的来源，却都不是在此，而是一种感觉以为心灵有病的趋势。用理智的头脑去看待自己的疾病便是得到精神安适最好的方法。

从前这种病称为忧郁症，这是一个可怕的病名，而法国人称之为想像病，其实这是不对的，实际上这种病便是对于健康的一种错误观念，精神卫生便是要领导人民对于健康有一种正常的态度。上面信中所说的什么“胃部战栗的感觉”，“头部混乱迟钝的感觉”，“自卑的意结”，“怪癖的父亲”等等，都要从脑筋里赶出去。

虽然这些病状不能完全除去，但总应当驱除到相当程度，而以正当的健康观念去补缺。良好医药治疗，也是有益的，如果时时更动医生，便会有损无益。一个聪明的医生（不论他自己是如何称呼自己），必是用各种方法引导病人对于自己的疾病，有一种正常的观念。他先是要消除他们心理方面的疾病。

三联经典文库第二辑简目

《游击战教程》　明凡 / 著

《游击战术纲要》　陶剑青 / 编著

《汪精卫卖国的理论与实践》　钱俊瑞 / 著

《抗战以来》　韬奋 / 著

《陕行纪实》　楚云 / 著

《随军散记》　沙汀 / 著

《被日寇囚系半载记》　王研石 / 著

《倭营历险记》　房沧浪 / 著

《活跃的新西北》　田影 / 编著

《保卫华北的游击战》　刘清扬　陈北鸥等 / 著

《徐州突围》　《徐州突围》编委会 / 编

《沦亡的平津》　长江　小方等 / 著

《淞沪火线上》　胡兰畦等 / 著

《瞻回东战场》　长江　罗平 / 著

《东线的撤退》　胡兰畦等 / 著

《抗战中的西北》　徐盈 / 著

《鲁闽风云》　徐盈等 / 著

《西线生活》　西北战地服务团集体创作

《中国解放区见闻》　［美］福尔曼著 / 朱进译

《全面抗战论》　潘汉年 / 著

《日本的间谍》　范士白自述 / 尊闻译

《日本大陆政策的真面目》　国难资料编辑社 / 编

《民众动员论》　李公朴 / 著

《中国外交史》　钱亦石 / 编著

《太平洋军事地理》　蒋震华 / 著

《世界经济地理讲话》　思慕 / 著

《列强军力论》　［德］马克斯 · 威纳尔著 / 宾符　仲持　梅益等译

《近代国际关系史》　张铁生 / 著

《太平洋现势手册》　沈志远　石啸冲 / 编著

《近代世界政治史》　钱亦石 / 著

《从战争到和平——一九四五年的世界政治》　乔木 / 著

《战后日本问题》　思慕 / 著

《最近一年间的国际动态（1946.7—1947.6)》　《东北日报》社 / 编

《论政党》　翟放 / 著

《法与宪法》　韩幽桐 / 编著

《中华民国宪法刍议》　罗家衡 / 著

《民主 · 宪法 · 人权——作之民》　费孝通 / 著

《宪法论初步》　潘念之 / 著

《对反民主的抗争》　韬奋 / 著

《农村改进的理论与实际》　江恒源 / 著

《上海产业与上海职工》(上下)　　朱邦兴　胡林阁　徐声 / 合编

《陶行知教育论文选辑》　　陶行知著 / 方与严编

《中国通货膨胀论》　　杨培新 / 著

《中国及其未完成的革命》　　H·普拉特著 / 蒋天佐译

《中国的建设问题与人的训练》　　卢作孚 / 著

《论中国特殊性及其他》　　艾思奇 / 著

《中国经济问题讲话》　　钱俊瑞　徐雪寒　王渔邨　姜君辰　骆耕漠 / 合著

《中国经济的道路》　　许涤新 / 著

《中国财政之病态及其批判》　　孙怀仁 / 著

《官僚资本论》　　许涤新 / 著

《五四运动之史的评价》　　陈端志 / 著

《中国通史简编》(上下)　　中国历史研究会　范文澜 / 主编

《论文学的工农兵方向——读〈在延安文艺座谈会上的讲话〉》　雪苇 / 著

《中国近代史(上编　第一分册)》　　武波 / 编著

《文学百题》　　傅东华 / 编

《中国史学之进化》　　周谷城 / 著

《论民族形式问题》　　胡风 / 著

《论批评》　　荃麟等 / 著

《中国史纲》(第一卷上下、第二卷上下)　　翦伯赞 / 著

《近代中国思想学说史》(1-4)　　侯外庐 / 著

《中国政治思想史》（上下）　吕振羽 / 著

《中国哲学史纲要》　向林冰 / 著

《中国政治史讲话》　钱亦石 / 著

《中国社会经济史纲》　王渔邨 / 著

《新财政学大纲》　千家驹 / 著

《太平天国革命运动论文集——金田起义百周年纪念》

华北大学历史研究室 / 编

《理性与自由——文化思想批评论文集》　胡绳 / 著

《战斗者的诗人》　黄药眠 / 著

《国语文法》　曹朴 / 著

《教育哲学》　张栗原 / 著

《妇女问题讲话》　杜君慧 / 著

《婚姻 · 子女 · 继承》　沙千里 / 著

《性教育新论》　布士克　雅各生合著 / 董秋斯译

《狱中杂感》　杜重远 / 著

《七人之狱》　沙千里 / 著

《爱迪生传》　伍况甫 / 译

《歌德自传》（上下）　歌德著 / 思慕译

《尼赫鲁自传》　［印度］尼赫鲁著 / 毕来译

《列宁传》　［苏］凯尔任采夫著 / 企程　朔望译

《罗斯福总统传》　C. Mackenzie 著 / 张尚之译

《托尔斯泰传》（1–3）　［英］阿尔麦 · 莫德著 / 徐迟译

《革命文豪高尔基》　［美］亚历山大 · 康恩著 / 韬奋编译

《鲁迅纪念特辑》　新中国文艺社 / 编

《回忆鲁迅先生》　萧红 / 著

《人民文豪鲁迅》　平心 / 著

《亡友鲁迅印象记》　许寿裳 / 著

《鲁迅思想研究》　何干之 / 著

《鲁迅研究》　夏征农 / 编

《过来的时代：鲁迅论及其他》　雪峰 / 著

《电影戏剧表演术》　洪深 / 著

《日常心理漫谈》　［美］约瑟夫 · 查斯特罗著 / 曾宝施译

《心理常识漫话》　朱智贤　杨云美 / 著

《读书的方法与经验》　王任叔 / 著

《美国黑人生活纪实》　［美］加德维尔　斯坦倍克著 / 董秋斯译

《初访美国》　费孝通 / 著

《事业与成功》　［美］马尔腾著 / 汪原放译

《萍踪寄语（初集）》　韬奋 / 著

《一生的幸福前途——〈生活周刊〉信箱选集》　生活书店 / 编选

《深刻的印象》　生活周刊社 / 编

《海外的感受》　生活书店编译所 / 编

ISBN 978-7-108-04691-8
9 787108 046918 >
定价：53.00元